JN196769

歯科補綴学専門用語集

第6版

2023 The Glossary of Prosthodontic Terms 6th ed.

公益社団法人
日本補綴歯科学会　編

Japan Prosthodontic Society

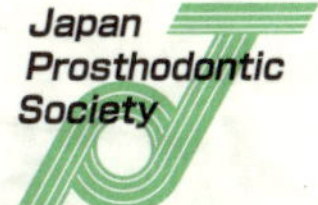

医歯薬出版株式会社

This book is originally published in Japanese
under the title of :

SHIKAHOTETUGAKU SENMON-YOUGOSYU
(The Glossary of Prosthodontic Terms)

Editor :
Japan Prosthodontic Society

ISHIYAKU PUBLISHERS, INC.

7-10, Honkomagome 1 chome, Bunkyo-ku,
Tokyo 113-8612, Japan

2023 The Glossary of Prosthodontic Terms 6th ed.

第6版

歯科補綴学専門用語集

目 次

「歯科補綴学専門用語集 第 6 版」の発刊に寄せて

ここに，公益社団法人日本補綴歯科学会による「歯科補綴学専門用語集 第 6 版」が上梓されました．この「歯科補綴学専門用語集」は 2001 年に第 1 版が刊行されて以来，ほぼ 4 年毎に改訂され，22 年を経て本年「第 6 版」が無事発行されたことになります．まずは，多大なご尽力をいただきました近藤尚知用語検討委員会委員長をはじめとする委員会委員の諸先生方へ感謝を申し上げます．

今期の用語検討委員会は，公益社団法人としての社会貢献と本会が推進するデジタル・トランスフォーメーションの一環として，新たな試みとして 2019 年に発行された「歯科補綴学専門用語集 第 5 版」の電子化を行い，2022 年 1 月には同用語集の PDF 版を学会ホームページ（https://hotetsu.com/）に公開しました．無料ダウンロードできるため歯学部学生，歯科領域の研究者，臨床家，教育者は言うに及ばず一般市民の皆様にも自由に参照して頂いております．

さらに新たな試みとして，この「第 6 版」は製本された書籍の販売と同時に学会ホームページ（https://hotetsu.com/）より PDF 版を無料ダウンロードすることが可能となっております．つまり，最新版の用語集が発行直後からどなたにでも参照頂けるようになりました．本件についても利用者の利便性を鑑みて用語検討委員会から提案され学会として決定いたしましたが，書籍としての販売数はかなり少なくなりますので，学会としての予算措置を講じております．会員の皆様のご理解には心より感謝申し上げます．

前述のように日本補綴歯科学会による「歯科補綴学専門用語集」の歴史は古く，他の歯科学会に先駆けて整備され，定期的に改訂を重ねてきましたが，常に，歯科医学教育要項，歯科医師国家試験出題基準，歯学教育モデル・コア・カリキュラム等で公的に使用されてきております．「第 1 版」で述べられているように言葉は生き物です．学術用語とはいえ補綴歯科の多様性や進化に伴い専門用語も常に変化し続けております．この度の改訂でも，現在では使用頻度が低くなった用語を削除し，歯科補綴分野において使用頻度が増え重要度が増したデジタル歯科，口腔インプラント，摂食嚥下リハビリテーション領域の用語を新たに収載しました．今回の近藤先生を委員長とする用語検討委員会により実現した出版形態が定着すれば今後改訂作業において細かな対応が可能になると期待しております．会員の皆様におかれましては本専門用語集をさらに利用価値の高いものにするために是非ご利用していただき引き続きご意見を頂戴できれば幸いと存じます．

最後に，「歯科補綴学専門用語集 第6版」の完成に向けてご尽力いただいた用語検討委員会の関係者，またパブリックコメントを積極的に寄せてくださった多くの皆様にもう一度深く感謝を申し上げて，結びとさせていただきます．

2023年3月

公益社団法人日本補綴歯科学会

理事長　馬場一美

第６版　序

2019年に発刊された「歯科補綴学専門用語集第5版」は，米国のAcademy of ProsthodonticsのThe Glossary of Prosthodontic Terms：Ninth Edition（GPT-9）に準拠した非常に完成度の高い用語集であり，次回の改訂はGPT-10の発行後と考えていました．一方で，馬場一美理事長の掲げる“デジタルトランスフォーメーション”というキーワードに後押しされ，歯科補綴学の潮流は急速に方向を変えつつあり，専門用語集にも変革の時がきたことを感じ，用語検討委員会の委員一同，限られた時間の中で，全力で改訂作業にあたりました．

今回の「歯科補綴学専門用語集」の改訂にあたり，新たな取り組みとして，用語集のPDF版発刊を検討しました．そのトライアルとして，現行の第5版のPDF版をホームページ上に掲載したところ，ソフトウエア上での検索機能が使用できることから，目的の用語を検索するスピードが格段に上がり，かなり好評でした．この結果を受け，委員長会と理事会でさらなる検討が行われ，第6版はPDF版も冊子と同時に発刊されることとなりました．また，馬場一美理事長の英断により，PDF版は日本補綴歯科学会公式ホームページから，無料ダウンロードすることも可能となりました．日本補綴歯科学会が，社会貢献をひとつの大きな目的としていること，そして本学会のプレゼンスを示すという観点からも，この取り組みの意義は大きいと考えます．

具体的な改訂の内容は，各領域のトレンドを鑑みながら，デジタルデンティストリー，インプラント，摂食嚥下リハビリテーション，顎顔面補綴等の領域の用語を充実させるべく，数多くの関連用語を新規収載しました．また，会員の先生方から頂いたパブリックコメントを参考に，現行の用語についても，修正を行いました．とりわけGPT-9との整合性をとるために，多くの時間を割きました．そのような過程を経て完成した「歯科補綴学専門用語集第6版」は，内容はもとより利便性の点からも，より完成度の高い専門用語集となったものと委員一同，自負しております．また，歯科補綴学の益々の発展に貢献できることを祈念しております．

末筆となりましたが，膨大な数のパブリックコメントを寄せてくださったボランティア精神にあふれる会員の先生方，新規用語の執筆ならびに現行用語の改訂にご協力いただいた先生方に深甚なる感謝の意を表します．

2023 年 3 月
公益社団法人日本補綴歯科学会
用語検討委員会　委員長　近藤尚知

2021～2022 年度　用語検討委員会
委員長　近藤　尚知
副委員長　古屋　純一
委　員　古地　美佳
羽鳥　弘毅
村上　　格
吉岡　　文
幹　事　高藤　恭子

2019～2020 年度　用語検討委員会
委員長　岡崎　定司
副委員長　鱒見　進一
委　員　北川　　昇
古地　美佳
村上　　格
横山　正起
幹　事　山本さつき

「歯科補綴学専門用語集 第５版」の発刊に寄せて

ここに，公益社団法人日本補綴歯科学会による『歯科補綴学専門用語集 第5版』が上梓されました．この『歯科補綴学専門用語集』は2001年に第1版が刊行されて以来，ほぼ4年毎に改訂され，18年を経て本年，第5版が無事発行されました．まずは，多大なご尽力をいただきました西村正宏用語検討委員会委員長をはじめとする委員会委員の諸先生方へ感謝を申し上げます．同時にこの第5版は，松村英雄前理事長期の南 弘之前委員長とその委員会の活動の上にできあがったものであることも忘れてはなりません．

学術用語は学問に関する事柄を記述するために用いられる用語ですが，その定義がはっきりしていなければ，議論を進める上でも，論理を展開し結論を導く上でも，相手に理解させる上でも，支障が出てきます．したがって，学術用語の制定は学問の質を向上させるためには非常に重要な意味を持ちます．

日本補綴歯科学会による『歯科補綴学専門用語集』は，他の歯科学会に先駆けて整備されてきました．一方，様々な用語集，基準，指針などが制定されておりますが，歯科補綴学関連用語においては，本専門用語集が最上流に位置するものであり，またそれを担保するだけの学会，委員会の見識と努力により編集が進められてきたものと信じております．

この度の改訂では，3つのことを柱としました．1つ目は前版の英語表記に対応させたThe Glossary of Prosthodontic Terms Eighth edition（GPT-8）が改訂されており，新版であるNinth Edition（GPT-9）との整合を取ることでした．2つ目に補綴歯科領域の拡大に伴い摂食嚥下，CAD/CAM，インプラント，再生の用語を充実させたことでした．補綴歯科の多様性を考えれば，用語の数はどんどん膨れあがるわけで，出版における用語数の制限と用語の充実の狭間で委員会は苦労されたと思います．3つ目にこれまでの用語についても，学問の進歩の観点からその解釈を再度見直したことです．

これまでにも何度も述べられてきたように，言葉，用語は生き物といわれており，時代とともにその定義も用語も変わっていくことは避けられません．そのために診療ガイドラインと同様に，定期的な改訂が必要です．GPT-9も大きく変わっており，戸惑うことも多くあったと聞いております．

会員の皆様におかれましては，本専門用語集をさらに利用価値の高いものにするために是非熟読していただき，引き続きご意見を頂戴できれば幸いと存じます．

最後に，『歯科補綴学専門用語集 第5版』の完成に向けてご尽力いただいた2代にわたる用語検討委員会の関係者にもう一度深く感謝を申し上げて，結びとさせていただきます．

2019年3月
公益社団法人日本補綴歯科学会
理事長　市川哲雄

第５版　序

『歯科補綴学専門用語集 第５版』を出版するにあたり，本改訂版の作業過程とその背景についてご説明いたします．

本改訂は市川哲雄理事長のご指示の下，①国際的観点に立って“The Glossary of Prosthodontic Terms（GPT）”との整合性をとること，②高齢者歯科学，摂食嚥下リハビリテーション学，デジタル歯科学，歯科インプラント学等，歯科補綴学の学問領域の拡大に伴って広がった守備範囲を網羅するための用語を追加すること，③用語は生き物と言われ，学問の発展とともにその定義も用語そのものも変化していくものであることから，一つひとつの用語の定義についても改めて見直すこと，の大きく３点を念頭に作業にあたりました．

まず前委員会（南　弘之委員長）からは，多くの要追加，要削除用語とGPT-8との和英対比ファイルを引き継ぎました．今回の改訂では国家試験や共用試験の出題基準，最近改訂された教科書内の用語との整合性をとることにも配慮いたしました．時期を同じくして，『日本歯科医学会学術用語集』の改訂作業が進んでいたことから，今回の改訂においては，『日本歯科医学会学術用語集』の用語選定にも目を配る必要性が生じました．しかし一方で，他の基準に迎合して補綴の矜持を忘れることのないよう，あくまで本用語集が歯科補綴学の最上流に位置することを念頭に，特に用語の選定には慎重を期しました．前述のGPTは米国のThe Academy of Prosthodonticsが編纂している用語集ですが，これがちょうど委員会を引き継いだ2017年５月に第８版から第９版（GPT-9）として改訂されたことから，改めて委員全員でGPT-9との整合性を確認，反映する作業も行いました．続いて本会社員に対してパブリックコメントを広く募集して内容を整理後，一つひとつの用語の定義について各専門家に再検討を依頼して内容の精緻化を進めました．最後にもう一度パブリックコメントを求め，集まったご意見を元に委員会内で修正を行いました．幹事の村上　格先生には多くの意見の集約，関連用語の整合性の修正，索引用語の抽出等において本当に多くの仕事をしていただきました．また医歯薬出版編集部には緻密な編集作業をしていただき感謝申し上げます．

上記の作業は本委員会と前委員会の４年間の作業によって行われたことから，両委員会でご尽力いただいた先生方に感謝申し上げます．特に精力的に編集作業にあたっていただいた本委員会の委員各位と，大所高所から温かく見守っていただいた市川理事長に深く御礼申し上げます．

また今回の改訂作業に際しては，多くの社員と各分野の専門家の御協力を賜わったことに深甚なる感謝を申し上げます．

この『歯科補綴学専門用語集 第5版』が本学会はじめ，歯科界で活躍する皆様に広く活用されることを願っております．

2019年3月
公益社団法人日本補綴歯科学会
用語検討委員会　委員長　西村正宏

2017〜2018年度　用語検討委員会
委員長　西村　正宏
副委員長　岡崎　定司
委　員　木本　克彦
木本　　統
秋葉　陽介
古地　美佳
幹　事　村上　　格

2015〜2016年度　用語検討委員会
委員長　南　　弘之
副委員長　黒岩　昭弘
委　員　岡崎　定司
川口　智弘
鬼原　英道
古地　美佳
幹　事　村原　貞昭

「歯科補綴学専門用語集　第４版」の発刊に寄せて

歯科補綴学専門用語集は 2001 年に第 1 版が刊行され，その後 2004 年に第 2 版，2009 年に第 3 版が発刊されました．それぞれの版の序文に述べられているように，歯科補綴学専門用語集の刊行は日本補綴歯科学会に置かれた歴代の用語検討委員会が中心となって進められてきました．今回の第 4 版の出版にあたっても，これまでと同様に第 3 版の刊行後すぐに用語検討委員会において改訂に向けて準備が進められました．すなわち，2009-2010 年期には佐々木啓一理事長・魚島勝美用語検討委員会委員長のものとで，2011-2012 年期には古谷野潔理事長・二川浩樹用語検討委員会委員長のもとで改訂作業が進められ，さらに 2013-2014 年期には佐藤　亨用語検討委員会委員長を中心に精力的に改訂作業が推し進められ，その強力なリーダーシップの下でついに改訂作業が完了し，6 年ぶりにようやく第 4 版の刊行を迎えることができました．まずは，佐藤委員長ならびに用語検討委員会の諸先生方に満腔の謝意を表したいと思います．

私が公益社団法人日本補綴歯科学会理事長を拝命するにあたりまして佐藤亨用語検討委員会委員長に依頼したことは，高齢者に対する歯科補綴に関する用語の充実を図ることおよび年々進む国際化に対応するため用語の英語表記をできるだけ The Glossary of Prosthodontic Terms Eighth Edition（GPT-8）と整合させることの 2 点でした．超高齢社会となった我が国では今後ますます高齢者や全身疾患をもつ者の増加が見込まれることから，この領域に関連した歯科補綴学用語を新たに加えるとともに英語表記は常に GPT-8 に掲載されている用語とその定義を参考に修正を加えていただきました．

学術用語は，その学問分野の発展に欠かせないツールとなるものであり，専門用語集の果たす役割はきわめて大きいと言えます．さらに歯科領域における専門用語集は，我が国における歯学教育の根幹をなす歯科医学教授要綱，歯学教育モデル・コア・カリキュラムおよび歯科医師国家試験出題基準の 3 つで使用される学術用語のソースとなる役割も担っています．私も今期の用語検討委員会にはほぼ出席させていただき，その責任の重さを双肩に感じながら改訂作業を微力ながらお手伝いさせていただいたことを大変にうれしく思います．

用語はまさに生き物であり，時代の変化とともに使用される学術用語も変わっていくことが予想されます．したがって，専門用語集の編纂には終わりはありません．この第 4 版の発行の後も引き続き用語検討委員会において第 5 版の作成に向けて活動を開始していただかなければなりません．会員諸氏におかれましては，本専門用語集をさらに利用価値の高いものにするために引き続きご意見を頂戴できれば幸いと存じます．

最後に，歯科補綴学専門用語集第４版の完成に向けてご尽力いただいた３代にわたる用語検討委員会諸氏にもう一度厚く感謝を申し上げて結びとさせていただきます．

2015 年 1 月

公益社団法人日本補綴歯科学会

理事長　矢谷博文

第４版 序

歯科補綴学専門用語集第3版1刷は2009年3月に発行，2013年2月には5刷が発行され，当該学術分野に不可欠な専門用語集として利用されてきました．

矢谷博文理事長の「出版に寄せて」にもありますとおり第3版1刷発刊後，魚島勝美委員長（2009-2010年度），二川浩樹委員長（2011-2012年度）のもと改訂作業が進められ，2013年度に発足しました本委員会において第4版を発刊する運びとなりました．

今回の改訂作業の原則は第2版，第3版と同じですが，あわせて矢谷理事長からの「高齢者への歯科補綴学治療に関する用語の充実を図る」，「英語表記をできるだけ The Glossary of Prosthodontic Terms Eight Edition（GPT-8）に整合させる」というご指示のもと，第4版の改訂作業を行いました．

本委員会で実施した主な改訂編集作業は以下の通りです．

1）第３版の照査

「解説用語は簡潔かつ的確に体言止めで表記」「歯科補綴専門医レベルまでの専門用語の解説」を基本原則として，用語とその解説の確認修正を行いました．併せて第3版における表現，関連用語との整合性等について再検討を行いました．

また英語表記をできるだけ The Glossary of Prosthodontic Terms Eight Edition（GPT-8）と整合させました．

2）新規採用用語の追加

前委員会から引き継いだ新規採用用語案の確認と協議を行い，これらについて本学会代議員に対してパブリックコメントを求め，新規採用用語および解説文を作成しました．また，既収載用語との統一性，整合性を取るべく，既収載用語の見直しを行いました．

3）同義語，索引の整理

同義語，索引に新規採用用語を含めるとともに，それらの確認，修正を行いました．

上記の作業は委員長・委員の交代を経つつ6年間の長きにわたり引き継がれて行われて参りました．歴代の委員長であります魚島勝美先生，二川浩樹先生と，そのもとで作業にあたられた委員の御努力に報いることができましたことを嬉しく存じますとともに，感謝申しあげます．また，精力的に編集作業に取り組んでくださいました本委員会の委員各位と，絶えず御指導いただきました矢谷博文理事長に深く御礼申しあげます．

また今回の改訂作業に際して，多くの会員の皆様の御協力を賜り，また，沢山の御意見・御指摘を頂戴しました．ここに，深甚なる感謝を申しあげます．

最後に発刊にあたり多大な便宜を図っていただいた医歯薬出版株式会社関係各位に厚く御礼申し上げます．

2015年1月
公益社団法人日本補綴歯科学会
用語検討委員長　佐藤　亨　記

公益社団法人日本補綴歯科学会 用語検討委員会

2013年度〜2014年度委員
委員長　佐藤　亨
副委員長　越野　寿
委　員　萩原　芳幸
佐藤　利英
田上　直美
幹　事　野本俊太郎

2011年度〜2012年度委員
委員長　二川浩樹
副委員長　岡崎定司
委　員　隅田由香
萩原芳幸
松山美和
幹　事　玉本光弘

2009年度〜2010年度委員
委員長　魚島勝美
副委員長　前田芳信
委　員　小出　馨
塩山　司
谷口　尚
幹　事　富塚　健

「歯科補綴学専門用語集　第３版」の発刊に寄せて

ここに，われわれの社団法人日本補綴歯科学会による標記書籍が上梓されました．先ずは，多大なご尽力をいただきました谷口　尚・用語検討委員会委員長をはじめとする委員会委員の諸先生へ感謝を申し上げます．

本学会における用語の整理は1980年代の半ばに開始されました．そして1997年4月，小林義典・会長，田中貴信・用語検討委員会委員長のもとで「歯科補綴学専門用語集」の発刊へ向けての作業が開始されました．当時の200名を超える評議員に対するアンケート調査を踏まえて，2001年2月に田中久敏・会長，田中貴信・委員長（2期連続担当）のもとで，医歯薬出版株式会社から「第1版」が発行されました．これは，数千語の中から歯科補綴学の専門用語として使用される719語を厳選し，専門学会として明確な解説を加えた140頁からなる書籍でした．その後，2003年2月に川添堯彬・会長，井上　宏・委員長のもとで，101語を収載した小冊子「歯科補綴学専門用語集―疾患・病名・検査編」が発行され，2004年10月に大山喬史・理事長，田中貴信・委員長のもとで，新しい用語を追加した944語とその解説文を収載した「第2版」が発行され，今日に至っております．

2001年の「第1版」の出版以来，「歯科補綴学専門用語集」は歯科医学教授要綱，歯科医師国家試験出題基準，歯学教育モデル・コア・カリキュラム：教育内容ガイドライン，共用試験CBT問題・同OSCE課題などで公的に使用されております．最近，医歯薬出版株式会社から相次いで5つの歯科専門学会から専門用語集が発刊されましたが，その意図，内容，体裁などの多くの点で，われわれの補綴歯科学会がその先鞭を付けたといえます．

「第1版」にも記載されている通り，言葉は生き物です．学術用語であっても時代とともに変化すべきものであり，たゆまぬ見直しが必要です．そこで，2007年4月に小生が理事長を拝命するにあたり，用語検討委員会に対して「第2版」の改訂への着手をお願いいたしました．そして2年間にわたるご苦労をいただき，ここに「第3版」の発刊に至った次第です．

「第3版」では，インプラントならびに顎顔面補綴学関連用語などが新たに追加され，1,005語が収載され，その各々に解説が記載されております．「同義語として認める用語」も若干増えて121語となりました．また日本語および外国語索引数が3,400語を超えております．改めて歯科補綴学の奥の深さと補綴歯科治療の守備範囲の広さを痛感いたします．

本書の発刊と時をほぼ同じくして，「Journal of Prosthodontic Research」と「日本補綴歯科学会誌」が従来からの和文誌（補綴誌）と英文誌（Prosthodont Res Pract）に変わりました．両機関誌は学会の最新の学術的知識と技術についての情報を公開し，それらを共有する重要な役割を担うことになります．これらの中で使用される用語を統一する意味で，本用語集は不可欠な資料の一つになるはずであります．また，本書が歯科界のみばかりではなく，さらに広い諸分野で利用されることを期待します．

2009年2月
社団法人日本補綴歯科学会
理事長　平井敏博

第３版 序

私たちの学会が発行してきた歯科補綴学専門用語集は，第１版および第２版とも，田中貴信・委員長のもとで，一貫した方針のもとにさまざまな修正がなされ，さらに充実したものとなっております．

専門用語は当該学術分野の進歩・発展を促すために必要な情報交換のツールとして不可欠であります．そのため，学術分野の専門用語集は当該分野ならびに関連分野の進歩・発展に追随して，可能な限り早期に見直し，修正がなされなくてはなりません．

今回，平井敏博・理事長から歯科補綴学関連の用語について，教育・診療・研究・国民生活を包含する観点から全体的に見直し，関連分野との整合性を踏まえて整理・統合・発展させるよう命じられました．特に，今期用語検討委員会においては，「歯科補綴学専門用語集　第３版」の発刊を軸に活動することとなり，第１版，第２版での経緯を十分反映させ，ここに第３版の発刊となりました．今回の改定で実施しました編集内容は以下の通りです．

1）第１版，第２版の照査

必要に応じて第１版を含め，第２版における誤植，不適切な表現，関連用語との整合性，凡例との整合性などに関して再検討を行い，会員ならびに社員からの指摘，要請を踏まえ，可及的に用語の掲載順序および文言の修正，ならびに削除を行いました．

2）新規用語の追加

収載用語は解説文付き用語と解説文のない同義語から構成されています．第２版では，解説文付き用語 848 語，同義語 96 語の計 944 語が収載されましたが，第３版では，解説文付き用語 884 語，同義語 121 語の計 1005 語を収載しました．

同義語に関しては，今回の新規追加に伴い追加されたものと，会員の要請により使用が望ましくない用語から復帰させたものとがあります．

3）「補綴物」関連用語

第２版では，「補綴物」関連用語を解説文付き用語，「補綴装置」関連用語を同義語としましたが，第３版では，「補綴装置」関連用語を解説文付き用語，

「補綴物」関連用語を同義語としました．

4）索引の整理

(1) 同義語に解説文付き用語番号を付与しました．

(2) 付録番号をすべて反映させました．

(3) 人名索引を別途設けました．

最近，学術分野の専門用語集が相次いで発刊されており，類似した体裁のものでも，その内容は相違する点が散見されます．本用語集が，関連する他の学術分野の専門用語集の動向と協調しながら，機会あるごとに修正・充実され，歯科医学の進歩に多大な貢献をすることを願いつつ，委員一同，今回の改定作業に際して，ご指摘，ご意見，ご要請などさまざまなご協力いただきました会員の皆様に心から感謝申し上げます．また，発刊にあたり多大なる便宜を図っていただきました医歯薬出版株式会社関係各位に厚く御礼を申し上げます．

2009 年 2 月

日本補綴歯科学会用語検討委員会（2007 年度～2008 年度委員）

委員長　谷口　尚

副委員長　尾関雅彦

委　員　久保吉廣

永井栄一

依田正信

幹　事　隅田由香

歯科補綴学専門用語集の第2版の発刊に寄せて

先ずは,『第2版 歯科補綴学専門用語集』の発刊に際して多大なご尽力を頂きました田中貴信用語検討委員会委員長はじめ委員の先生方に心よりお礼を申し上げます.

本用語集の編纂が企画されましたのはかなり前と伺っておりますが,具体的に始動しましたのは小林義典元日本補綴歯科学会会長時代で,その作業は次代田中久敏日本補綴歯科学会会長に引き継がれ,ようやく2001年「歯科補綴学専門用語集」として上梓されるに至りました.この背後には,その二代の会長に仕え,当該委員会委員長として率先励行の労を執られ,奮迅の努力をされた田中貴信先生の強いリーダーシップと委員会委員の努力があったことを忘れることはできません.それまでは,本来共用されているべき専門用語に同義語,同意語が多々あり,必ずしも共通の理解・了解が得られなく混沌としていた時期が続いていたと言えましょう.そのような状況の中で,田中貴信用語検討委員会が勇気と決断をもって初版本を発刊したところであります.この刻苦に補綴学会員として心より敬意を表するものであります.風聞ではありますが,その初版本がきっかけで他の学会でも専門用語集の編纂に踏み切ったと伺いました.もしそうだとしたら,大変うれしい話です.

その後,川添堯彬前日本補綴歯科学会会長時代,井上　宏用語検討委員会により,見直し検討がなされてきました.最近では,こうして整理・精査された専門用語も日本補綴歯科学会機関誌,学術大会において,立派に共通語として市民権を得てきたように思います.

2003年,わたくしが日本補綴歯科学会会長を仰せつかるにあたり,再度田中貴信先生に用語検討委員会委員長をお願いし,改訂版としての第2版の発刊に向けて,井上　宏前委員会の検討事項を踏まえたところで,引き続き見直し検討をお願いしたところであります.そしてこの度,井上　宏前委員会,田中貴信現委員会の活発な委員会活動と粉骨砕身のご努力により,ここに改訂版としての第2版が出版される運びになりました.殊に,専門用語の統一の至難さもさることながら,時の流れとともに変遷を辿るのが常なるが故に難しい専門用語の統一・選択とその解釈付け,これには委員会の並々ならぬ刻苦勉励の賜物と心より敬意を表したいと思います.歯科医学の主流でもある歯科補綴学会がいち早くこの編纂を手がけたこと,また生きた専門用語を厳選・網羅し,かつ平易に詳解がほどこされた歯科補綴学専門用語集を,ここに手に出来たことは日本補綴歯科学会員としてこのうえもない喜びであり，また誇りであります．長きに渡り，誠心誠意ご尽力頂いた用語検討委員会の委員長，委員の先生方に心より感謝申し上げます．

おわりに，この歯科補綴学専門用語集がたゆみなく見直し・検討がなされ，時に応じ日本補綴学会の研究結果も追補され，歯科界で活躍する関係者に広く日常的に活用されることを期待して止みません．

平成16年9月

日本補綴歯科学会
会長　大山喬史

改訂版 序

初版の歯科補綴学専門用語集は平成13年2月に刊行されたが，日本補綴歯科学会会員はもちろん，多くの臨床家からも比較的高い評価を得てきた．また，専門用語に限定して専門学会として責任ある解説も加えられた実用性の高い用語集として，他の専門学会からも注目され，その中の幾つかの学会では，現在それぞれ本書に準じた用語集の編纂が企画されていると聞く．

しかし初版本では，編集時間の制約から，日本補綴歯科学会の保有する用語資料の一部の検討・掲載を断念せざるを得なかった経緯があり，また，前期用語委員会から内部資料として報告された，疾患・病名・検査・診察・経過観察などに関する用語の整理も必要であった．もちろん，多くの利用者から指摘された沢山の疑問箇所の蓄積もあった．

大山喬史会長から本用語集の再検討を命ぜられた今期の用語検討委員会においては，上記の懸案事項の処理を主眼とした編集作業を行った．その具体的内容は以下の通りである．

1）初版本の照査

従来の用語集に関して，単純ミス，不適切な表現，関連用語との整合性，などに関して全面的な再検討を行い，可及的に語句の修正を行った．また，会員から寄せられた各所の疑義に関しても十分な検討を行った結果，大幅な修正を行った用語は52語となった．

2）追加

下記の資料について委員会で審議の結果，新規採用として126語を選択し，それらの解説文に関しては，委員自身で分担執筆した．

(1) 歯科補綴学用語集資料（坂東永一委員長，平成9年発行）の「古語，新語，固有名詞等」の239語

(2) 歯科補綴学専門用語集（井上　宏委員長，平成14年発行），Ⅰ疾患・病名・検査編の229語，Ⅱ診察・検査・経過観察編の101語

(3) 評議員のアンケートとして，追加希望；14名からの114語，修正希望；15名からの71語

3）英語表記の確認

初版本の用語も含め，英語表記の全面的チェックを行ったが，これに関しては，当時海外に留学中の，沢山の若手会員の協力を仰いだ.

4）索引の整理

従来の日本補綴歯科学会としての用語資料のすべてに関する検討が修了したため，本書に採用した以外の用語は，すべて索引から除去した.

本用語集が今後も機会あるごとに修正・充実され，歯科医学の進歩に多大な貢献をすることを願いつつ，委員一同，今回の編集作業に関してさまざまなご協力をいただいた関係者に，心から感謝申し上げます.

平成 16 年 9 月

日本補綴歯科学会用語検討委員会（平成 15 年度～平成 16 年度委員）

委 員 長　田中貴信

副委員長　三浦宏之

委　　員　清野和夫　豊田　實

長岡英一　坂東永一

幹　　事　金澤　毅

歯科補綴学専門用語集の発刊に寄せて（初版）

この度，日本補綴歯科学会は用語検討委員会を中心として，歯科補綴学ならびに関連用語について整理を行い，共通の土俵で補綴学を考えることのできる用語集を出版する運びとなりました．

数千語に及ぶ補綴学用語から厳選し，専門用語として用いられるものを明確に解説を加えた編集業務の影には，十数年に及ぶ用語検討委員会ならびに関係各位の幾多の労力が秘められております．

言葉は現実社会の鏡でもあり，文化，教養を高めるためのツールでもあります．同様に，補綴学の発展には用語の整合性が必須であり，それが達成された時に専門性が発揮されることになると信じます．補綴用語も新しい言葉が生まれるまでには多くの研究と医療の長い歴史があり，おいそれと整えることは至難の業です．特に訳語に至っては全能の指揮官の息のかかった用語を変更しようとしても，なかなかうまく変えることができず，一見あきらめムードさえ感じる場面もありました．また，用語の中には未消化どころか，噛み（いや失礼咬み）砕かれていないまま医療現場に浸透したものもあり，地球規模（Globalization）の学術交流の叫ばれる今日に至っても，感覚的に統一見解を得るのが難しいのが現状です．したがって，未だ多くの整合性の不十分な箇所も多くみられるものと推察されます．

今回，簡にして要を得た日本語をモットーに手際良く整理することができたのも偏に用語検討委員会委員長田中貴信教授のリーダーシップのもとで，委員会各位のご努力により達成されたものと敬意を表します．

今後の発展に向けて学会員諸氏の御批判と御指導を賜れば幸いと存じます．

最後になりますが，本学会員ならびに委員会諸氏の御援助と御努力に対し，厚く御礼申し上げます．

平成 13 年 2 月

日本補綴歯科学会
会長　田中久敏

序（初版）

日本補綴歯科学会において，歯科補綴学専門用語の検討は発会当初より随時試みられてきたであろうが，現在のような用語検討委員会が組織され，総合的な用語の整理が始まったのは，昭和59年の三谷春保委員長下の第一期用語検討委員会としての活動が端緒である．それ以降に限っても，本件に関しては実に長期間，幾多の先人の多大なエネルギーが注がれてきたことになる．

これらの委員会のご努力の結晶として選別された膨大な数の歯科補綴関係用語は，山下敦委員長により「中間報告」として，また，それを引き継いだ坂東永一委員長により「用語集資料」として，それぞれ会員に提示された．それらの経緯と我々を取り巻く昨今の社会環境を考慮して，本委員会は，今こそ専門学会としての責任の下に編纂され，実用性も備えた「専門用語集」が必要であると考え，新用語集としての具体的内容について検討してきた．この機会に，あるいは性急に，またあるいは強引に，我々なりに具体的な一つの形を提示して，今後はそれを骨子として本学会の用語集を順次充実させてゆくことが最良であろうと判断したものである．特に今回は，これまでのように単なる学会の内輪の資料に留めず，日本補綴歯科学会の公式見解として，広く世に公表することとした．幸い医歯薬出版㈱のご協力も得て，一般書籍として立派な体裁で刊行できたことは，委員一同にとっても望外の喜びである．

本書が末永く諸兄の座右に置かれ，日々ご活用戴けることを心から願うものである．

本用語集出版に関して，本用語検討委員会における編纂作業の大筋は以下の通りである．

1）用語の整理

一般的に用語集の類はその語彙数を誇る傾向がある．あたかも，それがその専門分野のレベルの高さを表示するが如き評価をする者もいる．しかし，たとえ我々が専門的な意味を有しない用語をどのように整理しようとも無意味である．また，用語は所詮符号であり，コミュニケーションの手段に過ぎない．国文学者でもない我々にとっては，用語そのものに意味があるのではなく，それを用いて何を伝えるかが重要である．さらに，複雑怪奇な専門用語は学術活動にとってマイナスでこそあれ，その益するところは少ない．今我々に必要なものは，高度な学術情報を誤解なく伝達できる，簡便な専門用語である．

このような基本理念に基づいて，本委員会の最初の作業は，関係用語の分類に主眼を置いた．先ず，たとえ我々の臨床・研究現場で頻用される用語であっても，特別な解説を必要とせず，誰にでも正しく理解されるはずの用語は，一般用語として専門用語のリストから削除した．次に，解剖用語，保存・矯正用語などは，それぞれの専門学会の責任において管理されるべきものとして，歯科補綴専門用語からは除いた．さらに，多くの材料関係の用語もまた，歯科理工学会などの判断に委ねるべきであると判断した．

要するに，本用語集での掲載用語は，日本補綴歯科学会として責任を持てるもの，あるいは責任を負うべきものに限定した，と言うことである．結果として，本用語集には主項目として719語を採用したが，当学会にとっては現時点が未だ専門用語の整理期であることを考慮して，過去の本学会用語集に掲載された約3,000語の用語についても，そのすべてを索引欄に掲載した．

2）同義語の整理

たとえば文学の世界では，微妙な季節の移ろいの様相などを多様に表現することが評価される．また，同じ表現の繰り返しは退屈であると批判される．しかし，自然科学の分野では，そのようなデリケートな表現はむしろ有害である．我々にとっては事象をただ端的にかつ正しく表現することが，必要かつ十分であると考える．

従来認められてきた歯科補綴用語の中には，10種に近い同義語を有するものも散見された．これは教える側，学ぶ側のいずれにとっても無駄でしかなく，学術大会の場においても混乱の原因となる．しかし，個々の用語にはそれぞれ大きく重い背景もあるため，それらの取捨選択は容易でないことは自明であり，過去の委員会においてもそこが作業上の大きな関門であった．

今回はこの積年の問題点を，評議員によるアンケート調査という方法で処理したが，今後に若干の問題を残す可能性も否定できない．しかし，関係者によってそれが建設的かつ前向きに評価され，我々の意図を正しく理解していただけるなら，比較的多数の専門家の支持を得た用語が，それぞれ最も正当な用語として，時の経過とともに自然に定着するものと確信している．

なお，同義語のアンケート調査結果については，付録として改めて巻末にその一覧表を提示した．

3）解説文の充実

専門用語を選択しても，それぞれの意味合いについて専門家同士の合意が得られていなければ，それを用いた情報交換において誤解が生ずることになる．

また，この種の用語集を誰がどのような場合に利用するかを考えた場合，単に用語を羅列しただけのものでは，その実用性が極めて低いことも認めざるを得ない．そこで，本用語集においては，すべての用語に関して現在最も妥当と思われる定義，あるいはその臨床的意義などに関する解説文を付与した．英語表記に関しても，幾多の表現の中から，最も適当と思われるものを選出した．これらはいずれも，特に学生や若い臨床家にとって有用なものとなろう．

なお，その意味合いに諸説があるものについては，解説文に項目番号を設けて併記した．

古くから言われるように，言葉は生き物であり，基本的に日々変化する可能性を含んでいる．すなわち，いかなる用語集も辞書・辞典も，まさに発行のその日から，内容の見直しを迫られる宿命を負うことになる．用語検討委員会の作業に終わりはない．とは申せ，当面この用語集の価値が広く認識され，今後の編集委員会などにおける用語規制に関する基盤となり，いずれはより公的な教授要綱や国家試験の出題基準に関する基本資料ともなることを願っている．

今回は時間の制約上，日本補綴歯科学会用語検討委員会報告書（歯科補綴学用語集資料：平成 9 年度発行）の中の，古語，新語，固有名詞の項は検討対象から割愛せざるをえなかった．これらについては，今後の委員会による継続的かつ詳細な検討に基づいて，順次整理されることを期待する．

最後に委員一同，これまで用語検討にご尽力された歴代の委員会各位のご努力に深甚なる敬意を払うとともに，今般本用語集の出版という事業を高く評価され，終始多大なご協力とご鞭撻を賜った小林義典前会長，田中久敏現会長を始めとする日本補綴歯科学会の理事各位，アンケート調査や原稿執筆にご協力いただいた評議員各位，および，多忙の中鋭意ご尽力いただいた医歯薬出版㈱の担当諸氏に，衷心より感謝申し上げる次第である．

平成 13 年 2 月

日本補綴歯科学会用語検討委員会　平成 9 年度～平成 12 年度委員（2 期）

委員長　田中貴信

委　員　甘利光治　木村幸平　小林喜平

清野和夫　寺田善博　平井敏博

細井紀雄　安田　登　山縣健佑

幹　事　金澤　毅

【執筆者一覧】（五十音順：所属は執筆時）

赤川安正 （広島大学歯学部）
熱田　充 （長崎大学歯学部）
天野秀雄 （明海大学歯学部）
甘利光治 （松本歯科大学）
五十嵐順正 （松本歯科大学）
五十嵐孝義 （日本大学歯学部）
石上友彦 （日本大学歯学部）
石神　元 （朝日大学歯学部）
石橋寛二 （岩手医科大学歯学部）
市川哲雄 （徳島大学大学院口腔科学教育部）
伊藤　裕 （愛知学院大学歯学部）
井上　宏 （大阪歯科大学）
上田貴之 （東京歯科大学）
内田康也 （九州歯科大学）
大川周治 （明海大学歯学部）
大久保力廣 （鶴見大学歯学部）
大畑　昇 （北海道大学歯学部）
大山喬史 （東京医科歯科大学歯学部）
小川　匠 （鶴見大学歯学部）
尾関雅彦 （昭和大学歯学部）
小野高裕 （新潟大学大学院医歯学総合研究科）
鹿沼晶夫 （東北大学歯学部）
金子一芳 （東京都）
川口豊造 （愛知学院大学歯学部）
川崎貴生 （北海道大学歯学部）
川添堯彬 （大阪歯科大学）
河野文昭 （徳島大学大学院ヘルスバイオサイエンス研究部）
川和忠治 （昭和大学歯学部）
岸　正孝 （東京歯科大学）
木村幸平 （東北大学歯学部）
草刈　玄 （新潟大学歯学部）
久保吉廣 （徳島大学病院・歯科）
窪木拓男 （岡山大学大学院医歯薬学総合研究科）
河野正司 （新潟大学歯学部）
越野　寿 （北海道医療大学歯学部）
腰原　好 （東京歯科大学）
小林喜平 （日本大学松戸歯学部）
小林義典 （日本歯科大学歯学部）
小正　裕 （大阪歯科大学）
小峰　太 （日本大学歯学部）
小宮山彌太郎 （東京都）
古谷野　潔 （九州大学歯学部）
近藤尚知 （岩手医科大学歯学部）
坂口邦彦 （北海道医療大学歯学部）
櫻井　薫 （東京歯科大学）
佐々木啓一 （東北大学大学院歯学研究科）
佐藤隆志 （岡山大学歯学部）
佐藤　亨 （東京歯科大学）
佐藤博信 （福岡歯科大学）
佐藤裕二 （昭和大学歯学部）
澤瀬　隆 （長崎大学生命医科学域

（歯学系））
志賀　博　（日本歯科大学生命歯学部）
芝　燁彦　（昭和大学歯学部）
新谷明一　（日本歯科大学生命歯学部）
末瀬一彦　（大阪歯科大学）
菅沼岳志　（昭和大学歯学部）
鈴木哲也　（東京医科歯科大学大学院医歯学総合研究科）
清野和夫　（奥羽大学歯学部）
高藤恭子　（岩手医科大学）
田中貴信　（愛知学院大学歯学部）
田中久敏　（岩手医科大学歯学部）
谷口　尚　（東京医科歯科大学大学院医歯学総合研究科）
津賀一弘　（広島大学大学院医歯薬保健学研究院）
寺田善博　（九州大学歯学部）
豊田　實　（神奈川歯科大学）
永井栄一　（日本大学歯学部）
中尾勝彦　（広島県）
長岡英一　（鹿児島大学歯学部）
長澤　亨　（朝日大学歯学部）
中野雅徳　（徳島大学歯学部）
野首孝祠　（大阪大学歯学部）
長谷川成男　（東京医科歯科大学歯学部）
畑　好昭　（日本歯科大学新潟歯学部）
服部正巳　（愛知学院大学歯学部）
服部佳功　（東北大学大学院歯学研究科）
羽鳥弘毅　（奥羽大学歯学部）
馬場一美　（昭和大学歯学部）
羽生哲也　（福岡歯科大学）
坂東永一　（徳島大学歯学部）
疋田一洋　（北海道医療大学歯学部）
平井敏博　（北海道医療大学歯学部）
福島俊士　（鶴見大学歯学部）
藤井輝久　（朝日大学歯学部）
藤井弘之　（長崎大学歯学部）
藤澤政紀　（明海大学歯学部）
藤田忠寛　（神奈川歯科大学）
古地美佳　（日本大学歯学部）
古屋純一　（昭和大学歯学部）
古屋良一　（昭和大学歯学部）
細井紀雄　（鶴見大学歯学部）
細川隆司　（九州歯科大学）
保母須弥也　（東京都）
松村英雄　（日本大学歯学部）
松元　誠　（東京医科歯科大学歯学部）
松山美和　（徳島大学大学院医歯薬学研究部）
三浦宏之　（東京医科歯科大学大学院医歯学総合研究科）
皆木省吾　（岡山大学大学院医歯薬学総合研究科）
水口俊介　（東京医科歯科大学大学院医歯学総合研究科）
南　弘之　（鹿児島大学大学院医歯学総合研究科）
峯　篤史　（大阪大学大学院歯学研究科）
村上　格　（鹿児島大学学術研究

院）
村田比呂司　（長崎大学大学院医歯薬学総合研究科）
村山　長　（広島大学大学院医歯薬保健学研究院）
守川雅男　（九州歯科大学）
森田修己　（日本歯科大学新潟歯学部）
森戸光彦　（歯科医療情報推進機構）
森谷良彦　（日本大学歯学部）
安田　登　（東京都）
矢谷博文　（大阪大学大学院歯学研究科）
山縣健佑　（昭和大学歯学部）
山口泰彦　（北海道大学大学院歯学研究院）
山下　敦　（岡山大学歯学部）
山下秀一郎　（東京歯科大学）
横塚繁雄　（日本歯科大学歯学部）
吉岡　文　（愛知学院大学歯学部）
依田正信　（東北大学大学院歯学研究科）
渡辺　誠　（東北大学歯学部）

【凡 例】

1. 選定用語には，五十音順に用語番号を付けて実用性を高めた．
2. 【鑞】,【蝋】,【噛】に関しては，仮名表記を採用した．すなわち，鑞⇨ろう，蝋⇨ろう，噛む⇨かむ

   ただし，仮名書きにすると文中で判別しにくい場合に限って，漢字書きを認めるという意味で,「ろう（鑞）付け」のように表記した．
3. 初版において採用した略字【頚】,【弯】に関しては，会員の希望により，本来の表記に変更した．すなわち,「歯頚部⇨歯頸部」,「弯曲⇨彎曲」とした．【頬】に関しては,『日本歯科医学会学術用語集 第2版』の表記に従い,「頬」とした．
4. 【定義】と【解説文】とは混在するが, 今回は敢えてその区分の表示は割愛した．
5. 複数の意味合いを持つ用語，あるいは現時点で定義が確定していない用語に関しては,

   1)

   2)

   ・

   ・

   として，解説項目を併記する体裁をとった．
6. 索引には頁に代えて用語番号を付けた．
7. 英語表記に関しては，他の表現を否定するものではないが，現在最も一般的と思われるものに限定して掲載した．

   基本的には，The Glossary of Prosthodontic Terms Ninth Edition：*J Prosthet Dent*, **117**（5S）：e1〜e105, 2017. に準じた．その他に関しては，可及的に native speaker のチェックを受けた．
8. 選定用語に採用されていなくとも，解説文中で使用された歯科用語は索引に掲載し，選定用語の用語番号を付与することで検索を容易にした．
9. 機器の部分の名称，各種の術式，形態や材料に基づく補綴装置の名称などは，関連用語として可及的に解説文中に記載し，索引に加え，選定用語の用語番号を付記した．
10. 付録としての同義語一覧は，評議員を対象としたアンケート調査の結果を忠実に示した．結果として，関係する用語間の整合性に欠けるものも存在

するが，これについては，引き続き，今後の検討課題とした．

例：線鉤，鋳造鉤 ⇄ クラスプ

切歯指導釘・板 ⇄ アンテリアガイダンス

11. 〔同義語〕は，索引において，選定用語の用語番号をアンダーラインをつけて付記した．
12. 索引において，付録番号をすべての関連用語に付記した．
13. 人名がつく用語については，第 4 版まではカタカナ表記であったものをすべて欧文表記とした．

あ

1 アーライン
vibrating line
口蓋の可動部と不動部との境界線．“アー（Ah）”と発音すると，口蓋帆張筋に続き口蓋帆挙筋が収縮するために軟口蓋は挙上する．発音を中止すると，これらは元に戻るが，アーラインはこの運動時における可動部の最前方を示していることから，上顎の義歯床後縁を設定するための基準として利用される．

2 アーリーローディング→「早期荷重」参照

3 RPI クラスプ　あーるぴーあいー
RPI clasp
近心レスト，隣接面板，I バーの 3 部分から構成される支台装置．3 者が互いに拮抗的に働き，支持・把持・維持機能を発揮する．遊離端義歯の垂直方向の動きに対する考え方の違いにより Kratochvil 型と Krol 型の 2 種類がある．

4 RPA クラスプ　あーるぴーえー―
RPA clasp
RPI クラスプの I バーに代えて，Akers クラスプ型の鉤腕を組み合わせた支台装置．
支台歯付近の RPI クラスプにおける I バーの走る粘膜部において，小帯の付着部が高い，あるいは顎堤粘膜のアンダーカット域の位置が高い場合に用いる．ニアゾーンでは，維持腕の上縁をサベイラインに一致させ，その下のアンダーカットはブロックアウトして，アームを支台歯に接触させない．これは床の回転，沈下に際して支台歯に力を伝達させないためである．

5 I. R. V.　あいあーるぶい
closure of the interdental space（C. I. S.）
Interdentalraumverschluβ（独語）
テレスコープクラウンの一種で，鼓形空隙を閉塞した可撤性の装置．内冠と外冠で鼓形空隙をなくして，食物残渣の停滞を防ぎ清掃しやすい形状に設計された装置で，Gaerny（1969）により発表された．

6 Eichner 分類
あいひなーぶんるい
Eichner classification
歯列の欠損形態の分類法の 1 つ．上下顎の咬合状態を重視して表示したもので，左右の小臼歯部および大臼歯部の 4 ブロックの咬合支持域に分けて，それぞれに安定した咬合関係が存在するか否かによって 3 型に分類したもの．
すなわち，4 支持域すべてに咬合接触を有するもの〔A 型〕，4 支持域すべてには咬合接触のないもの〔B 型〕，対合歯との咬合接触がまったくないもの〔C 型〕で，いずれの型も類型を含む．Eichner（1955）により提唱された．

7 アクセスホール
access hole
インプラント体やアバットメントに上部構造（クラウン，ブリッジ，アタッチメント）がスクリューで固定される場合に，連結スクリューを挿入するために上部構造に形成される穴．前歯部では審美性を考慮して舌側面に，また臼歯部では力学的観点から咬合面の中心窩に位置することが望ましい．

8 アタッチメント
attachment
可撤性義歯に使用される支台装置の 1

つ．マトリックスとパトリックスとから構成され，一方は支台歯に固着され，他方は義歯に組み込まれる．この両者が互いに嵌合することにより，維持・支持・把持力が発揮される．

歯冠内アタッチメント，歯冠外アタッチメント，根面アタッチメント，バーアタッチメントなどに分類される．

9 Adams クラスプ あだむすー

Adams clasp

1本のワイヤーを屈曲して製作するアローヘッドクラスプを改良した，頬側隣接面のアンダーカットを利用するクラスプ．Adams（1950）により考案された．頬側の近心と遠心の隣接面歯頸部のアンダーカット部に入る半円形状の屈曲部，近心と遠心で垂直に立ち上がった縦走部，咬合面部で水平に屈曲した隣接面（鼓形空隙）横断部，これに続く口蓋側の鉤脚部，近心と遠心の頬側半円形状屈曲部を連絡する頬側横走部により構成される．頬側や舌側にアンダーカットのない歯に有効で，小児のスピーチエイドの支台装置として有用である．

10 圧印金冠 あついんきんかん

metal crown with swaged cusp

〔同義語〕Morrison クラウン

帯環金属冠の一種で，咬合面は 22K の金板をメロットメタルなどの易溶合金製の模型（陰陽型）の間に挟み，プレス（圧印）して成形し，帯環とろう（鑞）付けして完成させたクラウン．

咬合面を圧印して作るので薄くなり，咬耗により破損，穿孔しやすいため，帯環は 22K の金板を用いて作り，咬合面は 24K の金板を圧印し，内面に金ろう（鑞）を流して充実させた嚼面充実金冠（Peeso クラウン）や，咬合面を鋳造し，帯環にろう（鑞）付けした嚼面鋳造冠が考案された．鋳造冠の登場でいずれも過去のものとなった．

11 圧印床 あついんしょう

swaged plate

金属板を陽型上で槌打，または陰型との間でプレスにより圧接成形した義歯床．金合金，ステンレス鋼合金，チタン合金などの金属が用いられる．

12 圧負担能力 あつふたんのうりょく

stress-bearing ability

1）機能時に受ける力や緊張，圧力に抵抗する力．

2）支台歯や粘膜における咬合圧負担域での，義歯を支持する力．

13 後ろう（鑞）付け法 あと一づ一ほう

post ceramic soldering method

陶材焼付冠の固定性連結部の製作法の1つで，陶材を金属冠に焼き付けた後に行うろう（鑞）付け．

14 アバットメント

abutment

インプラント体に連結するコンポーネント．上部構造のための支台となる部分．

15 アバットメントアナログ

abutment analogue（analog）

口腔内のアバットメントの複製．インプラントをアバットメントレベルでピックアップ印象し，作業用模型を作る際に必要となる．

16 アバットメントスクリュー

abutment screw

インプラント体とアバットメントを直接連結するためのネジ．

17 アブフラクション

abfraction

生体力学的な荷重により生じた歯の硬組織の病的な欠損．実際の加重点から離れた位置にひずみが生じ，エナメル質と象牙質の化学的疲労により発生する．

18 アペックス［ゴシックアーチの］
apex［of gothic arch tracing］

ゴシックアーチの頂点．左右の側方下顎限界運動路が交わる点．

19 アメリカ式埋没法
—しきまいぼつほう
American flasking technique

人工歯，支台装置，連結子のすべてをフラスク上部に固定するろう義歯のフラスク埋没法．レジン塡入は容易であるが，支台歯部の石膏を歯頸部で切断することから，義歯床粘膜面に対して支台装置や連結子などが浮き上がる危険があることが欠点とされる．

20 アメリカ・フランス併用式埋没法
—へいようしきまいぼつほう
American-French flasking technique

人工歯をフラスク上部に，支台装置や連結子は下部に固定するろう義歯のフラスク埋没法．レジン塡入が容易で，支台装置や連結子の義歯床粘膜面に対する浮き上がりの危険もない．人工歯の浮き上がりは重合後の削合で対応可能であり，現在，最も一般的なフラスク埋没法である．

21 アルコン型咬合器
—がたこうごうき
arcon articulator

上弓に顆路指導部をもち，下弓に顆頭球(コンダイル)を備えた構造の咬合器．「アルコン」は articulator と condyle を縮めた造語．

22 アルジネート印象 —いんしょう
alginate impression, irreversible hydrocolloid impression

アルギン酸ナトリウムあるいはアルギン酸カリウムを主成分とする不可逆性ハイドロコロイド印象材による印象．粉末には水を，ペーストには石膏を加えて練和すると，流動性のあるゾルから弾性をもつゲルに変化する．

23 アルミナサンドブラスト処理→「サンドブラスト処理」参照

24 アルミナスポーセレン→「アルミナ陶材」参照

25 アルミナスポーセレンジャケットクラウン
aluminous porcelain jacket crown

長石-石英系陶材に 40～60％の酸化アルミニウム（アルミナ）を含有させたコア陶材の上に，歯冠色陶材を築盛・焼成したジャケットクラウン．アルミナ陶材は長石-石英系陶材に比べ強度が 1.5～2 倍で，急激な温度変化にも強い．デンティン用陶材には 10～15％の酸化アルミニウムが添加されているが，透明度が減少するため，エナメル用陶材中には結晶度の小さい酸化アルミニウムが少量だけ（5％）添加されている．

26 アルミナ陶材 —とうざい
aluminous porcelain

〔同義語〕アルミナスポーセレン

酸化アルミニウム（アルミナ）の微細粒子をガラスで結合させた，あるいはガラス中に分散させた複合組成の陶材．酸化アルミニウムの添加量が増すにつれて曲げ強さは増大し，例えば 50％添加で長石-石英系陶材の 2 倍以上の強度となる．

27 アルミナブラスト処理→「サンドブラスト処理」参照

28 鞍状型ポンティック
あんじょうがた—
saddle pontic

基底面が鞍状に顎堤を覆っている形態のポンティック．その中で，特に欠損部顎堤の吸収が著しい場合に適用され，人工歯の基底面に床をつけた形態のものを，有床型ポンティックと呼ぶ．可撤性のポンティックにすることが多い．

29 安静空隙 あんせいくうげき
interocclusal rest space (free way space)
下顎安静位における上下顎の歯列間距離．その値は正常者において前歯部で2〜3 mmである．咬合高径決定の目安になる．

30 アンダーカット
undercut
1）義歯の着脱方向に対して，歯や顎堤などの最大豊隆部よりも下方の陥凹した部分．模型の歯や顎堤に描記されたサベイラインに囲まれた領域をアンダーカット域（undercut area，infrabulge area），その他の領域を非アンダーカット域（nonundercut area，suprabulge area）という．
2）歯冠補綴装置の適合性を悪化させる支台歯軸面の陥凹．

31 アンダーカットゲージ
undercut gauge
サベイヤーの付属品の1つで，水平的なアンダーカット量を計測するジグ．通常，0.25 mm，0.50 mm，0.75 mmの3種が用いられる．

32 Anteの法則 あんて−ほうそく
Ante's Law
固定性ブリッジにおいて，支台歯の歯根表面積の総和は補綴される欠損歯のそれと同等以上でなければならないとする概念．Ante（1926）により提唱された．

33 アンテリアガイダンス
anterior guidance
〔同義語〕前方誘導（指導）
下顎滑走運動時における歯の指導要素．後方の顎関節による指導要素（ポステリアガイダンス）に対する前方指導要素の意．

34 アンテリアハイパーファンクションシンドローム→「コンビネーションシンドローム」参照

35 アンテリアリファレンスポインター
anterior reference pointer
フェイスボウトランスファーの際に，その先端を前方基準点（アンテリアリファレンスポイント）に一致させるためのフェイスボウの一部品．
→「フェイスボウ」，「前方基準点」参照

36 罨法 あんぽう
fomentation, poultice, compress
身体の一部を布などで覆って寒冷あるいは温熱刺激を与える治療法．冷罨法と温罨法がある．冷罨法は，寒冷刺激による皮膚温の低下，血管収縮により消炎，鎮痛効果をもたらすため，種々の急性炎症，特に打撲などの初期の外傷性炎症に適応がある．温罨法は，患部を温め血管を拡張させることで，循環改善により亜急性あるいは慢性病変による疼痛の軽減を意図する．筋緊張弛緩による効果も期待される．

い

37 移行義歯 いこうぎし
ransitional denture
比較的早期に，抜歯とそれに伴う義歯の修理や新製が予測された場合，その間の機能と形態とを確保するために使用される義歯．旧義歯に増歯などの改修を施して使用することもある．

38 **維持** いじ

retention

〔同義語〕保持

補綴装置に加わる離脱力に抵抗する作用．

39 **維持格子** いじこうし

retentive latticework

小連結子の一種で，大連結子と義歯床を連結する装置．フレームワークの義歯床に入る部分が格子状に製作されることがあることから維持格子と呼ばれているが，実際の臨床ではスケルトン型，メッシュ型など種々の形態がある．

40 **維持歯**→「支台歯」参照

41 **維持装置**→「支台装置」参照

42 **維持力** いじりょく

retentive force

補綴装置に加わる離脱力に抵抗し，それを装着された位置に保つ力．すなわち，装着された補綴装置を離脱させるのに必要な力．歯冠補綴装置の場合には保持力ともいう．

43 **維持腕** いじわん

retentive arm

部分床義歯を維持する目的で設計された鉤腕．通常，鉤尖がその役割を果たす．

→「拮抗腕」参照

44 **一次固定** いちじこてい

primary splinting

連結した固定性補綴装置の装着により，支台歯相互の連結固定効果を発現させる方法．

45 **一塊鋳造法**→「ワンピースキャスト法」参照

46 **イミディエートローディング**→「即時荷重」参照

47 **インサイザルテーブル**→「切歯指導板」参照

48 **インサイザルピン**→「切歯指導釘」参照

49 **印象** いんしょう

impression

歯，顎堤，顔面などの形態を再現するために採得された対象物の陰型．

50 **印象圧** いんしょうあつ

impression pressure

印象採得を行うときに対象に加わる圧力．その大小により，積極的に圧を加える加圧印象と，可及的に圧を加えない無圧印象とに分類される．

51 **印象域** いんしょういき

impression area

印象に記録すべき範囲．

52 **印象採得** いんしょうさいとく

impression taking

歯，顎堤，顔面などの形態を再現するためにその陰型を製作する一連の操作．

53 **印象用コーピング** いんしょうよう—

impression coping

〔同義語〕インプレッションコーピング

口腔内のインプラント体の位置を印象採得し，作業用模型に転記する目的で用いられるコンポーネント．オープントレー法とクローズドトレー法のそれぞれに対応するコーピングが用意されている．

54 **印象用トレー** いんしょうよう—

impression tray

印象材を運び，保持するための器具．通常，柄部，体部，辺縁部からなる．材質には金属やプラスチックなどがあり，既製トレーと個人トレーとがある．

55 **インターオクルーザルレコード**
interocclusal record
上下顎歯列または顎堤間の相互的位置関係の記録.

56 **インターナルコネクション**
internal connection
顎骨内のインプラント体とアバットメントや上部構造（クラウン，ブリッジ，アタッチメント）との連結部分において，インプラント体が凹に，支台装置や上部構造が凸になっている連結様式．これとは逆に，インプラント体が凸に，支台装置や上部構造が凹になっている連結様式を，エクスターナルコネクションという．

57 **インフラバルジクラスプ**→「歯肉型クラスプ」参照

58 **インプラント**
implant
生体の欠損部を補塡するために，生体材料あるいは非生体材料を移植または嵌植する形成術，およびそれらの移植物，嵌植物の総称．主要なものの1つに口腔インプラント（dental implant）がある．

59 **インプラントアナログ**
implant analogue（analog）
〔同義語〕インプラントレプリカ
口腔内のインプラント体の複製．一般にステンレスなどの金属でできており，インプラントの上部構造を製作するための作業用模型を作る際に必要となる．

60 **インプラント義歯**　—ぎし
implant prosthesis
〔同義語〕インプラント補綴，インプラント上部構造
顎骨内に埋入されたインプラント体を支台装置とする義歯．インプラント義歯と支台部との連結方法には，固定式，患者可撤式，術者可撤式の3種類がある．

61 **インプラント周囲炎**
—しゅういえん
peri-implantitis
インプラント周囲組織（骨，粘膜）に生じた炎症．過重負荷に加えて，細菌感染が原因となることが多く，進行するとインプラント体と周囲骨組織との骨結合が喪失して，インプラント体の脱落に及ぶ．特に，炎症病変がインプラント周囲の粘膜に限局しているものを，インプラント周囲粘膜炎（peri-implant mucositis）という．

62 **インプラント上部構造**→「インプラント義歯」参照

63 **インプラント体**　—たい
implant body
〔同義語〕フィクスチャー
オッセオインテグレーテッドインプラントにおいて顎骨内に埋入され，骨組織と結合を図る部分．

64 **インプラント体支持**　—たいしじ
implant-supported
〔同義語〕顎骨支持
機能時にインプラント義歯に加わる力をインプラント体周囲骨で負担するという概念．

65 **インプラント体-粘膜支持**
—たいねんまくしじ
implant and tissue-supported, implant-assisted and tissue-supported
〔同義語〕顎骨-粘膜支持
機能時に補綴装置（オーバーデンチャー）に加わる力をインプラント体周囲骨と粘膜の両者に負担させる概念．インプラントオーバーデンチャーにおける負担様式．

66 **インプラントプラットフォーム**→「プラットフォーム」参照

67 **インプラント補綴**→「インプラント義歯」参照

68 **インプラントレプリカ**→「インプラントアナログ」参照

69 **インプレッションコーピング**→「印象用コーピング」参照

う

70 **Williamsの3基本形**
うぃりあむずーさんきほんけい
three fundamental anterior tooth contours classified by Williams
Williams（1914）は正面からみた顔面の輪郭を方型(square)，尖型(tapering)，卵円型（ovoid）に分類し，上顎中切歯の唇側面形態が顔面輪郭を上下逆にした形態に相似することを提唱した．これら3形態を基本として前歯部人工歯が製作されている．

71 **Wilsonの彎曲**
うぃるそんーわんきょく
curve of Wilson
〔同義語〕側方咬合彎曲，側方歯牙彎曲，側方歯列彎曲
天然歯列を前頭面に投影したときに観察できる，咬合平面の側方的な彎曲．上顎臼歯の歯軸が頬側に傾斜し，下顎臼歯の歯軸が舌側に傾斜しているため，咬合平面に対して，上顎臼歯の舌側咬頭は頬側咬頭より低位に，下顎臼歯の舌側咬頭は頬側咬頭より低位になる．この結果，咬合平面は下方に凸な彎曲を描く．

72 **ウォッシュインプレッションテクニック**
wash impression technique
1）有床義歯の印象採得において，微圧のもとで印象材をゆきわたらせ，印象圧による顎堤粘膜の変形をできるだけ小さく，細部の精密な形態を再現する無圧印象法の1つ．
2）クラウンブリッジ支台歯の連合印象採得において，一次印象内面に流れの良い印象材を盛り上げて細部の精密な形態を再現する連合印象法の1つ．
→「連合印象」参照

73 **運動障害性嚥下障害**→「機能性嚥下障害」参照

74 **運動論的顆頭点**
うんどうろんてきかとうてん
kinematic condylar point
側方運動を含むあらゆる顎運動を行ったとき，下顎頭の運動路が最も収束する点．下顎運動に対しては両側の下顎頭の中央部付近に求まり，相補下顎運動に対しては相補運動論的顆頭点（complementary kinematic condylar point）が両側の関節結節の中央付近に求まる．

え

75 **永久固定**　えいきゅうこてい
permanent splinting
動揺歯をインレーやクラウンなどで恒久的に連結，固定することにより，各種機能時に加わる圧を複数歯に分散し，その安定を図ることを目的とした処置．固着式固定法と可撤式固定法とがある．

76 **栄養サポートチーム**
えいようー
nutrition support team（NST）
低栄養（栄養障害）への対応を目的とし，医師，看護師，管理栄養士，薬剤師などの多職種が参加し栄養管理を行う医

療チーム．近年，義歯などによる口腔機能の改善が経口摂取状況の改善に有効であることが報告され，公的保険においても歯科医師が栄養サポートチームに参加することが評価されている．

77 Akers クラスプ えーかーすー
Akers clasp
レスト付き二腕鉤に相当する鋳造鉤．欠損側に設置された咬合面レストと2本の鉤腕からなり，強固な支持・把持・維持が確保できる．Akers（1925）により考案された代表的な環状鉤．

78 SAS→「睡眠時無呼吸症候群」参照

79 S 字状隆起 えすじじょうりゅうき
S-curve
上顎義歯の歯肉形成時に前歯部口蓋側に付与される，矢状断面形態がS字状の隆起．呼気流を整え構音機能の回復などを目的とする．

80 STL えすてぃーえる
stereolithography, standard triangulated language, standard tessellation language
三次元形状を表現するデータを保存するファイルフォーマットの1つで，歯科用CAD/CAMシステムで最も利用され互換性の高いファイル形式．三次元形状を三角形パッチ（面）の集合体として表現する．

81 エステティックプレーン
esthetic plane
〔同義語〕エステティックライン
側貌の審美的基準となる鼻尖とオトガイを結んだ線．鼻，口唇，オトガイのバランスを示し，バランスの良い側貌は，この線に近接した下唇の後方に上唇が位置し，口唇がこの線より突出すると審美不良になるといわれているが，その位置関係には人種差がみられる．義歯患者では人工歯の切縁部の前後的位置に影響され，義歯によるリップサポート回復程度の評価に用いることができる．

82 エステティックライン
esthetic line
→「エステティックプレーン」参照

83 S 発音位 えすはつおんい
“s” position
［s］音を発音するときの顎位．［s］発音時には下顎が前下方に移動し，下顎中切歯切縁が上顎中切歯切縁の1～2 mm内側に位置する．発音中に上下顎の歯が互いに最も接近する顎位（最小発音空隙；closest speaking space）として，前歯部人工歯の位置の決定や排列後の位置の判定に利用される．

84 SPA 要素 えすぴーえーようそ
SPA factor
前歯部の人工歯を選択するとき，審美的な観点から参考にすべきとされる3つの要素．SPAは，患者の性別（sex），性格（personality），年齢（age）の頭文字を表す．Frush と Fisher（1956）によって提唱された．

85 FGP テクニック えふじーぴー――
functionally generated path technique（FGP technique）
〔同義語〕機能的運動路法
下顎の機能運動に調和した咬合面形態を備えた補綴装置を製作するため，対合歯の機能運動経路を口腔内で直接ワックスに印記させたものに石膏を注入した機能的模型と，解剖学的な対合歯模型の2種類によってワックスアップを行う術式．

86 エマージェンスプロファイル
emergence profile

天然歯，歯冠補綴装置，インプラントのアバットメントおよび上部構造の歯肉溝内から歯冠部歯頸部側1/3付近までのカントゥアや立ち上がり角度などの形態．

87 MMA系レジンセメント
えむえむえーけいー
MMA-based luting agent
メチルメタクリレート（MMA）のモノマーを液剤の主成分，ポリマーを粉末の主成分とする装着材料．成分中に接着機能性モノマーを含む．

88 MPD症候群
えむぴーでぃーしょうこうぐん
myofascial pain dysfunction syndrome（MPD syndrome），neuromuscular dysfunction, myalsia
咀嚼筋の機能異常により引き起こされる，顎関節，咀嚼筋および関連組織の疼痛や機能障害を主症状とする症候群．顎関節症の1つの病態．

89 L*a*b*表色系 えるすたーえーすたーびーすたーひょうしょくけい
Commission Internationale de l'Eclairage 1976（L*, a*, b*）color space（CIELAB）
国際照明委員会（Commission Internationale de l'Eclairage, 略称CIE）が1976年に推奨した三次元の近似的な均等色空間．CIEでは，これらをCIE（1976）L*a*b*色空間と呼ぶ．

90 Elbrechtクラスプ えるぶれひとー
Elbrecht clasp
〔同義語〕T字クラスプ
欠損の反対側隣接面から鉤体が発し，頰・舌側面を鉤腕が走行して欠損側隣接面に鉤尖が終わり，レストは鉤体から咬合面の中央溝を通って欠損側に向かい，そのまま鉤脚となる形態の環状鉤．Elbrecht（1961）により考案された．

91 嚥下位 えんげい
swallowing position
嚥下動作の第1相における顎位．通常，正常有歯顎者では嚥下時に咬頭嵌合位付近で咬合接触する．このことから無歯顎患者の垂直的，水平的顎位の設定に利用される．

92 嚥下障害 えんげしょうがい
swallowing disorder, dysphagia
摂食嚥下障害とほぼ同義．口腔期以降の障害を示すこともある．多くは反射性嚥下障害をいう．口腔期，咽頭期，食道期における器質障害によるものと，嚥下にかかわる末梢神経（舌咽神経，迷走神経，三叉神経，顔面神経）および中枢神経（延髄，網様体，大脳皮質）の障害によるものがある．
→「摂食嚥下障害」参照

93 嚥下造影検査
えんげぞうえいけんさ
videofluorography（VF）
〔同義語〕嚥下透視検査，ビデオ嚥下造影，ビデオレントゲン検査
摂食嚥下障害の診断のため，嚥下造影剤とエックス線透視装置を用いて，口腔，咽頭，食道内での食塊の動きを観察することによって嚥下機能を評価する検査．嚥下運動は一連の早い動きなので，ビデオに記録して評価され，現在，誤嚥の有無の検査法として最も有効な方法であるが，誤嚥と窒息の危険性に注意が必要である．

94 嚥下透視検査→「嚥下造影検査」参照

95 嚥下内視鏡検査
えんげないしきょうけんさ

videoendoscopic evaluation of swallowing（VE），videoendoscopic examination of swallowing（VE）

摂食嚥下障害を診断するため，鼻咽腔内視鏡を用いて行う検査法．目的は形態異常，誤嚥，喉頭侵入，咽頭残留などを動的画像で診断することである．本検査法の利点はシステムが安価で小さく，患者への被曝もないことからベッドサイドで行えることである．しかし，欠点として咀嚼時の評価ができない，嚥下の瞬間が確認できないという問題がある．

96 嚥下法 えんげほう

swallowing method［of vertical relation］

無歯顎患者あるいは残存歯による咬合支持の欠如した患者や，咬頭嵌合位が顆頭安定位と一致していない患者などに対して，嚥下位を利用して顎間関係を決定する咬合採得法の1つ．垂直的ならびに水平的顎間関係の決定に応用されるが，前者においては，低位咬合になりやすいため，軽く嚥下させるのが良いとされる．

97 嚥下補助装置 えんげほじょそうち

prosthetic appliance for swallowing disorder

先天的あるいは後天的な形態や機能の異常による嚥下障害に対する治療目的で使用する補綴装置．

→「バルブ型鼻咽腔補綴装置」，「舌接触補助床」参照

98 延長ブリッジ えんちょうー

cantilever fixed dental prosthesis

〔同義語〕遊離端ブリッジ

ポンティックの近遠心側の1側のみに支台装置をもつブリッジ．片持ち梁構造のため，ポンティックに加わる咬合力に対する支台歯の負担は通常の両端支持のブリッジより大きくなる．

99 延長腕鉤 えんちょうわんこう

extended arm clasp

二腕鉤の頬・舌側鉤腕を支台歯の隣接歯まで延長したクラスプ．支台歯に有効なアンダーカット域が存在しない場合や側方力を2歯に分散する目的などで適用されるが，実際の臨床での使用頻度は低い．

100 円板整位 えんばんせいい

disc repositioning，disc recapturing

前方転位などのように偏位していた関節円板が，オクルーザルアプライアンス療法や外科処置によって正常な位置に戻された状態．

101 円板転位 えんばんてんい

disc derangement，disc displacement，internal derangement

関節円板が下顎頭，下顎窩，あるいは関節結節に対して異常な位置関係にある状態．

102 円板復位 えんばんふくい

disc reduction

前方転位などのように位置が正常でない関節円板が，開口時に正常な位置に戻ること．

お

103 OSAS 治療用口腔内装置 おーさすちりょうようこうくうないそうち

mandibular advancement splint

主に軽度あるいは経鼻的持続陽圧呼吸療法が困難な場合のOSASに用いる歯科的治療器具．オーラルアプライアンスの1つに分類される．睡眠時に着用して，

下顎を前進させた状態を固定することにより，上気道の閉塞を防ぐ．

→「睡眠時無呼吸症候群」，「経鼻的持続陽圧呼吸療法」参照

104 **オーバークロージャー**

overclosure

上下顎間距離が減少した咬合状態（咬合高径の低下）．上下歯列が接触した状態では，歯槽間距離の減少が認められる．

105 **オーバージェット**

horizontal overlap，overjet

〔同義語〕水平被蓋

咬頭嵌合位で上顎前歯の切縁と上顎臼歯の頬側咬頭が下顎歯に対して水平的に被蓋している関係．通常は上顎中切歯切縁から下顎中切歯唇面までの水平的距離で表し，上顎が前方に位置する場合をプラス（+），反対のものをマイナス（−）と表示する．

106 **オーバーデンチャー**

overdenture，overlay prosthesis

〔同義語〕残根上義歯

歯根あるいはインプラントを被覆する形態の可撤性義歯．

口蓋裂症例などの低位歯，開咬，鋏状咬合などでは，稀に天然歯冠をそのまま被覆することもあるが，通常の少数残存歯症例などでは，歯冠部を切除した根面に，根面板，根面アタッチメント，磁性アタッチメントなどを適用した後に本形態の義歯を設計する．後者の場合，負担能力に劣る残存歯の歯冠歯根比の改善，抜歯による顎堤吸収の防止，歯根膜感覚の活用などを期待した補綴装置である．

107 **オーバーバイト**

vertical overlap，overbite

〔同義語〕垂直被蓋

咬頭嵌合位で上顎前歯の切縁と上顎臼歯の頬側咬頭が下顎歯に対して垂直的に被蓋している関係．通常は上顎中切歯切縁と下顎中切歯切縁との垂直的距離で表し，上顎の切縁が下方に位置する場合をプラス（+），反対のものをマイナス（−）と表示する．

108 **オーラルディアドコキネシス**

oral diadochokinesis

舌や口唇の巧緻性と速度を評価する方法．被験者に「パ」「タ」「カ」の単音節をそれぞれ10秒間または5秒間ずつ，できるだけ速く繰り返し発音させて，1秒あたりの発音回数を測定する．口腔機能低下症における舌口唇運動機能低下の検査法である．

109 **オーラルディスキネジア**

oral dyskinesia

支配神経あるいは筋の障害により下顎，舌，口唇などに出現する反射性，情動性の不随意運動．咬合異常や口腔内の疼痛，違和感などの末梢入力の異常が誘因や増悪因子となることがある．

110 **オーラルフレイル**

oral frailty

加齢変化や疾病，廃用によって生じる口腔の器質的・機能的な変化に加えて，口腔の健康に対するリテラシーの低下，全身の予備能力低下などが重なり，口腔機能が低下した状態．口腔の脆弱性が増加し，虚弱になった状態で，ささいな口腔機能の低下から摂食嚥下障害や咀嚼障害までの一連の状態を意味しており，フレイルや要介護のリスクを増悪すると考えられている．

→「口腔機能低下症」参照

111 **オーラルリハビリテーション**

oral rehabilitation

〔同義語〕咬合再構成

1) ナソロジー学派が提唱した一連の臨床術式の総称であり，蝶番軸に基づいて咬合位を定め，臼歯離開咬合か犬歯誘導咬合を追及する治療法．
2) 比較的多数歯の関与する咬合異常による顎口腔系の障害に対して，歯列全体に固定性または可撤性補綴装置を適用することで咬合を再構築し，顎口腔系の形態・機能・審美性の回復を図る方法．

112 O リングアタッチメント おーー
O-ring attachment
ゴム製で断面が円形の O リングをマトリックスとし，このマトリックスを受け入れるように形成された半円形の頸部を有するスナップ状のパトリックスを組み合わせた根面アタッチメント．オーバーデンチャーの支台装置として応用される．ゴムリングが劣化するため，交換する必要がある．

113 オールセラミッククラウン
ceramic crown，all ceramic crown
高強度のファインセラミックス単体あるいはフレームとレイヤリングセラミックスで前装された全部被覆冠．シリカ系，ジルコニア系あるいはアルミナ系セラミックスを CAD/CAM 技法，プレス成形，築盛法あるいは倣い加工で加工する．

114 オールセラミックブリッジ
all ceramic fixed partial denture
高強度のファインセラミックス単体あるいはフレームとレイヤリングセラミックスで前装されたブリッジ．シリカ系，ジルコニア系あるいはアルミナ系セラミックスを CAD/CAM 技法，プレス成形あるいは築盛法で加工する．

115 オクルーザルアプライアンス
occlusal device，occlusal appliance
〔同義語〕オクルーザルデバイス
暫間的に歯列の咬合面を被覆し，咬合の改善や診断に用いられる可撤性の口腔内装置．スタビリゼーションアプライアンス（stabilization appliance），リラクセーションアプライアンス（relaxation appliance），リポジショニングアプライアンス（repositioning appliance）などがある．

116 オクルーザルテーブル
occlusal table
天然歯や補綴装置の臼歯部の咬合面，すなわち咬合の保持や咀嚼に直接関与する面．

117 オクルーザルデバイス→「オクルーザルアプライアンス」参照

118 オクルーザルランプ
occlusal ramp
〔同義語〕パラタルランプ
外科処置などにより下顎偏位が生じた場合，咬頭嵌合位を保持するために上顎義歯や口蓋板に付与された咬合面の機能を担うテーブル様の構造物．通常，人工歯や残存歯の口蓋側に付与されるのでパラタルランプ（palatal ramp）ともいう．

119 オッセオインテグレーション
osseointegration
骨組織とインプラント体との界面に炎症所見が認められず，かつ，骨のリモデリングを妨げずに良好な接触関係が維持される状態．骨組織とインプラント体界面の光学顕微鏡像において，界面に軟組織が介在せず，直接接触していることが必要条件とされる．

120 オッセオインテグレーテッドインプラント
osseointegrated implant

〔同義語〕骨結合型インプラント

インプラントの1つで，その下部構造が骨組織に密着した結合状態を呈し，インプラント体に加わった力を直接骨に伝達する様式のもの．

121 **オッセオインテグレーテッドブリッジ**→「ボーンアンカードブリッジ」参照

122 **オトガイ唇溝**　—しんこう

mentolabial sulcus

下唇とオトガイ部との境界の皮膚を横走する弓形の浅い溝．老人様顔貌の評価，咬合高径の評価，下顎義歯の前歯部人工歯排列位置，義歯床翼の豊隆などの指標となる．

123 **オベイト型ポンティック**　—がた—

ovate pontic

外科的な補綴前処置により形成した顎堤粘膜の凹みに，球面状の基底面が入り込み接触する形態のポンティック．審美性を重視した形態であるが，ブリッジ装着までの期間プロビジョナルブリッジで凹みを圧迫して維持しておく必要があり，基底面の清掃にも注意が必要など，問題も残されている．

124 **オルタードキャスト法**　—ほう

altered cast technique

義歯の機能時における床と粘膜との適合を図るため，解剖学的印象により製作した模型の欠損部のみを機能印象による模型に置き換える方法．

125 **Orton クラウン**　おるとん—

Orton crown

歯型の全周に適合させた純金製のマトリックスの歯頸部に，22K 金板で幅の狭い帯環をろう（鑞）付けし，歯冠形態をワックスアップ後，鋳造して製作する全部被覆冠．金属の鋳造収縮をマトリックス箔使用により防ぐために考案された．ガス抜きがうまくないと鋳造が困難であり，鋳造冠の登場で過去のものとなった．

か

126 **加圧印象**　かあついんしょう

pressure impression

有床義歯の機能時の状態を想定し，顎堤粘膜を加圧下で採得する印象．咬合圧印象，ダイナミック印象などがある．

127 **外冠**　がいかん

outer cap, outer crown

テレスコープクラウンの一部であり，可撤性補綴装置に設置される金属冠．内冠との接触面に生じる摩擦力あるいはくさび効果は可撤性義歯の維持力として効果的に働く．外冠によって歯冠外形を再現する．

128 **概形印象**　がいけいいんしょう

preliminary impression

歯および欠損部顎堤などの口腔内諸組織を予備的に採得する印象．この印象から研究用模型を製作し，咬合関係の検査，床縁の位置の判定，義歯の仮設計，個人トレーの製作などを行う．

129 **開口障害**　かいこうしょうがい

mandibular trismus, limitation of mouth opening, limited mouth opening

顎口腔系組織・器官が一過性あるいは持続的に障害を受け，開口運動に制限が生じた病態．一般的に最大開口量の測定によって診断されるが，顎関節の障害によるものと，筋などの軟組織の異常によるものとがある．

130 **外斜線**　がいしゃせん

external oblique ridge

下顎骨筋突起前縁から下方へ走り，臼後三角の頬側を通り，下顎体の臼歯部外面に移行する骨の隆線．内斜線とともに臼歯部義歯床縁の位置を設定する際に解剖学的指標として用いられる．

131 外傷性咬合 がいしょうせいこうごう
traumatic occlusion

1）顎口腔系に損傷を引き起こす咬合．
2）歯周組織に損傷を引き起こす咬合．

132 外側バー がいそくー
external bar

残存歯部の口腔前庭に設置される大連結子．前歯部に用いられるものを唇側バー（labial bar），臼歯部に用いられるものを頬側バー（buccal bar）という．

133 改訂水飲みテスト
かいていみずのー
modified water swallowing test（MWST）

摂食嚥下障害をスクリーニングする検査法の1つ．水飲みテストの原法は，30 mLの水を口に含んでもらい，嚥下時間・回数やむせの有無を観察する方法である．しかし飲水量が多く重症例に用いることが困難であることから，変法され3 mLの冷水を使って評価するよう改訂された．口底に冷水を注ぎ嚥下を指示し評価する方法．誤嚥の有無を予測する感度・特異度が確認されており，簡便さと安全性から有用性が高い検査法である．

134 ガイドグルーブ
guiding groove，orientation groove

支台歯形成の始めに，歯質の切削量を規定するために設けられる溝．

135 ガイドプレート
guide plate

インプラント体埋入手術において，インプラント体の埋入位置，方向などを規定するために使用される誘導装置．CAD/CAMによって製作されたガイドプレートと専用ドリルを使用することもある．

136 ガイドプレーン
guiding plane

〔同義語〕誘導面

支台歯側面に義歯の着脱方向と平行に形成された平面．隣接面板やクラスプなどとの組み合わせで，義歯と支台歯の間隙を少なくし，支台歯の保護と義歯の動揺を規制する機能を発揮する．

137 開鼻声 かいびせい
hypernasality

鼻咽腔閉鎖機能不全などにより，鼻腔に流れる音声気流が多く鼻に抜け，非鼻音の構音時においても鼻腔が共鳴腔のように働くことにより産生される音声のこと．

138 解剖学的印象
かいぼうがくてきいんしょう
anatomic impression

顎口腔諸組織の解剖学的形態をできるだけ静的な状態で採得する印象．特に，軟組織部では「無圧印象」と同義語として用いられる．

139 解剖学的咬合器
かいぼうがくてきこうごうき
anatomical articulator

〔同義語〕顆路型咬合器

関節部の構造が生体の顎関節に類似している咬合器の総称．顆路の再現を重視し，咬合器の運動を顆路を主体として行わせようとするもの．

140 解剖学的歯冠
かいぼうがくてきしかん
anatomic crown

天然歯のセメント-エナメル境から切

縁あるいは咬合面までの部分.

→「臨床的歯冠」参照

141 解剖学的人工歯
かいぼうがくてきじんこうし
anatomic artificial teeth, anatomic teeth

第一大臼歯の咬頭傾斜角が 30° 以上の人工歯. 咀嚼能率の向上, 咬合面による義歯の咬頭嵌合位への誘導機能, 天然歯に近い審美性などの利点があるが, 偏心位での咬合調整に時間がかかるなどの欠点がある.

142 過蓋咬合 かがいこうごう
excessive vertical overlap, deep bite

咬頭嵌合位において上顎前歯が下顎前歯唇面の 1/4〜1/3 以上を被覆する咬合状態. 上下顎歯列弓の垂直的咬合関係の異常の 1 つ.

143 下顎安静位 かがくあんせいい
physiologic rest position

上体を起こして安静にしているときの顎位. 通常, 咬頭嵌合位の 2〜3 mm 下方の位置とされる.

144 下顎安静位利用法
かがくあんせいいりようほう
maxillomandibular registration using physiologic rest position

下顎安静位を利用して咬合高径を決定する咬合採得法. 上下顎の皮膚上に設定した標点間の距離を計測し, 下顎安静時のものから平均的な安静空隙量 (2〜3 mm) を減じた値となる顎位を中心咬合位とするもの.

145 下顎位 かがくい
mandibular position

頭蓋を基準とした場合の下顎の空間的な位置. 数学的には互いに独立な 6 個のパラメータで定義できる. このパラメータは直交座標系で例を示すと, 座標値 (x, y, z) と各軸の周りの回転 (θx, θy, θz) となる.

146 下顎運動 かがくうんどう
mandibular movement

上顎を基準としてみた場合の顎運動.

147 下顎運動記録
かがくうんどうきろく
mandibular tracing, mandibular movement record

1) 生理学的な研究, あるいは顎口腔機能の診断や咬合器の調節などの臨床的な目的で行われる下顎の運動に関する記録. 解剖学的方法, 写真法, 映画法, 描記法, 電気的測定法などがある.

2) 下顎運動の軌跡.

148 下顎運動記録装置
かがくうんどうきろくそうち
mandibular movement recording device

下顎運動の記録, 分析を目的とする種々の測定解析装置の総称. 主要な商品として, MKG, シロナソグラフ, MM-J2, トライメット, ナソヘキサグラフなどがある.

149 下顎運動障害
かがくうんどうしょうがい
mandibular movement disorders

下顎運動が滑らかに行われない, あるいは下顎運動が制限された病態.

150 下顎運動要素
かがくうんどうようそ
elements of mandibular movement

三次元的な下顎運動を 3 点で表示するための 6 要素. これには方向, 距離, 経路の彎曲が含まれている. 運動方向は基準平面に対する実角で，また，運動距離は投影距離または実距離で表示される．運動経路の彎曲は，運動方向を示す直線に対する経路の彎曲の深さによって表示されることもある．

151 下顎限界運動［路］
かがくげんかいうんどう［ろ］
mandibular border movement ［path］
骨，顎関節，歯，筋，靱帯などにより規制された三次元的な下顎の限界での運動(路)．切歯点の限界運動路を表示したPosseltの図形が有名である．また，ある定められた垂直的顎位における水平面上では，前方・後方・側方の下顎限界運動路が描記される．特に，後方・側方下顎限界運動路を描記したものはゴシックアーチと呼ばれる．

152 下顎後退位 かがくこうたいい
mandibular retruded position
咬頭嵌合位に相当する顎位より後方に位置するすべての顎位．

153 下顎後退咬合位→「下顎後退接触位」参照

154 下顎後退接触位
かがくこうたいせっしょくい
retruded contact position
〔同義語〕下顎後退咬合位
咬頭嵌合位から上下顎の歯を接触させた状態で，下顎を後方へ滑走させたときのすべての咬合位．

155 下顎最後退位
かがくさいこうたいい
posterior border position of mandible
下顎後退位の中で最も後方に位置する顎位．Posselt（1962）が用いた用語で，関節包を構成する靱帯の緊張により決定される下顎のとりうる最後方位で，ゴシックアーチの頂点に一致する．

156 下顎最後退咬合位→「下顎最後退接触位」参照

157 下顎最後退接触位
かがくさいこうたいせっしょくい
most retruded contact position
〔同義語〕下顎最後退咬合位
下顎頭が下顎窩内で最も後方に位置する状態での咬合位．

158 下顎前方保持装置
かがくぜんぽうほじそうち
anterior mandibular positioner
閉塞型睡眠時無呼吸症候群やいびきの治療に用いられる口腔内装置．下顎前方整位タイプと舌位矯正タイプに分けられ，下顎あるいは舌を前方に位置づけることで上気道を拡張する．

159 下顎頭 かがくとう
mandibular condyle
〔同義語〕顆頭
下顎枝の後方の長楕円形の突起．下顎頭とともに関節突起を構成する．顎関節の関節頭として働く．

160 下顎頭位 かがくとうい
condylar position
〔同義語〕顆頭位
下顎窩に対する下顎頭の位置関係．

161 下顎隆起 かがくりゅうき
mandibular torus
下顎骨の臼歯部舌側面，特に第二小臼歯部に好発する，骨質の局所的過剰発育によって生ずる骨隆起．通常は無症状であるが，有床義歯の適用時には床外形の設定に障害となることが多い．

162 下弓［咬合器の］
かきゅう［こうごうきー］
lower bow ［of articulator］

咬合器の下部構造で下顎模型を装着する金属製の体部.

163 顎位 がくい
mandibular position, jaw position
上顎と下顎との相対的な位置関係. 上顎を基準とした場合を下顎位, 逆に下顎を基準とした場合を相補下顎位と呼び, その両者を総称したもの.

164 顎運動 がくうんどう
mandibular movement, jaw movement
上顎と下顎の相対的な運動. 上顎を基準とした場合を下顎運動, 逆に下顎を基準とした場合を相補下顎運動と呼び, その両者を総称したもの.

165 顎運動検査 がくうんどうけんさ
examination of mandibular movement, examination of jaw movement
下顎の運動記録から, 上下顎の顎間関係や咬合器調節のための運動要素の情報を得たり, 顎口腔機能状態の診断を行うための検査. 上顎を基準にとり下顎の運動を検査する下顎運動検査と, 下顎を基準にとり上顎の相対的な運動を検査する相補下顎運動検査とがある. 描記法に加え, 最近は各種センサーを用いた電気的検査法も普及してきている.

166 顎間関係 がくかんかんけい
maxillomandibular relationship
上顎に対する下顎の, または下顎に対する上顎の空間的位置関係. 上下顎間の水平・垂直方向のすべての位置関係を含む.

167 顎間関係記録→「顎間記録」参照

168 顎間距離 がくかんきょり
vertical dimension
下顎がある特定の位置にあるときの, 上顎と下顎に設定した2点間の距離. 上下顎が中心咬合位で咬合しているときの顎間距離を咬合高径という.

169 顎間記録 がくかんきろく
maxillomandibular relationship record
〔同義語〕顎間関係記録
上下顎間の垂直的・水平的位置関係の記録.

170 顎関節エックス線撮影
がくかんせつ―せんさつえい
temporomandibular joint radiography
顎関節部の骨形態や顎関節隙を検査するためのエックス線撮影. 顎関節疾患の診断や治療効果, および顎関節腔造影法との併用による関節円板の形態異常や機能異常の検査に用いられる.

171 顎関節雑音 がくかんせつざつおん
temporomandibular joint noise
顎運動に伴って顎関節部に生ずる異常音. 顎関節症の主症状の1つで, 初発症状として高頻度に出現する. その音質はクリッキング(弾撥音)とクレピテーション (捻髪音, 摩擦音) とに大別される.

172 顎関節疾患 がくかんせつしっかん
temporomandibular joint diseases
顎関節部の病変で, その病態あるいは原因により, ①発育異常, ②外傷, ③炎症, ④退行性関節疾患あるいは変形性関節症, ⑤腫瘍および腫瘍類似疾患, ⑥全身性疾患に関連した顎関節異常, ⑦顎関節強直症, ⑧顎関節症の8つに分類される.

173 顎関節症 がくかんせつしょう
temporomandibular disorders
顎関節や咀嚼筋の疼痛, 関節雑音, 開口障害ないし顎運動異常を主要症状とする慢性疾患群の総括的診断名．その病態には咀嚼筋障害，関節包・靱帯障害，関節円板障害，変形性関節症などが含まれる．
→「顎機能障害」参照

174 顎関節痛 がくかんせつつう
temporomandibular arthralgia
顎関節部あるいはその周囲の疼痛．関節痛は関節内部の円板，滑膜，関節包などの障害によっても生じるが，関節周囲の組織，例えば筋，筋膜，腱，靱帯などの障害によっても起こる．

175 顎関節内障 がくかんせつないしょう
internal derangement of temporomandibular joint
顎関節症の病態の1つ．関節円板の位置や形態異常によって引き起こされる顎関節の機能障害．

176 顎顔面補綴 がくがんめんほてつ
maxillofacial prosthetics
腫瘍，外傷，炎症，先天奇形などが原因で，顔面または顎骨とその周囲組織に生じた欠損に対し，非観血的に，あるいは再建やインプラント手術との併用により人工物で補塡・修復し，失われた機能と形態の回復を図ること．その処置部位により，顎補綴と顔面補綴とに大別される．

177 顎顔面補綴装置
がくがんめんほてつそうち
maxillofacial prosthesis
顎顔面補綴に用いられる装置．その適用部位により，顎補綴装置（口腔内補綴装置；intraoral prosthesis）と顔面補綴装置（口腔外補綴装置；extraoral prosthesis）とに大別される．

178 顎義歯 がくぎし
maxillary prosthesis，denture for defected jaw，obturator，mandibular prosthesis
腫瘍，外傷，炎症，先天奇形などによる顎骨または口腔軟組織の欠損に適用され，欠損部の補塡・閉塞を図るとともに，人工歯を備え，義歯に準ずる形態と機能を有する補綴装置．上下の顎欠損を補塡する場合，栓塞部（obturator）を備えている．

179 顎機能障害 がくきのうしょうがい
temporomandibular disorders
顎関節雑音，顎関節や咀嚼筋の疼痛，顎運動障害を主徴とする症候群．ときには顎口腔領域にとどまらず全身や，精神心理面に種々の障害をもたらす．日本顎関節学会は顎関節症を正式な名称として採用しているが，この顎機能障害の用語は，咀嚼筋症状だけで顎関節に症状を認めない症例を含む本症候群の疾患名として適切であるという主張に基づいている．
→「顎関節症」参照

180 顎欠損 がくけっそん
jaw defect
腫瘍摘出や先天奇形などによる顎骨の部分あるいは全部の欠損．これにより顔面の審美性の障害を含む多様かつ重篤な口腔機能障害が引き起こされる．特に上顎では口腔と鼻腔の病的交通による飲食物や空気の漏洩，下顎では残存セグメントの三次元的変位による咬合の崩壊などが代表的なものであり，いずれも顎補綴処置の対象となる．

181 顎口腔系 がくこうくうけい
stomatognathic system，masticatory system
摂食，咀嚼，嚥下および発音に関係する顎・口腔・顔面領域の組織と器官の共同体．

182 顎骨支持→「インプラント体支持」

参照

183 **顎骨-粘膜支持→「インプラント体-粘膜支持」参照**

184 **顎舌骨筋線**　がくぜっこつきんせん

mylohyoid ridge

下顎体の内面を，後方より前下方に斜走し，顎舌骨筋が付着する隆線．下顎有床義歯の臼歯部における舌側床縁は，この隆線を越えた位置に設定するのが妥当とされる．ただし，当該部の粘膜面にはリリーフが必要である．

185 **顎堤**　がくてい

residual ridge

歯の喪失によって生じる骨吸収の後に，残留した歯槽骨あるいは顎骨と顎堤粘膜によって形成される堤状の高まり．無歯顎の場合にはその形態から顎堤弓（residual ridge arch, alveolar arch）と呼ばれる．

186 **顎堤吸収**　がくていきゅうしゅう

residual ridge resorption

歯槽骨の吸収によって起こる欠損部顎堤の形態的変化．顎堤は義歯を支持する役割を担うが，顎堤の形態や顎堤粘膜の被圧変位量などは義歯の維持と安定に大きく関与する．

187 **顎堤粘膜**　がくていねんまく

residual mucous membrane

顎堤を被覆する粘膜．上皮は厚く，角化しており，薄い粘膜下組織によって骨と結合している．義歯に加わる咬合力を支持するのに適した組織構造を有している．

188 **顎補綴**　がくほてつ

prosthetics for defected jaw

腫瘍，外傷，炎症，先天奇形などによって生じた顎骨とその周囲組織の欠損に対し，非観血的に，あるいは再建やインプラント手術との併用により人工物で補塡・修復し，顎口腔の失われた機能と形態の回復を図ること．

189 **顎補綴装置**　がくほてつそうち

prosthesis for defected jaw, appliance for defected jaw, maxillary prosthesis

腫瘍，外傷，炎症，先天奇形などが原因で，顎骨とその周囲組織に生じた欠損に対し，非観血的に，あるいは再建やインプラント手術との併用により，顎口腔の失われた機能と形態の回復を図るために用いられる人工物．

190 **カスタムアバットメント**

custom made abutment

既製アバットメントに対し，より歯冠形態やエマージェンスプロファイルを考慮したフリーデザインのアバットメント．以前はUCLAアバットメントにワックスアップをし金合金で鋳接して製作したが，近年では，チタンあるいはジルコニアを素材としてCAD/CAMにより製作されることが多い．

191 **仮想咬合平面**

かそうこうごうへいめん

tentative occlusal plane

最終義歯の咬合平面の基準となる，咬合堤上に表現される平面．

192 **型ごと埋没法**　かた－まいぼつほう

die investing method

作業用模型から複製された耐火模型上でワックスアップし，ワックスパターンを模型から外さずに，そのまま同一埋没材で埋没して鋳造体を製作する方法．使用埋没材には，石膏系やリン酸塩系などがあるが，一般的に通常の埋没材より結合材の量を多くして，強度を与えている．

193 **仮着** かちゃく
provisional cementation, temporary cementation
プロビジョナルクラウンなども含めた歯冠補綴装置を支台歯に一時的に装着すること．最終補綴装置の場合には，その状態で暫時患者に使用させ，審美性や咬合機能の回復程度および装着感などを観察し，問題点があれば改善し，異常がなければ耐久性の高い材料を用いて合着する．

194 **滑走運動** かっそううんどう
mandibular translation
咬合接触を保持した状態で行う前方，後方，または側方への顎運動．それぞれ，前方滑走運動，後方滑走運動，側方滑走運動と呼ばれ，咬合の検査や咬合様式の確認に利用される．特に側方滑走運動は咀嚼運動と密接な関係にあることから，各種の顎運動の中で最も重要視され，この方向，距離および彎曲は咬合器の設計や咬合器での顎運動の再現あるいは合理的な咬合面形態の付与や咬合調整のための最も重要な検査対象となる．

195 **可撤歯型式模型**→「歯型可撤式模型」参照

196 **可撤性義歯** かてつせいぎし
removable denture
患者あるいは術者が任意に着脱可能な義歯．有床義歯，可撤性ブリッジなどがある．

197 **可撤性ブリッジ** かてつせい—
removable dental prosthesis
患者あるいは術者によって装置の一部が着脱可能な，支台歯歯根膜で支持されるブリッジ．支台歯間の平行性が十分でないときや，有床型や鞍状型ポンティックなどの非自浄型ポンティックを適用した場合に設計される．

198 **可撤性補綴装置** かてつせいほてつそうち
removable dental prosthesis
補綴装置のうち，全部床義歯，部分床義歯，可撤性ブリッジなど，患者あるいは術者による着脱が可能な装置．

199 **可撤性連結** かてつせいれんけつ
removable connection
装置の一部が，随時着脱しうる構造をもつ連結様式．

200 **顆頭**→「下顎頭」参照

201 **顆頭安定位** かとうあんていい
stabilized condylar position
下顎頭が下顎窩の中で緊張なく安定する位置（大石忠雄，1967）．正常歯列者の咬頭嵌合位では下顎頭は顆頭安定位にある．

202 **顆頭位**→「下顎頭位」参照

203 **顆頭間距離** かとうかんきょり
intercondylar distance
顆頭間軸上にある左右の顆頭点間の距離．臨床では，皮膚上の顆頭点をフェイスボウにより計測している．したがって真の顆頭間距離は，これより片側で平均約 12 mm 差し引いた距離とされる．Bonwill（1859）は顆頭間距離を 4 インチ（約 10 cm）とし，Bonwill 三角の一辺として補綴学的に意義づけ，咬合器に応用した．

204 **顆頭間軸** かとうかんじく
condylar axis, intercondylar axis
下顎が回転運動するときの左右の顆頭を結んだ仮想軸．

205 **顆頭球** かとうきゅう
condylar ball
生体の下顎頭に相当する咬合器の球状の部分．咬合器の上弓あるいは下弓に取り付けられ，顆路指導板に対して回転あるいは滑走し，咬合器の開閉運動，側方運動を規制する．

206 顆頭点 かとうてん

condylar point

顎運動の原点として利用される下顎頭を代表する基準点．一般に，下顎頭の平均的な形態に基づいて皮膚上に求められた平均的顆頭点，あるいは終末蝶番軸上の蝶番点もしくは全運動軸上の全運動軸点を指す．

207 可動粘膜 かどうねんまく

unattached mucous membrane

咀嚼，発音，嚥下などの機能時に，筋の動きに伴って移動，変形する粘膜．

208 下部構造（体）［インプラントの］

かぶこうぞう（たい）

substructure ［of implant prosthesis］

〔同義語〕サブストラクチャー

インプラント体のこと．それに連結されたアバットメントを含めて呼ぶこともある．

→「上部構造（体）」，「中間構造（体）」参照

209 ガム模型→「人工歯肉付模型」参照

210 カラーレスマージン

collarless metal ceramic restoration

陶材焼付冠において辺縁部のコーピングを除去し，陶材によって直接被覆して審美性の向上を図ったマージン．

211 ガラス浸透型セラミックス

―しんとうがたー

glass-infiltrated ceramics

アルミナ・コア材に低粘度のガラスを浸み込ませたもの．毛細管現象によってガラスが多孔性の酸化アルミニウム（アルミナ）に引き込まれ，非常に強固で濃密なアルミナ・ガラス複合体となる．

212 顆路 かろ

condylar path

顎運動時に下顎頭が示す運動経路．特に滑走運動時の運動経路をいう．一般に下顎頭を代表する顆頭点の運動軌跡として表す．切歯路とともに顎運動の重要な要素であり，種々の顎運動に対応してさまざまな経路をとるが，その限界運動路を矢状面，水平面，前頭面に投影して矢状顆路と側方顆路とに区別し，咬合器の顆路調節などに利用する．

213 顆路型咬合器

condylar path articulator

→「解剖学的咬合器」参照

214 顆路指導板 かろしどうばん

condylar guidance

咬合器の関節部で顆頭球を一定方向に誘導し，一般的に矢状顆路傾斜角および側方顆路角を規制する部分．その機構からボックス型とスロット型とに分類される．

215 顆路調節機構

かろちょうせつきこう

adjustable posterior guidance

調節性咬合器における顆路を再現するための調節機構．顆路指導部を調節することにより，各個人の矢状顆路および側方顆路が設定できる．

216 冠→「クラウン」参照

217 緩圧型アタッチメント

かんあつがたー

stress-breaking attachment, resilient attachment

義歯に機能圧が加わった場合に，支台歯に伝達される力が過大となるのを防止する目的で，緩圧機構が付与されている

アタッチメントの総称．緩圧方法には蝶番，スプリング，スペース付与の3種類がある．

218 緩圧型維持装置→「緩圧型支台装置」参照

219 緩圧型支台装置　かんあつがたしだいそうち
stress-breaking retainer
〔同義語〕緩圧型維持装置
義歯に加わる機能圧を制御して，支台歯の負担を軽減する構造と作用をもつ支台装置．

220 緩圧装置　かんあつそうち
stress director, stress breaker
支台歯などに伝達される咬合力の一部または大部分を軽減し，それらの力の方向を他の支台装置や咬合圧負担域へ変更する装置，あるいはシステム．支台装置自体が緩圧作用を有するもの（緩圧型支台装置）と，連結子に緩圧作用をもたせるもの（スプリットバーなど）がある．

221 眼窩下点　がんかかてん
infraorbital point
眼窩骨縁の最下点と定義される眼点（orbitale；眼窩点）に相当する皮膚上の計測点．前方を直視させたときの瞳孔の直下で，眼窩下縁と交わる点を触診によって求める．フェイスボウトランスファー時の前方基準点の1つとして用いられる．

222 感覚異常→「感覚障害」参照

223 感覚障害　かんかくしょうがい
dysesthesia，paresthesia，sensory disturbance
〔同義語〕感覚異常，知覚異常
感覚障害は主に，体性感覚の障害を示す状態あるいはそれを表す病名．体性感覚は触覚，温度感覚，痛覚の皮膚感覚と，筋や腱，関節などに起こる深部感覚からなる．口腔内には鬱状態のときの過剰感覚，セネストパチーにおける錯感覚あるいは妄想に似た異常感覚が起こることがある．知覚異常ともいわれ，舌痛症にみられる．

224 嵌合効力　かんごうこうりょく
interlocking force
〔同義語〕嵌合力
修復物の合着材として用いられる泥状のセメントが，窩壁や修復物の粗造面の微細な凹凸の中に入り込んで硬化し，その面に沿った滑りを阻止する力．リン酸亜鉛セメントの場合では，修復物の維持力の主体をなす．

225 嵌合力→「嵌合効力」参照

226 緩衝腔　かんしょうくう
relief area
義歯床下粘膜に過度の圧力が加わらないように，リリーフを目的として義歯床粘膜面と顎堤粘膜との間に作られる空隙．臨床的には，作業用模型上で緩衝部に絆創膏，金属箔などを貼付する方法，あるいは完成した義歯床粘膜面の当該部位を削除する方法などがある．

227 環状鉤　かんじょうこう
circumferential clasp
鉤腕が支台歯の歯冠をとりまく形態のクラスプの総称．鉤腕，鉤体，鉤脚から構成される．単純鉤，二腕鉤などの鉤腕の数による分類，ヘアピンクラスプ，リングクラスプ，双子鉤，延長腕鉤，連続鉤などの形態による分類，Akersクラスプ，Jacksonクリブクラスプなど考案者の名による分類など，多様な分類がある．

228 間接維持装置→「間接支台装置」参照

229 間接支台装置
かんせつしだいそうち
indirect retainer
〔同義語〕間接維持装置
部分床義歯の支台装置の1つ．欠損部から離れた歯に設定され，主に支台歯間線を軸とした義歯の回転に抵抗するものをいう．

230 完全自浄型ポンティック
かんぜんじじょうがたー
hygienic pontic
自浄性，清掃性に基づくポンティック形態の1つ．最も自浄性に優れた形態とされ，離底型ポンティックがこれに相当する．

231 寒天アルジネート連合印象
かんてんーれんごういんしょう
agar alginate combined impression
シリンジ用寒天印象材を支台歯に注入し，その上からトレーに盛ったアルジネート印象材で印象する印象法の1つ．

232 寒天印象 かんてんいんしょう
agar impression, reversible hydrocolloid impression
寒天印象材による印象．コンディショナーで加熱して印象材をゾル状にしておき，シリンジを用いて印象材を支台歯と歯列に注入し，冷却用チューブの付いた専用のトレーにトレー用印象材を盛ってその上に被せた後，水冷して採得する印象．

233 カントゥア［歯の］ ー［はー］
contour［of tooth］
歯冠の軸面形態．特に頬・舌側の豊隆形態を指すことが多いが，本来は歯冠形態の外形を意味する．適正なカントゥア（normal contour）より豊隆が大きなものをオーバーカントゥア（over contour），逆に，豊隆が不足しているものをアンダーカントゥア(under contour)という．

234 Camper 平面 かんぺるへいめん
Camper's plane
水平基準面の1つであり，左右側いずれかの鼻翼下縁と両側の耳珠上縁によって形成される平面．なお，側貌エックス線写真などの骨組織上では，鼻棘点（前鼻棘底尖端部）と外耳道の中央を通る平面をいう．この平面は正常有歯顎者の咬合平面とほぼ平行であることから，咬合床に付与する仮想咬合平面の決定に利用される．なお，左右側いずれかの鼻翼下縁と耳珠上縁とを結ぶ線は鼻聴道線（Camper 線，ala-tragus line）と呼ばれる．

235 顔面印象 がんめんいんしょう
facial impression
顔面補綴装置（顔面エピテーゼ）製作のために採得された対象物の陰型．その採得方法は通常，アルジネート印象材（顔面表面側）と石膏（代替トレー）の積層印象法などにより行われる．印象材と石膏の保持にはガーゼやポリウレタンシートなどが用いられる．印象時，患者の鼻あるいは口には呼吸用チューブが装着される．

236 顔面インプラント がんめんー
facial implant
顔面補綴装置（顔面エピテーゼ）の維持源のために頭蓋顔面骨に生体材料あるいは非生体材料を移植または嵌植する形成術，またはそれらの移植物，嵌植物の総称．

237 顔面エピテーゼ がんめんー
facial prosthesis
腫瘍，外傷，炎症，先天奇形などが原

因で生じた顔表面を含む実質欠損に対し，非観血的に，あるいは手術との併用により補塡修復し，その形態的・審美的改善とともに，発語などの失われた機能の回復を図るために用いる人工物．独語Epithese に由来．

238 顔面計測法 がんめんけいそくほう
facial measurement method
形態的根拠に基づく垂直的顎間記録法．咬合高径（鼻下点・オトガイ間距離）に近似する顔面上の標点を計測する方法で Willis 法（瞳孔・口裂間距離），McGee 法（眉間・鼻下点，瞳孔・口裂，左右口角間距離），Bruno 法（手掌の幅）などがある．
→「咬合高径」参照

239 顔面欠損 がんめんけっそん
facial defect
腫瘍摘出や外傷に後遺する顔面部の欠損．審美障害はもちろんであるが，開口部が存在する場合には，鼻腔や口腔の慢性的乾燥，構音障害，流涎などの機能障害も発現する．審美障害と機能障害の改善のためには，皮膚移植などの外科的再建手術や顔面補綴装置(顔面エピテーゼ)の装着あるいは両者の併用が適用される．

240 顔面補綴 がんめんほてつ
facial prosthetics
腫瘍，外傷，炎症，先天奇形などが原因で生じた顔表面を含む実質欠損を非観血的に，あるいは再建やインプラント手術との併用により人工物で補塡・修復し，その形態的審美的改善とともに，発語などの失われた機能の回復を図ること．この補綴装置を顔面エピテーゼと称する．

き

241 キーアンドキーウェイ
key and keyway
主として半固定性補綴装置に用いるスライド型連結装置の1つ．一般に支台歯の隣接面歯冠内にレール状に設けられたキーウェイ（マトリックス）と，これと嵌合するようにポンティック部に設けられたキー（パトリックス）から構成される．

242 キーパー
keeper
磁石の保磁子．磁性ステンレス鋼などを材料とした板状の形態を有する歯科用磁性アタッチメントの構成要素の1つであり，磁石構造体に吸着して閉磁路を構成する．

243 キール
keel
フレンジテクニックにおいて人工歯排列位置と義歯床研磨面の形態を決定する際に，咬合の支持とワックスの保持を目的として基礎床の臼歯部に設けられた柱．舌や頰粘膜など，義歯周囲組織の生理的な運動を阻害しないように，ニュートラルゾーン内に設置される．
→「フレンジテクニック」参照

244 義顎 ぎがく
template for defected jaw
腫瘍，外傷，炎症，先天奇形などによる顎骨または口腔軟組織の欠損に適用され，人工歯を備えず，欠損部の補塡，閉塞などを目的とした補綴装置．

245 義歯 ぎし
denture
歯およびその周囲組織の喪失による審

美障害と機能障害の改善を目的として製作・装着される人工装置．残存歯に固着される固定性補綴装置と，患者や術者が任意に着脱できる可撤性補綴装置とがある．その他にも目的，材料，形態などに基づいて多様に分類される．

246 義歯安定剤 ぎしあんていざい
denture stabilizer
維持，安定の不良な義歯の改善を目的として使用する材料．粘着力の増強を図るための水溶性の粉状材料，適合不良の間隙を補塡して辺縁封鎖の向上を図る不溶性のペーストやシート状の材料などがある．

247 義歯刻印→「デンチャーマーキング」参照

248 義歯床 ぎししょう
denture base
義歯の構成要素の１つで，欠損部顎堤や口蓋部を覆い，人工歯が排列される部分．咬合力を顎堤に伝達し，全部床義歯では維持にも働く．金属を使用した金属床（metal base）と，アクリリックレジンや射出成形レジンを使用したレジン床（resin base）とがある．

249 義歯床下粘膜
ぎししょうかねんまく
basal seat mucosa
義歯床によって覆われた粘膜．義歯の支持・維持に関与する．

250 義歯床下粘膜異常
ぎししょうかねんまくいじょう
abnormality of basal seat mucosa
〔同義語〕義歯性口腔粘膜症
義歯装着に起因した義歯床下粘膜の組織的・形態的異常．咬合力が負荷されることにより義歯床下粘膜が機械的刺激を受け，粘膜に発赤，び爛，潰瘍，腫脹などが生じる場合や，義歯床が沈下して粘膜に圧痕が形成される場合がある．

251 義歯床研磨面
ぎししょうけんまめん
polished denture surface，cameo surfece
義歯床の唇・頰側面，舌側面，および人工歯の咬合面を除いた側面を含む義歯床外表面．口腔内の可動粘膜が接触し，その機能圧が加わる．そのため義歯の安定性や使用感に影響を及ぼす．

252 義歯床後縁 ぎししょうこうえん
posterior denture border
義歯の後方の床縁．上顎の全部床義歯では一般にアーラインに一致させ，下顎ではレトロモラーパッドの前方部（線維部）を越え，後方部（腺部）上に設定するのが良いとされる．

253 義歯床支持域→「義歯床負担域」参照

254 義歯床粘膜面
ぎししょうねんまくめん
denture basal surface，impression surface of denture, intaglio surface
顎堤や口蓋の粘膜に接触する義歯床の内面．印象により外形が決定され，義歯の支持・維持・安定に関与する．

255 義歯床負担域
ぎししょうふたんいき
denture bearing area，denture foundation，stress-bearing region
〔同義語〕義歯床支持域
義歯に加わる咬合圧を負担する義歯床下支持組織の領域．顎堤粘膜の厚さ，被圧縮度，骨面の状況により圧負担能力が異なるため，印象時の圧調整や義歯床粘膜面のリリーフなどが必要な部位もある．

256 義歯性潰瘍 ぎしせいかいよう
denture ulcer
義歯による圧迫や摩擦などの機械的刺激のため，口腔粘膜組織の循環障害や上皮剥離によって生じる炎症を伴う有痛性の潰瘍で，義歯床下粘膜異常の1つ．

257 義歯性口腔粘膜症→「義歯床下粘膜異常」参照

258 義歯性口内炎
ぎしせいこうないえん
denture stomatitis
義歯床下粘膜異常の中の *Candida albicans* の感染などで生じる非特異的炎症．以前は義歯による外傷（機械的刺激）が主因と考えられたが，今日では，機械的刺激が原因と考えられる局所的炎症は除外されている．

259 義歯性線維腫 ぎしせいせんいしゅ
epulis fissuratum,
so-called denture fibroma
義歯床の機械的慢性刺激による粘膜の炎症反応性の増生物．上顎歯肉唇移行部に好発するが，口蓋や下顎にも生ずることがある．
病理組織学的に毛細血管や細胞成分の多い肉芽型，線維化が進んで細い線維組織が密に排列した線維型，それらの中間型に分類されている．肉芽型は義歯の適正化により消退する可能性があるが，線維型は消退しないため，必要に応じて外科的に切除する．

260 義歯洗浄剤 ぎしせんじょうざい
denture cleanser
酸化剤や酵素によって，義歯の汚れやデンチャープラークを化学的に清掃し，義歯床内に入り込んだ微生物を除菌する化学製剤．

261 基礎床 きそしょう
record base
咬合床の一部で，咬合堤を支える仮の義歯床．

262 拮抗作用［義歯の］ きっこうさよう［ぎし―］
reciprocation
〔同義語〕対抗作用
部分床義歯の支台歯において，鉤腕などの特定の部分で発生した力を，他の部分によって相殺させること．

263 拮抗腕 きっこうわん
reciprocal clasp, reciprocal arm
〔同義語〕把持腕
二腕鉤で，一方の維持腕により支台歯に加わる側方力に対抗するための鉤腕．維持腕の維持力を適切に発揮させるとともに，義歯の着脱時あるいは機能時に支台歯に加わる側方力を相殺する．

264 希土類磁石 きどるいじしゃく
rare-earth magnet
磁石構造体に用いられる磁石．ネオジム磁石（neodymium magnet）とサマリウム・コバルト磁石（samarium cobalt magnet）がある．

265 機能印象 きのういんしょう
functional impression
義歯の機能時に義歯床下粘膜に咬合圧をできるだけ均等に負担させるために，被圧変位量に応じた力で加圧し，さらに顎堤周囲可動組織の動的状態をも記録することを目的とした印象．

266 機能咬頭 きのうこうとう
functional cusp
咀嚼運動中に対合歯の咬合面窩あるいは辺縁隆線部にかみ込み，食物を咬断・粉砕・臼磨する咬頭．

267 機能性嚥下障害
きのうせいえんげしょうがい
functional dysphagia
〔同義語〕動的嚥下障害，運動障害性嚥下障害
嚥下器官（舌，咽頭，舌骨上・下筋群，食道など）に器質的欠損がないにもかかわらず，正常な嚥下運動が遂行できない状態．脳血管障害や神経・筋疾患による麻痺性嚥下障害などが代表的である．

268 機能的運動路法→「FGP テクニック」参照

269 機能的人工歯
きのうてきじんこうし
functional artificial teeth
第一大臼歯の咬頭傾斜角が 20° の人工歯．解剖学的形態から著しく逸脱せず，咀嚼能率も比較的優れていながら，側方分力が過大とならないように設計されている．

270 機能的正常咬合
きのうてきせいじょうこうごう
normal functioning occlusion
解剖学的に正常でなくても，機能的には異常が認められない咬合．

271 機能的不正咬合
きのうてきふせいこうごう
functional malocclusion
解剖学的所見とは関係なく，何らかの機能異常が認められる咬合．

272 基本的下顎運動
きほんてきかがくうんどう
fundamental mandibular movement
咀嚼，発音，嚥下などに伴う顎運動や，ブラキシズムなどの異常習癖による顎運動とは別に，下顎の運動機能を評価するために被検運動として用いられる顎運動．前方・後方・側方・開閉口運動がある．

273 キャスタブルセラミックス
castable ceramics
高温で流動化し鋳造可能となる非結晶質のガラスセラミック材料．鋳造後，セラミングによって結晶化して強度を増す．ジャケットクラウンとして用いる場合には，材料自体が単色のため，表面着色剤を用いたり，従来型のポーセレンを焼き付けて審美性の向上を図る．

274 キャスティングライナー
casting liner，ring liner
〔同義語〕リングライナー
鋳造用リングに内張りする帯状の繊維質耐火材．鋳造収縮補償に必要な埋没材の硬化膨張と加熱膨張を引き出すためのクッション材となる．

275 キャストサポート
cast support
フェイスボウトランスファーの操作中に，上顎模型や固定用の石膏の重量によってフェイスボウがたわまないようにバイトフォークの下面を支える装置．

276 キャップクラスプ
cap clasp
臼歯咬合面の全面を覆う形態の支台装置．支持能力に優れ，支台歯の二次固定効果が期待できる．キャップの辺縁を歯冠頰舌面の最大豊隆より 0.1 mm のアンダーカットに設置して維持を求める．

277 CAD/CAM アバットメント
きゃど/きゃむ―
CAD/CAM abutment
コンピュータ支援による設計と製作を行ったアバットメント．形状や歯肉縁下部の立ち上がり，フィニッシュラインなどをコンピュータ上で設計（computer-

aided design：CAD）し，そのデータを専用の加工装置に伝達し，チタンやジルコニア製のアバットメントを切削加工によって製作（computer-aided manufacturing：CAM）する．

→「カスタムアバットメント」参照

278 CAD/CAM 冠→「CAD/CAM クラウン」参照

279 CAD/CAM クラウン　きゃど/きゃむ—
CAD/CAM crown

〔同義語〕CAD/CAM 冠

コンピュータによる補綴装置の設計（computer-aided design：CAD）と加工装置（computer-aided manufacturing：CAM）とにより製作されたクラウン．鋳造操作や前装材料の築盛によらないため，物理的特性の優れた，均一かつ高品質な補綴装置を製作できる．チタン，コバルトクロム，陶材，コンポジットレジン，ジルコニアなど多様な材料が用いられる．

280 CAD/CAM デンチャー→「デジタルデンチャー」参照

281 臼後三角　きゅうごさんかく
retromolar trigone

下顎骨の最後方大臼歯のすぐ後方に位置し，頂点を後方に底辺を前方に向けた小さな三角形の骨面．

→「レトロモラーパッド」参照

282 臼歯離開咬合　きゅうしりかいこうごう
disclusion, disocclusion

〔同義語〕ディスクルージョン

下顎偏心運動中，下顎をガイドしている前歯以外の臼歯間に離開が認められる咬合様式．即時離開咬合（immediate disocclusion）と遅延離開咬合（delayed disocclusion）とがある．

283 頬棚　きょうだな
buccal shelf

下顎骨の大臼歯部の頬側に位置し，外斜線と下顎歯槽頂とに囲まれた平坦な部位．骨組織は緻密であり，咬合平面に対してほぼ平行の面であるので，垂直的咬合力の方向に直交しており，義歯床負担域として有効な部位である．

284 頬粘膜圧痕　きょうねんまくあっこん
pressure mark on cheek mucosa

臼歯部咬合平面相当部の頬粘膜にみられる歯列の圧痕．不適切な咬合関係やクレンチングによって生じるといわれている．

285 局部床義歯→「部分床義歯」参照

286 局部床義歯補綴学→「部分床義歯補綴学」参照

287 筋圧維持　きんあついじ
muscular retention

口唇・頬・舌などの筋圧を義歯床の維持に積極的に利用すること．

288 筋圧形成　きんあつけいせい
border molding, muscle trimming

〔同義語〕筋形成，辺縁形成

有床義歯において，機能時の頬・口唇・舌の動きに調和した義歯床縁形態を得るために，それらの動的な状態を，モデリングコンパウンドなどを用いて記録する印象操作．

289 近遠心鉤→「隣接面鉤」参照

290 筋形成→「筋圧形成」参照

291 筋触診法　きんしょくしんほう
muscle palpating method

1）顎口腔系の診察，検査の1つとして，また，顎顔面部や頭頸部に疼痛や違和感を訴える患者におけるその部位と痛みの程度を確認することを目的として，筋を触診する方法．Krogh-Poulsen (1968) の方法が有名である．
2) 咬合採得において，咬筋あるいは側頭筋の緊張状態を触診によって判定し，水平的顎位を決定する方法．この場合には，「筋把握法」が同義語となり，咬筋前縁部を利用する咬筋触診法（咬筋把握法；Gysi），側頭筋前部を利用する側頭筋触診法（側頭筋把握法；Green）とがある．

292 金属アレルギー きんぞくー
metal allergy
主にⅣ型アレルギー（遅延型アレルギー）の典型的な反応として発現する，金属に対するアレルギー．金属元素がイオン化し，生体の蛋白質と結合することによって，抗原となる．症状は金属が接触した部分に発現する接触性皮膚炎と，遠隔の皮膚に発現する全身性接触皮膚炎とがあるが，口腔外での発現は口腔内に比べ約10倍の頻度がある．感作性の強い金属の種類は水銀，ニッケル，クロム，コバルト，スズ，パラジウムなどである．

293 金属冠 きんぞくかん
metal crown
齲蝕やその他の原因で歯冠が広範囲に崩壊した場合に，歯冠を金属で被覆し，形態と機能の回復とともに，齲蝕の再発を防止する歯冠補綴装置．製作法は現在は鋳造法が一般的であるが，古くは板金加工法があり，近年では焼結法や切削加工法（CAD/CAM）なども応用されている．

294 金属歯 きんぞくし
metal occlusal surface，metal teeth
咬合面の一部（metal occlusal surface）または全体（metal teeth）を金属で製作した床用人工歯．上下の顎堤間距離が小さく既製人工歯が使用しにくい場合や，微妙な咬合面形態の追及，あるいはレジン歯と陶歯との中間の適度な耐摩耗性を求める場合などに，鋳造して製作した自家製の金属歯が臼歯に使用されることがある．また，特殊な理論に基づいて作られている既製の金属歯も用いられる．

295 金属床 きんぞくしょう
metal base
義歯床粘膜面の一部，あるいは全部を形作る義歯床の金属部分．鋳造床（cast plate）および圧印床（swaged plate）がある．

296 金属床義歯 きんぞくしょうぎし
metal base denture，metal plate denture
主要な構成要素に金属を使用して，強度，装着感，設計の自由度などを高めた義歯．

297 筋電図検査 きんでんずけんさ
electromyographic examination
筋が収縮するときに発生する活動電位を針電極や表面電極を用いて記録した筋電図による検査．歯科補綴領域では，顎口腔機能評価や補綴装置の評価に用いられることが多い．

298 筋肉位［下顎の］
きんにくい［かがくー］
muscular contact position［of mandible］
咀嚼筋群が協調活動した状態で，下顎安静位から閉口することによって得られる咬合位．Brill（1959）によって提唱された．

く

299 屈曲バー　くっきょくー
wrought bar
既製のバー用線を屈曲して製作される大連結子.

300 グラインディング
grinding
ブラキシズムの1つ. 空口状態で上下顎の歯を強く接触させながら無意識に側方あるいは前後方向に動かし, こすり合わせる運動.

301 クラウン
crown
〔同義語〕冠
練成充填物, インレー以外の歯冠補綴装置の総称. 修復の程度により, 全部被覆冠, 部分被覆冠などの被覆冠と, ポストクラウンとに大別される.

302 クラウンブリッジ補綴学
ーほてつがく
crown and bridge prosthodontics
歯科補綴学の一分科で, 歯冠部の形態異常や実質欠損, あるいは歯の欠損に対し, クラウンやブリッジで修復・整形し, 口腔の形態および機能と外観を回復するとともに, 顎口腔系の健康維持を図るために必要な理論と技術を考究する学問.

303 クラスプ
clasp
〔同義語〕鉤
部分床義歯の支台装置の1つ. その一部をなす鉤腕が支台歯に全面あるいは一部で接触することによって, 義歯における支持・把持・維持の役割を果たす. 製作法により鋳造鉤と線鉤, また形態により環状鉤とバークラスプとに大別される.

304 グラフィック法［下顎運動の］
ーほう［かがくうんどうー］
graphic record
弾筆を応用した口外描記法によって, 下顎運動を記録・測定する方法.

305 クリアランス
clearance
物体が障害なしにすれ違える状態. また, その物体間の距離をいう. 特に, 修復物の適切な厚みを得るために形成により削除された量をinterocclusal clearanceという.

306 Christensen 現象
くりすてんせんげんしょう
Christensen's phenomenon
無歯顎患者に上下顎の咬合堤を平坦にした咬合床を装着して下顎の滑走運動を行わせたときに, 咬合堤間にくさび状の空隙が生じる現象. 前方滑走運動時に後方に開いたくさび状の空隙が生じる矢状Christensen 現象と, 側方滑走運動時に非作業側に開いたくさび状の空隙が生ずる側方Christensen 現象とがある. Christensen（1905）により提唱された.

307 クリッキング
clicking
関節円板の移動によって発生するとされる顎関節雑音の一種. 明瞭な短い音で,「カクン」,「ポキポキ」,「バキバキ」などと表現される. 弾撥音ともいわれる.

308 グループファンクション
group function
下顎の前方滑走運動時には前歯が接触して臼歯部を離開させ, 側方滑走運動時には作業側の複数の歯が接触し, 非作業側では咬合接触のない咬合様式. 有歯顎者に望ましい咬合様式の1つとされている.

309 **グレージング**
glazing
陶材表面の製作時の仕上げとして，焼成してつやを出すこと．低溶融のうわぐすりを陶材削成面に塗布，焼成して光沢を出す方法と，陶材を高温で焼成して陶材自体を溶融させる方法がある．

310 **クレピタス**
crepitus
→「クレピテーション」参照

311 **クレピテーション**
crepitation
〔同義語〕クレピタス
不明瞭な長い音の顎関節雑音．「ギシギシ」，「ザラザラ」，「ジャリジャリ」などと表現される．捻髪音，摩擦音ともいわれる．

312 **クレンチング**
clenching
上下顎の歯の強いかみしめ．感情的・精神的ストレス，あるいは肉体的ストレス，緊急事態における緊張動作時，全身運動時に発現する．ブラキシズム時にも発現することがある．

け

313 **継続歯**→「ポストクラウン」参照

314 **経鼻的持続陽圧呼吸療法** けいびてきじぞくようあつこきゅうりょうほう
continuous positive airway pressure
〔同義語〕CPAP 療法
OSAS の経鼻的治療法．主に中等度～重度の OSAS に対して適用する．鼻マスクから圧力を加えた空気を送り込むことによって，気道の閉塞を取り除く．
→「睡眠時無呼吸症候群」，「OSAS 治療用口腔内装置」参照

315 **欠損歯列** けっそんしれつ
partially edentulous arch
歯の欠損がある歯列．

316 **Kennedy の分類**
けねでぃーーぶんるい
Kennedy classification of removable partial dentures
部分的な歯の欠損を有する歯列の分類法の1つ．4 型に分類され，両側性遊離端欠損〔I 級〕，片側性遊離端欠損〔II 級〕，片側性中間欠損〔III級〕，両側にまたがる前歯中間欠損〔IV級〕がある．IV級以外は類型をもつ．Kennedy（1923，1925，1928）により提唱された．

317 **Kennedy バー** けねでぃーー
Kennedy bar
鉤腕が前歯の基底結節上を波状に走行する連続鉤，もしくは大連結子の1つで，義歯の安定，間接維持，残存歯の固定などに役立つ．通常，リンガルバーと併用されるため，2 本をあわせてダブルリンガルバーとも呼ばれる．Kennedy（1928）により提唱された．

318 **Kelly's 症候群**→「コンビネーションシンドローム」参照

319 **研究用模型** けんきゅうようもけい
diagnostic cast，study cast
〔同義語〕スタディモデル
顎口腔系の診察，検査，診断，治療方針の決定の資料として，あるいは治療記録として準備される上下顎石膏模型．

320 **犬歯臼後隆起線**→「Pound 三角」参照

321 **犬歯誘導咬合**
けんしゆうどうこうごう
canine protected articulation，cuspid protected articulation

（occulusion）

下顎の側方滑走運動時，作業側犬歯の咬合接触によって下顎を誘導し，臼歯部は離開する咬合様式．

こ

322 **コア**

core

適切な支台歯形態を構築するために歯冠部に築造された構造体．

323 **鉤**→「クラスプ」参照

324 **構音**　こうおん

speech articulation，articulation

構音器官を操作することによって，母音や子音を出す行動．

325 **構音検査**　こうおんけんさ

articulation test

〔同義語〕調音検査

構音機能が何らかの原因で障害されたときに行う検査．構音（調音）運動に関与する器官を構音器官と呼び，構音機能は可動性の舌，口唇，軟口蓋などの構音体と，非可動性の硬口蓋や歯などの構音点との関係で営まれるが，補綴領域ではパラトグラムによる検査や語音明瞭度検査などが行われている．

326 **構音障害**　こうおんしょうがい

disorders of articulation, dysarthria

特定の語音が正しく発音されず習慣的に誤って発音される障害．子音の省略，異常な喉頭摩擦音などへの置換，不必要な音の添加および歪みなどがみられる．口蓋裂，口蓋麻痺，顎骨欠損などによる器質的構音障害と，構音のメカニズムの習得過程における誤った学習や構音発達の遅延などによる機能的構音障害とがある．また，構音運動をコントロールする神経系が障害された場合は麻痺性構音障害（dysarthria）が生じる．話し言葉の障害によりコミュニケーションに不都合を生じている状態にある言語障害（communication disorders）の1つ．

327 **鉤外形線**　こうがいけいせん

outline of clasp

支台装置の製作の際に，あらかじめ描記されたサベイラインを基準として，クラスプの種類と目的とする維持力ならびに把持力に基づいて，模型上に描記するクラスプの輪郭を示す設計線．

328 **口蓋後縁封鎖**

こうがいこうえんふうさ

posterior palatal seal

辺縁封鎖の1つで，上顎全部床義歯の床後縁を封鎖すること．これにより維持力が増強される．積極的な封鎖法としてポストダムがある．

329 **口蓋床**　こうがいしょう

palatal plate

口蓋の先天的，後天的欠損や口腔機能不全に対して口蓋部を被覆する，合成樹脂あるいは金属製の床装置．

330 **口外描記法**　こうがいびょうきほう

extraoral tracing method

描記板と描記針で構成される下顎運動記録装置が口腔の外に設置され直視下で行うことができる下顎運動計測法．ゴシックアーチ描記法とグラフィック法（パントグラフ法）とがある．

331 **口蓋補綴**　こうがいほてつ

palatal prosthetics

腫瘍，外傷，炎症，先天奇形などが原因で，口蓋部に生じた欠損，形態異常，機能不全などを非観血的に，あるいは手術との併用により人工物で修復し，損なわれた形態と機能の回復・改善を図ること．

332 口蓋隆起 こうがいりゅうき

palatal torus，palatine torus，torus palatinus

口蓋正中部に発現する限局性の骨隆起．通常は無症状であるが，大型のものでは構音障害を来すため外科的切除が必要となることがある．被覆粘膜が薄いため，義歯床で被覆する場合には緩衝腔を設定する．

333 光学印象採得

こうがくいんしょうさいとく

digital impression，digital scan

〔同義語〕デジタルインプレッション

直接対象物に触れずに光学的に物体の三次元的な形状を計測し，画像データとして記録する印象法．口腔内スキャナーを用いて，歯列ならびに周囲組織を撮影（スキャン）し，それらの形態を画像データとして再現する．また，技工用デスクトップ（モデル）スキャナーを用いて模型をスキャンすることもある．印象材は不要である．

334 光学咬合採得

こうがくこうごうさいとく

digital scan，optical maxillomandibular registration

口腔内スキャナーを用いて，上下顎の歯列の関係を撮影（スキャン）し，それらの形態と位置関係を画像データとして再現する方法．また，技工用デスクトップ（モデル）スキャナーを用いて模型をスキャンすることもある．咬合採得材は不要である．

335 後顎舌骨筋窩

こうがくぜっこつきんか

retromylohyoid space，retromylohyoid curtain

レトロモラーパッドの舌側下方にある咽頭の凹面の部分．舌を前突させると前方に出てくる場合があり，下顎義歯舌側床縁を後方に延長する際の限界となる．

336 口角線 こうかくせん

cuspid line

口を軽く開けた時の左右口角の位置を示す線．左右2線間は上顎6前歯の幅径に一致するといわれ，人工歯排列時の参考となる．

337 鉤間線→「支台歯間線」参照

338 鉤脚 こうきゃく

clasp tang

クラスプに義歯床または大連結子を連結，固定するクラスプの一部分．

339 口腔インプラント こうくう—

dental implant

〔同義語〕デンタルインプラント，歯科インプラント

欠損部顎堤に埋入された人工歯根や粘膜下に設置されたフレームと，これに連結される上部構造を含めた補綴装置の総称．

340 口腔乾燥症 こうくうかんそうしょう

xerostomia，dry mouth

〔同義語〕ドライマウス

唾液分泌の低下に由来して口腔内が乾燥した状態を示す症状名．Sjögren症候群，糖尿病などの全身疾患，服薬や放射線照射治療による副作用などで生じる．

341 口腔機能低下症

こうくうきのうていかしょう

oral hypofunction

①口腔不潔，②口腔乾燥，③咬合力低下，④舌口唇運動機能低下，⑤低舌圧，⑥咀嚼機能低下，⑦嚥下機能低下の7項目において3つ以上該当する状態をいう．

→「オーラルフレイル」参照

342 口腔前庭　こうくうぜんてい

oral vestibule

上・下唇と頬および上下顎歯列弓との間に挟まれた空間．口唇および頬粘膜と顎堤粘膜との移行部は前庭円蓋で区分され，口裂により外界と交通している．口唇と顎堤粘膜との移行部には上唇小帯，下唇小帯があり，頬粘膜には耳下腺導管の開口する耳下腺乳頭が存在する．無歯顎においては義歯床で口腔前庭を満たすことにより辺縁封鎖を図るとともに，口唇・頬の豊隆程度を決定づける．

343 口腔底→「口底」参照

344 口腔内スキャナー　こうくうないー

intraoral scanner

歯列ならびに歯周組織などを撮影し，それらの形態を画像データとして保存できる特殊な口腔内カメラ．

345 口腔内装置　こうくうないそうち

oral device

口腔に関連する各種疾患の診断や治療のほか，器具や薬剤などの保持・固定のために口腔内に装着される装置．

346 鉤肩　こうけん

clasp shoulder

環状鉤における鉤体と鉤腕との移行部．鉤体とともに支台歯を把持する働きをする．

347 咬交　こうこう

articulation

機能時における上下顎歯の静的ならびに動的な咬合面間の接触関係．全部床義歯における平衡咬合の考え方から派生した用語であり，偏心運動時に上下顎歯が咬合小面で接触しながら滑走することを意味していた．しかし，現在では，「咬合」で代用されるようになった．

348 咬合　こうごう

articulation，occlusion

1）下顎が閉じる行為あるいは過程，または閉じている状態．

2）上顎あるいは下顎の天然歯や補綴装置の切縁あるいは咬合面間における接触関係．

349 咬合圧　こうごうあつ

biting pressure，occlusal pressure

咬合時に天然歯あるいは人工歯の咬合面部に発現する単位面積あたりの力．

350 咬合圧印象　こうごうあついんしょう

bite pressure impression

機能印象の 1 つで，咬合床またはろう義歯をトレーとして用いて，患者自身の咬合力によって義歯床下粘膜を加圧した状態で採得する印象．

351 咬合圧負担域

こうごうあつふたんいき

stress-bearing region，stress supporting region

1）機能時の咬合力を支える，歯，歯根膜，顎堤などの口腔組織．

2）義歯に加わる機能圧を負担する口腔組織．有床義歯の義歯床部に関しては，特に義歯床負担域と呼ぶ．

352 咬合位　こうごうい

occlusal position

天然歯や人工歯における上下顎の歯が接触した状態での，上顎に対する下顎の位置関係．下顎の限界運動範囲内におけるすべての下顎の位置が含まれる．

353 咬合異常　こうごういじょう

malocclusion

上下顎の歯の静的・動的な位置関係が正常でなくなった状態．対向関係の異常，咬合位の異常，咬合接触の異常，顎運動の異常，咬合を構成する要素の異常などを包含する．

354 咬合違和感症候群
こうごういわかんしょうこうぐん
occlusal discomfort syndrome

広義には，明らかな咬合の不調和が認められる場合，また明らかな咬合の不調和が認められない場合(いわゆる特発性)も含めた咬合の違和感を訴える包括的病態．狭義には，咬合とは無関係に特発的に発症する咬合の違和感を訴える状態．なお2003年にClarkとSimmonsは“occlusal dysesthesia”という用語を提唱しており，「歯髄疾患，歯周疾患，咀嚼筋ならびに顎関節疾患のいずれもが認められず，臨床的に咬合異常が認められないにもかかわらず6か月以上持続する咬頭嵌合位での不快感」に該当する病態と定義している．

355 咬合印象 こうごういんしょう
bite impression

咬合印象用トレー（バイトトレー）を用いるか，シリコーンゴム印象材のパテとインジェクションにより支台歯と対合歯およびその咬合関係を同時に採得する印象法．

356 咬合円錐→「歯冠円錐」参照

357 咬合音 こうごうおん
occlusal sound

上下顎の歯の衝突・滑走により発生する顎口腔系諸組織の振動音．通常，頬骨部において聴診器などにより聴取するが，咬合接触部に異常がなければ清音，早期接触などの異常があれば濁音となる．

358 咬合音検査 こうごうおんけんさ
occlusal sound test

咬合音を電気的に両側の眼窩下部あるいは頬骨弓部などに設置したマイクロフォンや加速度ピックアップで検出，表示することによる咬合状態の検査．聴診法，電気的記録法がある．聴診法では早期接触が判定できることからステレオ聴診器（Watt, 1967）が用いられる．咬合状態が正常で安定している場合，短く，高く，澄んだ音が検出され，咬合干渉などにより咬合状態が不安定な場合には，長く，低く，濁った音が検出される．

359 咬合音分析装置
こうごうおんぶんせきそうち
occlusal sound analyzer

タッピング時に上下顎歯列の衝突・滑走により発生した咬合音を頬骨部で電気的に検出し，その波形（持続時間，周波数，立ち上がりの時間的ずれなど）を記録・分析する機器．早期接触などを診断する．

360 咬合学 こうごうがく
science of occlusion

歯科医学の一分野で，咬合を中心とする顎・口腔の総合的な機能系の正常像，異常像，加齢変化などを身体の他の領域との関連も含めて，形態的，機能的に研究し，口腔諸器官の異常や疾患の予防，診断，治療・再建，審美的回復などへの応用を目的とする学問．

361 咬合滑面板 こうごうかつめんばん
guide flange

下顎骨離断後，下顎偏位を防止する目的で下顎臼歯の頬側に付与され，咬合時に上顎臼歯頬側面あるいは臼歯部に設置されたガイド板に誘導され，下顎を咬頭嵌合位に導く偏位防止板．ガイド板を含めて咬合滑面板と呼ぶこともある．

362 咬合関係 こうごうかんけい
occlusal relationship,
interocclusal relationship

上下顎の解剖学的対向関係．顎関節の構造と下顎の生理学的運動メカニズムに基づいて生じる歯と歯あるいは人工歯，または歯列相互間の，静的・動的な咬合面あるいは切縁部の位置関係．

363 咬合干渉 こうごうかんしょう

occlusal interference, deflective occlusal contact

正常な顎運動を妨げるような咬合接触．早期接触や咬頭干渉を包括する．

364 咬合器 こうごうき

articulator

頭蓋に対する顎と歯の相対的位置関係および各種顎位や顎運動を生体外に再現し，顎機能の診断，あるいは形態的・機能的に生体に調和した補綴装置製作に利用される歯科用機器．頭蓋の前下部を機械的に模倣したもので，上弓と下弓の2部分から構成されるが，機能的には顆路調節機構である関節部，切歯路調節機構の切歯指導部，模型を装着する体部からなる．形態および機能的にさまざまに分類されるが，調節機能に基づいて顆路型咬合器，非顆路型咬合器に大別するのが最も一般的である．前者はさらに，平均値咬合器，半調節性咬合器，全調節性咬合器の3群に分類される．なお調節性咬合器は，顆路指導要素の位置の違いにより，アルコン型咬合器とコンダイラー型咬合器の2つに分類され，顆路指導要素の構造の違いにより，スロット型とボックス型の2つに分類される．

365 咬合器再装着

こうごうきさいそうちゃく

remounting on articulator

咬合器上で製作された補綴装置の咬合接触関係を改善するために，補綴装置を含めた下顎の模型をチェックバイトを介して再度咬合器に装着すること．咬合器に対する上顎模型の位置づけが必要な場合は，スプリットキャスト，Tenchのコア，フェイスボウなどを用いる．

366 咬合器装着 こうごうきそうちゃく

mounting on articulator

咬合の診察，検査，診断や治療計画の立案，および間接法による補綴装置の製作過程において，模型を咬合器に固定すること．まず咬合器上弓に上顎模型を頭蓋に対する平均値的位置，あるいはフェイスボウを用いて固有の位置に固定する．次いで咬合器下弓に下顎模型を咬頭嵌合位などでの顎間記録を介して固定する．

367 咬合挙上 こうごうきょじょう

bite raising, vertical dimension increase

咬合高径を高める処置．歯の咬耗や喪失によって，咬頭嵌合位における本来の咬合高径が低下し，審美不良や顎関節に異常がある場合などに行われる．

368 咬合記録 こうごうきろく

interocclusal record

咬合に関するあらゆる記録．顎位や顎運動に関連して用いられることが多い．

369 咬合検査 こうごうけんさ

occlusal examination

被験者がどのような咬合を有しているかを判定する検査．咬合紙やワックス，シリコーン検査材，引き抜き試験用箔，咬合検査機器などを用いて咬頭嵌合位や偏心位における静的あるいは動的咬合接触状態を判定する．

370 咬合高径 こうごうこうけい

occlusal vertical dimension

咬合採得や咬合位の評価などに関連して，歯や顔面に設定される種々の計測点間距離で表した，中心咬合位での上下顎間の垂直的距離．顔面形態を計測して得られた種々の計測点間距離に関する基準値や，安静時や発音時などにとる平均的な顎位を基準として咬合高径を測定する方法がある．

371 咬合再構成→「オーラルリハビリテーション」参照

372 咬合採得　こうごうさいとく
maxillomandibular relationship record，maxillomandibular registration
補綴装置の製作や咬合診断などにおいて，上下顎の歯列模型あるいは顎堤模型をそれぞれの目的に応じた顎位で咬合器に装着するために，種々の材料や機器を用いて上下顎の顎間関係を記録すること．

373 咬合紙　こうごうし
articulating paper
歯や補綴装置の咬合接触状態を検査するために用いる，色素を固着させた薄紙．短冊形，馬蹄形，全歯列型などがある．一般に用いられている咬合紙の厚みは約30 μmで，これにより約10 μmの高さの差が判定できる．シリコーンゴム印象材を用いる方法と比較して簡便であるが，咬合接触部位の精密な判定は難しい．

374 咬合支持　こうごうしじ
occlusal support
上下顎の歯が咬合接触することにより咬頭嵌合位を保持する作用．

375 咬合支持域　こうごうしじいき
occlusal-supporting area
咬頭嵌合位を保持するための左右側小臼歯，大臼歯における咬合接触部．

376 咬合斜面板　こうごうしゃめんばん
guidance ramp
下顎骨離断後の下顎偏位を防止する目的で，咬合時に下顎を咬頭嵌合位に導くように上顎補綴装置の口蓋側に付与される偏位防止板．

377 咬合床　こうごうしょう
record base with occlusion rim
欠損歯列において，顎間関係の記録や人工歯排列の指標とする装置．基礎床と咬合堤から構成される．

378 咬合小面　こうごうしょうめん
occlusal facet
1）顎口腔系機能によって生じた臼歯部咬合面，上顎前歯舌面，下顎前歯切縁にみられる摩耗面．
2）フルバランストオクルージョンを付与する目的で，人工歯の咬合面に形成する各種滑走運動に調和した斜面．Gysi（1929）が軸学説をもとに提唱した（咬合小面学説）．

379 咬合性外傷　こうごうせいがいしょう
occlusal trauma
1）歯周組織の適応能や修復能を超える咬合力によって生じる歯周組織の損傷．
2）咬合力によって生じた顎口腔系の障害．

380 咬合接触　こうごうせっしょく
occlusal contact
閉口時に生ずる，対合する歯の接触．

381 咬合調整　こうごうちょうせい
occlusal reshaping，occlusal adjustment，occlusal equilibration
天然歯あるいは人工歯の早期接触や咬頭干渉となる部位を選択的に削合し，均等な咬合接触と調和のとれた咬合関係を確保して，咬合力を複数の歯に均等に分散すること．

382 咬合堤　こうごうてい
occlusion rim，record rim

〔同義語〕ろう堤

顎間関係の記録と人工歯を排列する目的で基礎床上に設置される，アーチ状のワックス．

383 咬合病 こうごうびょう

occlusal disease

早期接触などの咬合の不調和に起因する顎口腔機能異常によりもたらされる種々の病態の総称（Guichet, 1966）．

一般的に複数の症状を有する点において症候群であり，いわゆる「顎関節症」を含むが，精神的ストレスも関与している．症状としては，ブラキシズムとそれに伴う過度の咬耗，筋の疼痛や疲労感，顎関節雑音や疼痛，開閉口などの下顎運動障害，肩こりや頭痛，情緒不安定などがある．

384 咬合分析 こうごうぶんせき

occlusal analysis

1）歯やそれに関連する組織に対する咬合の影響を特に考慮した顎口腔系の系統的検査．

2）咬合器に装着された模型の咬合関係を評価するための咬合の検査．Lauritzenが著書「Atlas of Occlusal Analysis」(1974)の中で，Dentatus咬合器を使用し，咬合関係の異常に由来する機能障害を有する症例に対して，咬合機能の分析を行う一連の術式について記載した．

385 咬合平衡 こうごうへいこう

occlusal balance

全部床義歯において，側方滑走運動時では作業側と非作業側の臼歯の，前方滑走運動時では前歯と臼歯の接触が保たれ，義歯が前後，左右的な偏心位でも安定している状態．

386 咬合平面 こうごうへいめん

occlusal plane，plane of occlusion

下顎左右中切歯の近心隅角間の中点(切歯点)と下顎左右側第二大臼歯の遠心頬側咬頭頂を含む平面として規定される基準面．

387 咬合平面設定板

こうごうへいめんせっていばん

occlusal plane guide

咬合採得時に仮想咬合平面を設定するための用具．上顎咬合床の咬合面にあてて，Camper平面との関係を検討するために用いられる．

388 咬合平面板 こうごうへいめんばん

occlusal plane table

咬合平面を基準として上顎模型を咬合器に装着するために用いられる平均値咬合器の付属品．

389 咬合平面分析板

こうごうへいめんぶんせきばん

occlusal plane analyzer

Monson（1920）球面説に基づく下顎の切縁，咬頭の位置づけ，ならびに咬合彎曲の分析に使われる，直径8インチの球面をもつ彎曲板．

390 咬合面間距離

こうごうめんかんきょり

interocclusal distance

ある特定の顎位で生じる上下顎咬合面間の距離．下顎安静位での咬合面間距離は，安静空隙とも呼ばれる．

391 咬合面再形成［義歯の］

こうごうめんさいけいせい［ぎしー］

occlusal reconstruction of denture

義歯の人工歯咬合面を再構成することによって，顎口腔系の形態，機能，審美性の回復を図ること．

392 **咬合様式**　こうごうようしき
occlusal scheme
咬頭嵌合位および偏心位における咬合接触の状態．

393 **咬合力**　こうごうりょく
occlusal force
顎口腔系器官，組織の働きにより，上下顎の歯あるいは人工歯咬合面間に発現する力．

394 **咬合力検査**　こうごうりょくけんさ
occlusal force test
顎機能，歯の負担能力などの評価として，個々の歯あるいは歯列全体の咬合面部に加わる荷重量を計測して判定する機能検査．専用の咬合力計を用いて最大荷重を計測する最大咬合力が一般的であるが，義歯などに特殊なトランスデューサーを組み込んで計測する咀嚼力などもある．最近では，T スキャン，プレスケールなど，歯列全体の咬合力分布を分析する方法もある．

395 **咬合力測定法**
こうごうりょくそくていほう
maxillomandibular registration by measuring maximal occlusal force
無歯顎症例の咬合採得において，最大咬合力に基づいて垂直的顎位を決定する方法．Boos (1940) は，Gnathodynamometer（咬合力測定装置，別称 Boos の Bimeter）を用いて，最大咬合力を発揮する顎位（最大筋力点）を求め，この位置から，換算表に従って最大咬合力の大きさに比例する所定の高径を減じて咬合高径とすることを提唱した．

396 **咬合彎曲**　こうごうわんきょく
occlusal curvature
天然歯列の咬合面が連続して作る彎曲．Wilson の彎曲，Spee の彎曲，Monson カーブなどがある．人工歯列の場合は調節彎曲と呼ばれ，用語としては両者は区別される．

397 **咬座印象**　こうざいんしょう
bite-seating impression
矢崎正方（1955）が提唱した印象法であり，義歯製作途中に生じる歪みを最終段階において修正することを主目的として，人工歯排列や削合を終了したろう義歯をトレーとして少量の流動性の優れた印象材を盛り，咬合させて採得する印象．上下顎を別々に採得したほうが望ましいとされる．

398 **交叉咬合**　こうさこうごう
reverse articulation, cross-bite
1) 咬頭嵌合位において，側方歯群の反対咬合により，上下顎の歯列弓が水平的に交叉している不正咬合．
2) 義歯床の力学的安定性を高める目的で，通常の臼歯部被蓋とは逆に，上顎臼歯の頬側咬頭を下顎臼歯の中心窩に嵌合させる咬合．

399 **交叉咬合排列**
こうさこうごうはいれつ
arrangement of reverse articulation tooth, arrangemant of cross-bite tooth
通常の臼歯部被蓋とは逆に，上顎臼歯の頬側咬頭を下顎臼歯の中心窩に嵌合させる人工歯排列法．上顎顎堤弓が下顎顎堤弓より小さく，仮想咬合平面に対する臼歯部（第一大臼歯部）の歯槽頂間線角度が 80° 以下の場合に，義歯床の力学的安定性を高める目的で行う．上下顎左右側の人工歯を入れ替えて排列する Gygi 法，あるいは Müller 法が一般的に用いられている．

400 **交叉咬合用人工歯**
こうさこうごうようじんこうし
reverse articulation teeth, cross-bite teeth
上下顎とも頬舌径を狭くし，上顎が1咬頭に設計されている交叉咬合排列専用の人工歯．頬側では下顎の咬頭が上顎の咬頭を被蓋する．

401 **鉤歯**→「支台歯」参照

402 **硬質レジン**→「コンポジットレジン」参照

403 **硬質レジン歯**　こうしつ―し
composite resin teeth
従来のアクリリックレジン人工歯に比較して，硬さ，耐摩耗性に優れたレジン歯．反面，耐衝撃性や義歯床との結合性は劣る．

404 **硬質レジンジャケットクラウン**→「レジンジャケットクラウン」参照

405 **咬傷**　こうしょう
bite wound
1）ヒトまたは動物の歯により生体もしくは死体に残された傷．一般的には挫創や切創に類似した特徴を呈する．その形状の精査は法歯学上重要であり，主体の個人識別に役立つ．
2）舌，頬および口唇を咬むことによって生じる傷．頬を咬むことを咬頬(cheek bite)，舌を咬むことを咬舌（tongue bite）といい，歯列不正や人工歯排列の欠陥により生じやすい．義歯によるものは，咬合高径が低すぎる場合，人工臼歯の排列が頬側に寄りすぎる場合，上下顎人工臼歯のオーバージェットが小さすぎる場合などに生じ，咬舌は下顎人工臼歯列が舌側に寄りすぎ舌房が狭い場合や咬合平面が舌背より低い場合などに生じる．

406 **口唇接合線**　こうしんせつごうせん
low lip line
〔同義語〕口唇閉鎖線
下顎の安静状態で上唇と下唇とが軽く接触してできる線．上顎咬合床の仮想咬合平面および前歯人工歯の上下的排列位置の基準とする．

407 **口唇閉鎖線**→「口唇接合線」参照

408 **鉤尖**　こうせん
clasp tip
鉤腕の先端部分．維持腕においては支台歯のアンダーカット域に設置され，維持機能を果たす．

409 **鉤体**　こうたい
clasp body
環状鉤における鉤脚と鉤腕の中間部分．鉤肩とともに把持機能を果たす．

410 **後退運動［下顎の］**
こうたいうんどう［かがく―］
retrusion
下顎の後方への運動．通常，咬頭嵌合位から下顎後退接触位まで接触滑走することをいう．

411 **合着**　ごうちゃく
cementation
インレー，クラウン，ブリッジなどの修復物を，窩洞や支台歯にセメントを用いて恒久的に装着する操作の総称．リン酸亜鉛セメントの場合の保持機構は，主に嵌合効力に依存する．歯や金属に対して接着性を有するセメントを利用する場合もある．狭義では「合着」と「接着」に分けられる．

412 **合着用セメント**　ごうちゃくよう―
luting agent, luting cement
→「合着」参照

413 **口底**　こうてい
floor of the mouth

〔同義語〕口腔底

舌と下顎骨内面の舌下粘膜部から構成される口腔の下壁．舌下粘膜部は顎舌骨筋の上方を覆い，粘膜上皮は薄く可動性であり，舌の自由運動をもたらす．舌下面の正中線上で舌との間に舌小帯があり，その両側には舌下腺の導管が開口する．口底と顎堤舌側との移行部に沿って舌側溝があり，義歯の舌側床縁の位置と形態を決定づける．

414 後堤法　こうていほう
post damming
義歯床の口蓋後縁封鎖を図るために，ポストダムを付与すること．

415 咬頭嵌合　こうとうかんごう
intercuspation
咬頭が対合する歯の窩や隆線に嵌合している状態．

416 咬頭嵌合位　こうとうかんごうい
maximal intercuspal position
下顎頭の位置とは関係なく，上下顎の咬合面が最大面積で接触し，安定した状態にあるときの咬合位．

417 咬頭干渉　こうとうかんしょう
deflective occlusal contact, cuspal interference
咬合干渉の１つで，下顎の基本運動や機能運動に際して，運動経路を妨げる咬頭の接触またはその現象．

418 咬頭傾斜角　こうとうけいしゃかく
cusp angle
歯軸に直交する直線と各咬頭斜面とがなす角度．近遠心的および頬舌的な傾斜角がある．

419 咬頭・鼓形空隙（辺縁隆線）関係
こうとう・こけいくうげき（へんえんりゅうせん）かんけい
cusp-marginal ridge articulation scheme
咬頭嵌合位において下顎臼歯の機能咬頭が対合する臼歯の鼓形空隙または辺縁隆線に嵌合する咬合関係．

420 咬頭・小窩関係
こうとうしょうかかんけい
cusp-fossa articulation scheme
咬頭嵌合位において上下顎歯の機能咬頭が対合する小窩に嵌合する咬合関係．

421 咬頭展開角　こうとうてんかいかく
angle between buccal and lingual internal cusp slope
頬側咬頭の内斜面と舌側咬頭の内斜面とがなす角度．

422 口内描記法　こうないびょうきほう
intraoral tracing
描記板と描記針で構成される下顎運動記録装置が口腔内に設置された下顎運動記録法．装置が比較的簡便であり，ゴシックアーチ描記法が一般的であるが，特殊なチューイン法もある．

423 硬軟口蓋境界部
こうなんこうがいきょうかいぶ
junction of hard and soft palate
硬口蓋と軟口蓋の境界部．上顎の義歯床後縁設定の基準となる．臨床的には，視診や触診，口蓋小窩やアーラインを参考にしてその位置を確認する．

424 後方基準点　こうほうきじゅんてん
posterior reference points
前方基準点とともに，水平基準面を設定するための顔面上の点(平均的顆頭点，蝶番点)．

425 後方咬合小面
こうほうこうごうしょうめん
retrusion facet
Gysi の軸学説および咬合小面学説に従って，フルバランストオクルージョンを付与する目的で人工歯咬合面に形成する咬合小面の1つ．作業側の側方滑走運動と後方運動時に接触する面であり，下顎臼歯では頬舌側咬頭の後方の斜面に，上顎臼歯では前方の斜面に付与する．

426 咬耗 こうもう

attrition

上下顎歯の咬合接触により生じるエナメル質や象牙質の摩耗．咀嚼機能による歯面の咬耗は，加齢変化として生理的にもみられるが，進行速度が速く，象牙質の広範な露出や歯冠長の短縮および咬合高径の低下を招くような高度なものを咬耗症という．個人識別や年齢推定，ブラキシズムや顎関節症などの診断の手がかりとなる．

427 高齢化社会 こうれいかしゃかい

aging society

高齢化率（65歳以上の人口が総人口に占める割合）が7%以上14%未満の社会．

→「高齢社会」，「超高齢社会」参照

428 高齢社会 こうれいしゃかい

aged society

高齢化率（65歳以上の人口が総人口に占める割合）が14%以上21%未満の社会．

→「高齢化社会」，「超高齢社会」参照

429 鉤腕 こうわん

clasp arm

環状鉤においては鉤体に続く鉤尖までの部分．機能により維持腕と拮抗腕とに分類される．またサベイラインを境に非アンダーカットを走行する鉤腕部分を上腕，アンダーカットを走行する部分を下腕と呼び，原則として上腕はクラスプの把持，下腕は維持の機能を果たす．

バークラスプにおいては大連結子あるいは義歯床縁から鉤尖までを指すが，形態により横走アームと垂直アームの部分に分けられる．

430 コーヌス角 ―かく

cone angle，Konuswinkel（独語）

コーヌステレスコープ（Konuskronen Teleskop；cone crown telescope）の内冠の軸面を延長してできる仮想円錐角度の1/2の角度．発案者のKörberは，6°に設定したときに最も適切な維持力が得られるとしている．

431 コーヌステレスコープクラウン

cone crown telescope，Konuskronen Teleskop（独語）

Körber（1969）によって開発された支台装置の一種で，テーパーを有する円錐台形の内冠とそれに適合する外冠とからなるテレスコープクラウン．いわゆるリジッドサポートを代表する支台装置である．維持力は内・外冠の接触による摩擦力あるいはくさび効果と外冠の金属弾性によるが，内冠軸面のコーヌス角によって調節可能である．

432 コーピング印象 ―いんしょう

coping impression，coping pick-up impression

→「ピックアップ印象」参照

433 語音明瞭度検査

ごおんめいりょうどけんさ

speech articulation test，speech discrimination test

被検者の検査語表の発音を複数の検者が聴取して表記し，表記の一致した語音数の全検査語音数に対する割合で被検者の発音の明瞭度を表す発音検査法．

434 鼓形空隙 こけいくうげき

embrasure

歯と歯の隣接面接触点を中心に，上下的あるいは頬舌的に形成される空間．その形が鼓に似ていることに因んだ名称.

435 ゴシックアーチ描記法
—びょうきほう
gothic arch tracing method

顎運動の記録法の1つで，定められた咬合高径における下顎の前方および左右側方限界運動の軌跡を描記させ，その描記図（ゴシックアーチ）をもとに水平的顎位の決定や顎機能の診断を行う方法．ゴシックアーチは矢印のような形となり，矢印の先端をアペックスと呼び下顎の最後退位を表す．本法には，口内描記法と口外描記法とがあり，描記装置にはゴシックアーチトレーサーやセントラルベアリングトレーシングデバイスなどがある．なお，「ゴシックアーチ」の語源は，描記図がゴシック風建築のアーチと類似の形状を呈していることから，Gysiにより命名された．

436 個歯トレー　こし—
individual tray for abutment impression

支台歯の精密印象採得に使用される小型の印象用トレー．銅板を応用したもの(カッパーバンドトレー)，常温重合レジンを応用したもの(レジントレー)，両者を併用したもの（併用トレー）などがある．

437 個人トレー　こじん—
individual tray

各個人の歯列や顎堤の形状に合わせて個別に製作された印象用トレー．一般的には，研究用模型上で常温重合レジンにより製作される．

438 固着式模型→「歯型固着式模型」参照

439 骨結合型インプラント→「オッセオインテグレーテッドインプラント」参照

440 骨膜下インプラント　こつまくか—
subperiosteal implant

下部構造が骨膜と骨面との間に設置されるインプラント．骨面上に密着するように設置されるフレーム，フレームを補助するストラップと呼ばれるフレームの延長部，ならびにフレームから口腔内に露出する支台部から構成される．

441 固定性ブリッジ　こていせい—
fixed partial denture

支台装置とポンティックが固定性に連結されたブリッジ．

442 固定性補綴装置
こていせいほてつそうち
fixed dental prosthesis

1）クラウンやブリッジなど，任意に外せない補綴装置．
2）支台歯と固定性連結を有する補綴装置．半固定性補綴装置や可撤性補綴装置の対語として用いられる名称．

443 固定性連結　こていせいれんけつ
fixed connection, rigid connection

ろう（鑞）付け法，溶接法，ワンピースキャスト法などにより，支台装置とポンティックとが固着される連結．

444 コノメータ
Konometer（商品名）

コーヌステレスコープ（Konuskronen Teleskop ; cone crown telescope）の内冠製作時に，内冠軸面のコーヌス角の測定および内冠ワックスアップ時の軸面の形成を行う器具．

445 4/5冠　ごぶんのよんかん
partial coverage crown

臼歯歯冠の5面のうち，頬側面を残して，両隣接面，舌側面，咬合面の4面を被覆する部分被覆冠の1つ．主にブリッジの支台装置として用いられるが，単冠や動揺歯の固定装置にも応用される．

446 固有口腔 こゆうこうくう
oral cavity proper

上下顎の歯列と，歯槽部の前方部および左右側方部の内面により囲まれた内腔．上壁は口蓋，下壁は舌と舌下粘膜からなり，後方は舌根と口蓋舌弓，口蓋咽頭弓および軟口蓋後縁に囲まれ，口峡を介して咽頭に通じている．唾液により常に湿潤状態にあり，食物摂取および呼吸路の一部としての役割を担っている．義歯装着により固有口腔の容積が減少すると舌運動が妨げられ，咀嚼・発音機能に影響が及ぶ．

447 コルベン状形態［床縁の］
―じょうけいたい［しょうえん―］
Kolbenähnlich Form（独語）

辺縁封鎖による義歯の維持の強化や床下への食片の侵入防止などを目的として付与される義歯床縁部の断面形態．原義はドイツ語の Kolben（棍棒）であり，丸く，厚くなっている形態に因む．

448 コンダイラー型咬合器
―がたこうごうき
condylar articulator

上弓に顆頭球（コンダイル）をもち，下弓に顆路指導部を備えた構造の咬合器．

449 コンタクトゲージ
contact gauge

歯間離開度を臨床的に測定するための器具．厚さ 50 μm，110 μm，150 μm に設定されたスチール板で構成される．

→「歯間離開度」参照

450 コンタクトポイント→「接触点」参照

451 コンビネーションクラスプ
combination clasp

鋳造鉤と線鉤あるいは環状鉤とバークラスプなど，形態または材質の異なった鉤腕を組み合わせたクラスプの総称．

ワイヤーキャストコンビネーションクラスプ，Roach-Akers コンビネーションクラスプなどがある．

452 コンビネーションシンドローム
combination syndrome

〔同義語〕アンテリアハイパーファンクションシンドローム，Kelly's 症候群

Kelly（1972）の提案した用語で，上顎無歯顎，下顎両側性遊離端欠損患者において上顎に全部床義歯，下顎に部分床義歯が装着された症例に特徴的にみられる5つの問題点を示す症候群．5つの症状とは，①上顎前歯部顎堤の骨喪失，②上顎結節の下方への過形成，③硬口蓋部の乳頭状過形成，④下顎前歯の挺出，⑤部分床義歯の義歯床下の骨喪失，である．関連症状として，上顎前歯部のフラビーガムと歯肉頬移行部の線維腫，下顎前歯の歯周組織変化，咬合平面の後方傾斜および下顎の前上方偏位がみられる．

453 コンポジットレジン
composite resin

〔同義語〕硬質レジン

多官能性メタクリレートを基材に用い，無機質フィラーなどを大量に添加したレジン．主に光照射によって重合される．補綴領域では，前装冠，ジャケットクラウン，既製人工歯などに使用される．

454 根面アタッチメント こんめん―
stud attachment，radicular attachment

残存歯の根面またはインプラントを支台とするアタッチメント．オーバーデンチャーとの組み合わせで用いられ，緩圧型（可動性）と非緩圧型（固定性）とが

あり，着力点が低いため側方力による支台歯への過重負担が起きにくく骨植不良歯にも有利とされる．一般に根面アタッチメントはスタッドアタッチメントとも呼ばれる．

455 根面形成 こんめんけいせい
coping preparation
根面板や根面アタッチメントなどを適用するための支台歯形成法．

456 根面形態 こんめんけいたい
form of root surface
ポストクラウンや根面板のための支台歯の根面の形態．根面を唇側で歯肉縁下0.5〜0.8 mm，舌側で歯肉縁上1 mmになるように2面に形成し，舌側には歯肉縁下0.5〜0.8 mmまでハーフバンドを形成する平斜面形態や，平面形態，単斜面形態，両斜面形態，凸面形態，凹面形態などがある．

457 根面板 こんめんばん
coping
支台歯の根面を覆う金属板の総称．歯質の保護，二次齲蝕の防止，咬合力による歯根破折の防止，支台装置の連結などに用いられる．

さ

458 最終印象
final impression
→「精密印象」参照

459 最終義歯 さいしゅうぎし
definitive denture
補綴治療計画に基づき，暫間義歯による治療などを経て，全部床および部分床義歯の目的を達成するために必要なすべての前処置を完了した後に最終的に装着される義歯．

460 最終補綴装置
さいしゅうほてつそうち
definitive prosthesis
長期間使用するために計画・設計された補綴装置の総称．

461 最前方咬合位
さいぜんぽうこうごうい
most anterior (occlusal) position, most protrusive occlusal position
上下顎の歯を接触させた状態で，下顎を最も前方に突き出した顎位．切歯点部は咬頭嵌合位の前方約7〜10 mmで，このとき下顎頭は関節結節最下端付近まで前進している．

462 最側方咬合位
さいそくほうこうごうい
most lateral occlusal position
上下顎の歯を接触させた状態で，下顎を最も側方に変位させた顎位．切歯点部は咬頭嵌合位の側方約8〜12 mmで，下顎頭の運動が正常な場合には側方咬合位は左右対称性を示す．

463 最大開口位 さいだいかいこうい
maximal opening position
開口時において上下顎の離開度が最大となる顎位．

464 最大開口量 さいだいかいこうりょう
maximal mouth opening
最大開口位における上下顎の中切歯切縁間距離あるいは顎堤頂間距離．正常有歯顎者の平均値は50 mm程度であり，40 mm以下は開口障害といわれている（Solberg, 1976）．

465 最大咬合力 さいだいこうごうりょく
maximal occlusal force
力いっぱいのかみしめ時などに，顎口腔系器官・組織の働きにより，上下顎の歯あるいは人工歯咬合面に発現する力の最大値．一般に歯根膜の耐圧能によって決まるが，顎口腔機能評価の指標の1つとして用いられる．

466 最大豊隆線［歯の］
さいだいほうりゅうせん［は―］
height of contour
特定の方向からみた歯の最大円周を示す線．サベイヤーで設定された支台歯歯軸における最大豊隆部を連ねた線．

467 最大豊隆部 さいだいほうりゅうぶ
maximum convexity
特定の方向からみた歯冠の唇・頬・舌側歯面における豊隆の最も大きい部位．

468 彩度 さいど
chroma
色の三属性の1つ．色の鮮やかさ，濃さの感覚的尺度．無彩色を0とした各色相に共通な間隔尺度としている．ある色相に白色光または無彩色を混合していくと次第にその色相が薄められていくことを，彩度が低くなるという．
→「Munsell 表色系」参照

469 サイドシフト
side shift
側方滑走運動時に，非作業側下顎頭の水平面内運動路で観察される内方（正中方向）への動き．ほぼ直線的に前内方に移動する progressive side shift と，運動の初期において内方へのずれや移動が大きく生ずる immediate side shift とがある．Guichet（1970）は，運動初期の4 mm 間の側方顆路にみられるサイドシフトの様相を漸進型（progressive type），直後型（immediate type），早期型（early type），分散型（distributed type），混合型（progressive and distributed type）の5型に分類した．

470 作業側 さぎょうそく
working side
咀嚼運動時または側方滑走運動時における下顎の外側方への移動側．

471 作業側側方顆路
さぎょうそくそくほうかろ
lateral condylar path on working side
側方滑走運動時における作業側下顎頭の運動経路．わずかに外方に移動するが，水平面内の運動は特に Bennett 運動（Bennett movement）と呼ばれる．このとき作業側下顎頭の運動方向が水平面において前頭面とのなす角で示されるものを作業側側方顆路角，作業側下顎頭運動経路が前頭面において水平面となす角度を作業側側方顆路傾斜（度）という．

472 作業用模型 さぎょうようもけい
definitive cast，master cast
補綴装置の製作に使用する模型．

473 削合［人工歯の］
さくごう［じんこうし―］
occlusal reshaping［of artificial teeth］
義歯に用いる既製人工歯の咬合面形態や咬頭傾斜角を各個人の下顎運動要素に合致させ，咬頭嵌合位での均等な咬合接触と偏心位での咬合平衡を得るために人工歯の咬合面や切縁を削除，調整すること．

474 Saxon テスト→「Saxon 法」参照

475 Saxon 法 さくそんほう
Saxon test
〔同義語〕Saxon テスト
唾液分泌能検査の1つであり，機能時の刺激時唾液分泌量を測定する．乾燥したガーゼを口腔内に入れて一定速度で2分間かみ（120 回/2 分），ガーゼが吸収した唾液の重量を測定する．基準となる唾液重量は 2 分間 2 g であり，それ以下の場合には唾液分泌量が少ないと判定される．

476 サブストラクチャー→「下部構造(体)」参照

477 サイベヤー

surveyor

水平台，支柱，水平アーム，円筒（スピンドル）で構成される本体と模型台から構成され，義歯の設計や技工操作に用いられる平行測定装置．主に部分床義歯の設計において，模型上で支台歯どうしやそれと関連する周囲組織の相対的な位置および形態を検討し，義歯の着脱方向の決定，サベイラインの記入，アンダーカット量の測定，鉤尖の位置の決定などを行うために使用するが，ブリッジ製作時における支台歯間の平行性の確認や複数のアタッチメントを平行に設置する場合などにも利用される．専用付属品として，アナライジングロッド（測定杆；analyzing rod），カーボンマーカー（炭素棒；carbon marker），補強鞘（carbon sheath），アンダーカットゲージ（undercut gauge），ワックスアップ用ヘラ（wax trimmer），テーパーツール（taper tool），カッティングナイフ（cutting knife）がある．

478 サベイライン

survey line

サベイヤーによって模型上に描記される線のうち，補綴装置の着脱方向に対して最も突出した部位を連ねて表示した線．

479 サベイング

surveying

サベイヤーを用いて模型上で残存歯および関連組織の保存ならびに最適な義歯設計を可能とするための義歯の着脱方向と装着位置を詳細に検討し，残存歯と顎堤の最大豊隆部の描記，アンダーカットの測定を行うこと．研究用模型では予備サベイング（仮設計）を行い，治療計画のための口腔内前処置について検討し，作業用模型では仮設計を参考に最終的な義歯設計（本設計）のために必要な測定線を記入する．

480 酸化亜鉛ユージノール印象　さんかあえん-いんしょう

zinc oxide eugenol impression

酸化亜鉛ユージノール印象材による印象．通常，大きなアンダーカットのない顎堤において極力印象圧を小さくするために用いられる．部分床義歯製作においては，オルタードキャスト法の中で粘膜面印象に用いることもある．

481 酸化ジルコニウム→「ジルコニア」参照

482 酸化膜　さんかまく

oxide film

金属あるいは合金の成分元素が酸素と結合し，表層に薄膜として形成された酸化物層．高温での加熱，鋳造操作などにより形成される．金属の種類によっては室温においても表層に酸化膜を生ずる．

483 暫間義歯　ざんかんぎし

interim denture

最終義歯（本義歯）を装着するまでの間，審美，機能などの義歯の目的を達成させるために，ある一定期間使用する義歯．広義には，診断用義歯，治療用義歯，即時義歯，移行義歯などが含まれる．

484 暫間固定　ざんかんこてい

temporary splinting

歯周疾患や外傷などによって生じた歯の動揺を一定期間隣在歯に連結・固定す

ることにより各種機能圧を複数歯に分散し，その病状の改善を図ることを目的とした処置．その処置方法としては，接着性レジン，金属線とレジン，ファイバーリボンとレジンを併用した結紮法などがある．

485 **暫間被覆冠**→「プロビジョナルクラウン」参照

486 **暫間補綴装置**
ざんかんほてつそうち
interim prosthesis
最終的な補綴処置が施されるまでの間，審美性，咀嚼，発音，咬合機能の保持ならびに回復，または診断や治療の補助的手段として，比較的短期間の使用を前提とした補綴装置．プロビジョナルクラウン，プロビジョナルブリッジ（provisional bridge），暫間義歯などがある．

487 **残根上義歯**→「オーバーデンチャー」参照

488 **三次元スキャナー**→「スキャナー」参照

489 **三次元デジタイザー**→「スキャナー」参照

490 **酸蝕症**　さんしょくしょう
erosion
細菌の関与がない酸による化学的な歯質の溶解．原因は，胃液の口腔内への逆流，飲食物由来の酸，環境由来の酸である．

491 **サンドブラスト処理**　―しょり
airborne-particle abrasion，air abrasion，sand-blasting
〔同義語〕アルミナサンドブラスト処理，アルミナブラスト処理
アルミナ粒子，ガラス粒子などの研磨材粒子を圧縮空気とともに噴霧し，加工物表面に付着した埋没材の除去，表面の清掃，研磨，粗面の付与を行う処理法であり，用途によって異なった種類や粒径の粒子が用いられる．

し

492 **CPAP療法**→「経鼻的持続陽圧呼吸療法」参照

493 **シェードガイド**
shade guide
人工歯，前装用材料，充填用材料，床用レジン，あるいは人工皮膚などの色調見本．

494 **シェードセレクション**→「色調選択」参照

495 **歯科インプラント**→「口腔インプラント」参照

496 **自家製アタッチメント**　じかせい―
custom attachment
各個人の歯の大きさや顎堤形態など症例に応じて自由に製作するアタッチメント．一部がプラスチックパターンなどで半既製品化されているものもあるが，鋳造や平行切削器（パラレロメーター）によるミリングによって製作する．チャネルショルダーピン，テレスコープクラウン，I. R. V. などがある．

497 **歯科訪問診療**
しかほうもんしんりょう
home-visit dental care
訪問診療とは医師などの訪問による診療を表しており，外来診療のように診療形態を表している．歯科が行う訪問診療のことを歯科訪問診療という．歯科医師が個人宅，施設，病院など患者が日常生活を行う場所を訪問し，歯科診療を行うこと．

498 歯科補綴学 しかほてつがく
prosthetic dentistry, prosthodontics
臨床歯科医学の一分野で，歯・口腔・顎・その関連組織の先天性欠如，後天的欠損，喪失や異常を人工装置を用いて修復し，喪失した形態または障害された機能を回復するとともに，継発疾病の予防を図るために必要な理論と技術を考究する学問．

499 歯冠円錐 しかんえんすい
occlusal cone
〔同義語〕咬合円錐
歯冠を歯軸方向の最大豊隆線で分割し，咬合面側の歯面に近似した直線を母線として仮定した円錐．義歯着脱方向においては非アンダーカット域となる．この部分をスープラバルジエリア（suprabulge area）ともいう．

500 歯冠外アタッチメント
しかんがい―
extracoronal attachment
アタッチメントの固定部のすべて，または一部が歯冠の外側に設置されているアタッチメントの総称．歯質削除量が少ない利点はあるが，支点が支台歯の外側にあるため，支台歯を傾斜，回転させたり，不潔域を生じたりすることもある．緩圧型（可動性）と非緩圧型（固定性）アタッチメントがある．ミニダルボ，シーカーアタッチメント，ASC52 ビバールなどがある．

501 歯冠型クラスプ しかんがた―
suprabulge clasp
〔同義語〕スープラバルジクラスプ
鉤腕が支台歯の咬合面側から最大豊隆部を越えて維持領域に到達するクラスプの総称．

502 歯冠軸 しかんじく
tooth crown axis
歯冠の長径軸で中央部を通る仮想軸．歯冠軸の設定法には諸説あるが，その代表的なものは，唇（頬）舌方向からみて最大豊隆部の中点と歯頸幅径の中点とを結ぶ直線，さらに，近遠心方向からみて切縁（臼歯部は最大豊隆部の中点）と歯頸厚径の中点とを結ぶ直線を想定し，この両者を含む仮想的な直線とする方法である．

503 歯冠歯根比 しかんしこんひ
crown-root ratio
正放線投影法によるエックス線写真上で，歯槽骨頂から歯冠方向への長さと歯根方向への長さとの比率．支台歯の圧負担能力の評価基準の１つ．

504 歯冠修復物→「歯冠補綴装置」参照

505 歯冠色材料 しかんしょくざいりょう
tooth-colored material
歯に近い色を再現できる材料．アクリリックレジン，コンポジットレジン，長石系陶材，ジルコニア系セラミックス，アルミナ系セラミックス，二ケイ酸リチウムガラスなどがある．

506 歯冠内アタッチメント
しかんない―
intracoronal attachment
アタッチメントの固定部が歯冠形態内に設置されたアタッチメントの総称．歯質削除量が多い欠点はあるが，支台歯の回転中心がアタッチメントの中心に近いため，咬合圧などの機能圧を歯の長軸方向へ伝達しやすい利点がある．そのため，連結強度の大きい非緩圧型（固定性）アタッチメントが適用されることが多い．Stern G/L，Ney Chayes，McCollum T アタッチメントなどがある．

507 **歯冠補綴装置**　しかんほてつそうち
restoration, crown
〔同義語〕歯冠修復物
歯冠部硬組織の先天的あるいは後天的原因により生じた欠損ならびに審美障害に対して，形態・機能・審美性を回復する目的で応用される修復物の総称．

508 **歯間離開**　しかんりかい
diastema
病的または物理的な外力により歯が移動し，その結果，隣接接触部に間隙が生じること．

509 **歯間離開度**　しかんりかいど
interdental separation
隣接歯間の接触強さを表す数値．草刈玄（1965）は，歯間部に30 μmから300 μmの厚さの異なるスチール板を指頭圧で挿入したとき，挿入しうる最大の厚さを歯間離開度と名付けた．成人の正常歯列では上顎臼歯部で約90 μm，下顎臼歯部で約70 μmであり，この値が150 μmを超えると急激に食片圧入が起こりやすくなる．臨床的にはコンタクトゲージを用いて測定する．

510 **歯間離開度検査**
しかんりかいどけんさ
examination of interdental separation
歯冠修復を行う場合や歯周疾患の検査のためにコンタクトゲージやデンタルフロスを咬合面方向から垂直に歯間に挿入し，隣接歯間の接触点の強さを調べる検査．歯間離開度が150 μmを越えると食片圧入が起こる頻度が高くなる．

511 **色相**　しきそう
hue
色の三属性の1つ．赤，黄，緑，青，紫などで表される色感覚の属性，およびそれを尺度化したもの．赤R，黄Y，緑G，青B，紫Pの主色相およびその中間色相をそれぞれ10区分した色相環により表す．
→「Munsell表色系」参照

512 **色調選択**　しきちょうせんたく
shade selection
〔同義語〕シェードセレクション
個々の患者の歯や軟組織などに合わせて補綴装置の色調を選択または決めること．通常はそれぞれ専用のシェードガイドを用いる．

513 **軸眼窩平面**　じくがんかへいめん
axis orbital plane
水平基準面の1つで，蝶番軸と左右側いずれかの眼窩下点を含む平面．この平面を用いて模型を咬合器へ装着した場合には，終末蝶番運動が再現できる．さらに，XPr機構（咬合器上で最後方の下顎頭位のほかに，それよりも前方の下顎頭位を固定できる機構）を有する咬合器では，咬頭嵌合位と下顎後退接触位の両方を再現できる．

514 **軸面**　じくめん
axial surface
歯の長軸に平行，あるいはそれに近い方向の歯面．

515 **軸面傾斜角**→「テーパー」参照

516 **軸面形成**　じくめんけいせい
axial reduction for tooth preparation
クラウンやブリッジの支台歯の長軸に平行，あるいはそれに近い方向での支台歯形成．広義には補綴装置軸面の形成加工も含む．軸面の垂直的高さやテーパーは，装着される歯冠補綴装置の抵抗性，維持（保持）力やセメント合着時の浮き上がりなどに影響を与える．

517 **歯型**　しけい
die
形成した支台歯形態を再現した模型.

518 **歯型可撤式模型**
しけいかてつしきもけい
removable die system
〔同義語〕可撤歯型式模型
クラウン，ブリッジ製作時に使用する可撤式模型の1つで，ワックスアップを正確かつ簡易に行うため，歯型を歯列模型中に組み込み，必要に応じて可撤式歯型（removable die）を抜き差しできるように考案された作業用模型．歯型の根部にテーパーを付与したり，既製のダウエルピンを利用する．

519 **歯型固着式模型**
しけいこちゃくしきもけい
solid working cast
〔同義語〕固着式模型，単一式模型
歯型と歯列模型が一体となっている作業用模型の1つ．歯型と歯列模型との位置関係が狂うことはないが，隣接面やマージン部のワックスアップが困難であるため，精密な補綴装置の製作には，別に副歯型が必要となる．一般的には個歯トレー，個人トレー，プロビジョナルクラウンなどの製作に用いられる．

520 **歯頸部辺縁形態**
しけいぶへんえんけいたい
cervical margin form
歯冠修復における，支台歯歯頸部の辺縁と修復物辺縁の断面形態．基本的な形態として，7種類（フェザーエッジ型，ナイフエッジ型，シャンファー型，ベベル型，ショルダー型，ベベルドショルダー型，ラウンデッドショルダー型）がある．また，フェザーエッジ型，ナイフエッジ型をショルダーレス型ともいう．

521 **歯根円錐**→「歯肉円錐」参照

522 **歯根膜支持**→「歯根膜負担」参照

523 **歯根膜支持義歯**→「歯根膜負担義歯」参照

524 **歯根膜粘膜支持**→「歯根膜粘膜負担」参照

525 **歯根膜粘膜支持義歯**→「歯根膜粘膜負担義歯」参照

526 **歯根膜粘膜負担**
しこんまくねんまくふたん
tooth and tissue-support
〔同義語〕歯根膜粘膜支持
機能時に補綴装置に加わる力を歯根膜と顎堤粘膜の両者に負担させる概念.

527 **歯根膜粘膜負担義歯**
しこんまくねんまくふたんぎし
tooth and tissue-supported denture
〔同義語〕歯根膜粘膜支持義歯
機能時に発現する力を歯根膜と顎堤粘膜の両者に負担させる義歯.

528 **歯根膜負担**　しこんまくふたん
tooth-support
〔同義語〕歯根膜支持
機能時に補綴装置に加わる力を歯根膜のみに負担させる概念.

529 **歯根膜負担義歯**
しこんまくふたんぎし
tooth-supported denture
〔同義語〕歯根膜支持義歯
機能時に発現する力を歯根膜のみに負担させる義歯.

530 **支持**　しじ
support
咬合力によって生ずる歯あるいは補綴装置の沈下に抵抗する作用.

531 **歯軸**　しじく
tooth axis

歯の長径軸．藤田恒太郎（1949）が歯の計測の基準として提唱したもので，唇（頬）舌方向，近遠心方向いずれからみても歯の中央部を縦に貫く直線．なお，歯の中央部を重視し，根尖部の彎曲は考慮しないとしている．

532 支持咬頭 しじこうとう
supporting cusps
対合歯の咬合面窩あるいは辺縁隆線部に咬合し，咬頭嵌合位を保持する咬頭．

533 支持粘膜 しじねんまく
supporting tissue
機能時に義歯床に加わる力を負担する顎堤粘膜や口蓋粘膜．

534 支持能力 しじのうりょく
supporting ability
咬合力によって生ずる歯あるいは補綴装置の沈下に抵抗する能力．

535 磁石構造体 じしゃくこうぞうたい
magnetic assembly
磁性アタッチメントの構成要素の1つ．内蔵された永久磁石と磁性材料のヨークとで磁路を形成して磁気力を発揮する．その構造によってキャップ（cap）型，スプリットポール（splitpole）型，サンドイッチ（sandwich）型などに分類される．

536 歯周補綴 ししゅうほてつ
periodontal prosthesis
1）歯根膜粘膜負担義歯を製作する際，支台歯ならびに残存歯の歯周組織保全を重視し，清掃性や機能時に生じる応力の配分を特に考慮して行う補綴処置．Amsterdam（1974）によって提唱された概念．
2）高度に進行した歯周疾患に対する補綴処置．

537 矢状顆路 しじょうかろ
sagittal condylar path
矢状面に投影した顆路．特に矢状面に投影した前方滑走運動時の顆路を矢状前方顆路，側方滑走運動時の非作業側下顎頭の顆路を矢状側方顆路という．

538 矢状顆路傾斜角（度） しじょうかろけいしゃかく（ど）
sagittal condylar inclination
矢状面に投影した顆路が水平基準面となす傾斜角度．特に前方滑走運動時の矢状顆路傾斜角を矢状前方顆路傾斜角，側方滑走運動時のそれを矢状側方顆路傾斜角という．
※「〜角」はどのような角度を表す場合にも用いられるが，「〜傾斜」は基準水平面に対する角度を表す場合のみに用いられる．また，矢状顆路傾斜と矢状顆路傾斜角は同義語で用法としてどちらも誤りとはいえないが，定量的に角度を表す場合には角をつけて傾斜角とすることが望ましい．

539 矢状切歯路 しじょうせっしろ
sagittal incisal path
矢状面に投影した切歯路．特に矢状面に投影した前方滑走運動時の切歯路をいう．

540 矢状切歯路傾斜角（度） しじょうせっしろけいしゃかく（ど）
sagittal incisal inclination
矢状面に投影した切歯路が水平基準面となす傾斜角度．特に矢状面に投影した前方滑走運動時の切歯路が水平基準面となす角度をいう．
→「矢状顆路傾斜角（度）」参照

541 矢状面 しじょうめん
sagittal plane
正中面に平行で，生体を左右部分に分割するすべての仮想平面．

542 自助具 じじょぐ
self-help device
何らかの機能障害をもつ者に対し，その機能を補うか代償することにより日常生活動作（ADL）や社会生活行為（ASL）などを容易にし，自立を助けるための道具．動作の目的，障害の性質・程度などによって分類できる．補綴歯科分野では義歯用ブラシの把柄を持ちやすく太くすることなどがあてはまる．

543 磁性アタッチメント じせいー
magnetic attachment
磁石構造体とキーパーとから構成され，両者の磁気的吸引力を利用した補綴装置の支台装置．失活歯を用いた製作法には，鋳造コーピングを用いる鋳接法やキーパーボンディング法，キャストレスでのレジンコーピングによる方法がある．インプラントオーバーデンチャーの支台装置としても用いられる．

544 歯槽頂 しそうちょう
residual ridge crest
歯の喪失による歯槽突起の骨改造によって鞍状に変化した顎堤の頂上．

545 歯槽頂間線 しそうちょうかんせん
interalveolar crest line, interalveolar ridge line
中心咬合位で相対する上下顎歯槽頂を上下方向に結んだ直線で，臼歯部顎堤の前頭面内における対向関係を表示する線．通常，無歯顎補綴における人工歯排列において，義歯の維持・安定を確保するための頬舌的排列位置を決定するために用いられる．具体的には，人工歯の上顎第一大臼歯の舌側咬頭内斜面および下顎第一大臼歯の頬側咬頭内斜面の頬舌的中点がこの線に一致するように排列する．これによって片側性咬合平衡が確保される．

546 歯槽頂線 しそうちょうせん
alveolar ridge line
歯槽頂（上下顎の顎堤の頂上）を代表する線．本来，顎堤弓に沿って彎曲を描いているが，人工歯排列のための基準線などとしては前歯部と臼歯部に分けて直線で表す．

547 支台 しだい
abutment
補綴装置を支持・把持・維持（保持）するための歯やインプラント．

548 支台歯 しだいし
abutment teeth
〔同義語〕維持歯，鉤歯
補綴装置を支持・把持・維持（保持）する歯．

549 支台歯間線 しだいしかんせん
fulcrum line
〔同義語〕鉤間線
1）部分床義歯が咀嚼力などの外圧により主にレストを支点として回転を生じることを仮想した回転軸．部分床義歯の設計において，力学的安定性の目安とされる．
2）ブリッジが咀嚼力などの外圧により各支台歯を支点として回転を生じることを仮想した回転軸．ブリッジの設計において，力学的安定性の目安の1つとされる．特に，歯列のカーブにまたがる曲線的なブリッジでは，左右の第一支台歯を結ぶ線を中心としてブリッジを転覆させる力が働くので，テコとして作用する部分の長さ以上の支台歯数を反対方向へ延長増加させる必要があるとしたSadrinの法則（1913）がある．

550 支台歯形成 しだいしけいせい
tooth preparation

支台歯形態を得るために，切削器具を用いて歯を切削形成すること．

551 支台歯形態 しだいしけいたい

abutment tooth form

補綴装置を装着あるいは維持・支持する目的で支台歯に付与される形態．

552 支台装置 しだいそうち

retainer

〔同義語〕維持装置

可撤性および固定性補綴装置を支台歯に連結するための装置．

553 支台築造 しだいちくぞう

foundation restoration

歯冠の一部分または大部分が欠損し，そのままでは被覆冠のための適正な支台歯形態が得られない場合に，人工材料によって欠損歯質を補い，支台歯形態を整えること．欠損歯質の状況により，以下から選択される．①成形充塡材による築造：セメント充塡，レジン充塡．②既製ポスト（金属，ファイバー）と成形充塡材を併用する築造．③金属による築造：鋳造による築造（鋳造ポストとコア部を一塊で鋳造）および④既製ポストと鋳造体を併用する方法など．なお，鋳造操作によって製作された築造体をメタルコア（metal core）と呼ぶことがある．

554 自動削合 じどうさくごう

milling in

選択削合によりほぼ調整された全部床義歯の咬合面形態を，全体的に同時にスムーズに仕上げるために行う削合法．カーボランダムグリセリン泥を下顎歯の咬合面に均一にのせた後に咬合させ，咬合器の上弓を軽く押さえながら側方滑走運動と前方滑走運動を行い，この操作を切歯指導釘が指導板上をスムーズに滑走するまで繰り返す．

555 歯肉圧排 しにくあっぱい

gingival displacement, gingival retraction

歯肉縁下における支台歯形成，印象採得，合着操作などを行う場合に，それぞれの作業を容易にしたり歯肉に損傷を与えないために，該当する部位の歯肉を一時的に歯面から排除すること．機械的，薬物的，両者の併用および電気メスを用いた方法がある．

556 歯肉円錐 しにくえんすい

gingival cone

〔同義語〕歯根円錐

歯冠を歯軸方向の最大豊隆線で分割し，歯肉側の歯面に近似した直線を母線として仮定した円錐．義歯着脱方向においてはアンダーカット域となり，クラスプの維持に関与する．この部分をインフラバルジエリア（infrabulge area）ともいう．

557 歯肉型クラスプ しにくがた—

infrabulge clasp

〔同義語〕インフラバルジクラスプ

鉤腕が支台歯の歯肉側からアンダーカット域に到達するクラスプの総称．代表的なものにRoachクラスプやIバークラスプがある．

558 歯肉頬移行部 しにくきょういこうぶ

mucobuccal fold

臼歯部口腔前庭で，可動粘膜である頬粘膜が不動粘膜である歯肉粘膜へ移行する部分．一般に義歯床縁部がここに設定される．

559 歯肉形成 しにくけいせい

festoon

ろう義歯の人工歯歯頸部から義歯床縁に至るまでの歯肉に相当する部分すなわ

ち義歯床研磨面をワックスで形成し，所要の形態に仕上げる作業．義歯床研磨面形態は咀嚼，発音，審美性および舌感に関係があるだけでなく，義歯の維持・安定にも影響する．

560 **歯肉鉤**　しにくこう
gingival clasp
義歯床から顎堤のアンダーカットにバー状の床用レジンや軟性レジンを延長して，義歯の維持を補助する装置．上下顎前歯部の唇側部，上顎結節の頰側部などに応用される．

561 **歯肉唇移行部**　しにくしんいこうぶ
mucolabial fold
前歯部口腔前庭で，可動粘膜である口唇粘膜が不動粘膜である歯肉粘膜へ移行する部分．歯肉頰移行部と同様に，義歯床縁の設定部位とされることが多い．

562 **篩分法［咀嚼能率の］**
しぶんほう［そしゃくのうりつ―］
sieving test［of masticatory efficiency］
回数を規定して咀嚼した一定重量の食品をふるいにかけ，残留した粒子の乾燥重量を測定することによって，通過した重量との比率から咀嚼能力を判定する方法．ピーナッツを用いる Manly（1950）らの方法と，生米を用いる石原寿郎(1955)の方法とが代表的である．その他の食品としてはニンジン，干しぶどう，かまぼこなどが用いられる．測定は 10 メッシュのふるいにより行われることが多く，主として粉砕能力を測定している．

563 **Jackson クリブクラスプ**
じゃくそん―
Jackson crib clasp
1 本のワイヤーをループ状に屈曲して頰側歯頸部のアンダーカットを利用するクラスプ．Jackson（1911）により考案された．頰側歯頸部に沿ってアンダーカット歯面に適合する横走部，近心と遠心の隣接面で垂直に屈曲した縦走部，咬合面部で水平に屈曲した隣接面横断部，これに続く鉤脚部〔オリジナルは舌側金属板にろう（鑞）付け〕により構成される．

564 **ジャケットクラウン**
jacket crown
レジン，陶材などの審美性に優れた修復材料のみを用いて製作された全部被覆冠．歯質削除量の多い被覆冠であり，支台歯と一体化されないと耐衝撃性に劣るが，金属色が外観にふれないため審美性に優れた歯冠補綴装置である．

565 **シャンファー型**　―がた
chamfer
支台歯の歯頸部辺縁形態ならびに修復物辺縁形態の 1 つ．丸みを帯びた斜面形態のため，歯質との移行部は明瞭で修復物との適合性が良く，修復物辺縁の厚みも確保することが可能となり，鋳造冠などの一般的な辺縁形態として応用される．修復物辺縁の厚みをさらに増すために，径の大きい，先端に丸みをもったバー，ポイントで削った辺縁形態をヘビー（ディープ）シャンファー型（heavy chamfer type，deep chamfer type）と呼ぶ．

566 **手圧印象**　しゅあついんしょう
finger pressure impression
加圧印象の 1 つで，術者の手指圧によって義歯床下粘膜を加圧下で採得する印象．

567 **自由運動咬合器**
じゆううんどうこうごうき
free joint articulator
下顎運動の指導機構をもたず，上下顎

模型に自由な可動性を与えた咬合器．咬頭嵌合位は上下顎の模型の接触のみで保持され，偏心運動は模型の咬合面だけで誘導される．

568 習慣性開閉口運動
しゅうかんせいかいへいこううんどう
habitual opening and closing movement
無理なく自然に，あるいは反射的に行われる下顎の開閉運動．通常，咬頭嵌合位に始まり，開口後，やや異なる閉口路を経て咬頭嵌合位に終わる．

569 習慣性咬合位
しゅうかんせいこうごうい
habitual occlusal position
習慣的な閉口運動の終末位．正常有歯顎者では咬頭嵌合位と一致するとされている．

570 習慣性咀嚼側
しゅうかんせいそしゃくそく
habitual masticatory side
咀嚼動作における利き側．咀嚼運動は随意運動であるとともに，半無意識のうちに食塊の物理的性状の変化に対応して最適な顎運動パターンをとる反射的要素の強い運動でもある．人間の四肢においても利き手，利き足があるように，咀嚼運動においてもかみやすい側，無意識のうちにかむ側があり，片側のみで咀嚼する人のほうが多い．習慣性咀嚼側は，歯，歯周組織，顎関節などによっても影響を受け，よりかみやすい側で咀嚼するよう習慣づけられる一種の適応反応とも考えられる．

571 終末蝶番位 しゅうまつちょうばんい
terminal hinge position
左右下顎頭が終末蝶番運動を行える範囲にあるときの，上顎に対する下顎の位置．

572 終末蝶番運動
しゅうまつちょうばんうんどう
terminal hinge movement
左右の下顎頭が最後方位にあるときの蝶番運動．

573 終末蝶番軸
しゅうまつちょうばんじく
terminal hinge axis
蝶番軸の１つとして代表的なもので，下顎最後退位で蝶番運動を行うときに回転中心となる軸．

574 終末蝶番点
しゅうまつちょうばんてん
terminal hinge axis point
下顎に存在する終末蝶番軸を延長して皮膚上に現れた点．上顎模型を咬合器にトランスファーする場合に用いられる後方基準点の１つ．

575 術後即時顎補綴装置
じゅつごそくじがくほてつそうち
immediate surgical obturator
腫瘍などにより顎骨の切除が予定されている患者に対して，術後早期の構音，咀嚼，嚥下機能の回復を目的に，術前に製作した模型上で予定される切除範囲を削合し製作する補綴装置．

576 床縁 しょうえん
denture border
義歯床の粘膜面と研磨面との境界部．部位により唇側床縁，頬側床縁，口蓋床部後縁，舌側床縁に分けられる．

577 床外形線 しょうがいけいせん
denture base outline
床縁の位置を研究用模型あるいは作業用模型上に記入した線．一般的には，筋圧形成による精密印象により得られた作業用模型では，その辺縁の最深部が床外形線となる．単なる線ではなく，幅のある領域として理解されている．

578 上顎結節 じょうがくけっせつ
maxillary tuberosity

臨床的には，上顎最後臼歯が喪失した後にも吸収されずに残り，他の歯槽骨部が吸収された結果として生じた上顎顎堤後方部に位置する膨隆部．被覆粘膜は薄く硬い．著明な場合にはリリーフが，さらに義歯の着脱に支障を来す場合などには外科的切除が必要である．上顎全部床義歯床はこれを完全に覆わなければならない．なお，解剖学名としての上顎結節は，上顎骨背側（側頭下面）にある骨の粗面部をいう．

579 上弓［咬合器の］
じょうきゅう［こうごうきー］
upper bow［of articulator］

咬合器の上部構造で上顎模型を装着する金属製の体部．後方部には顆路指導，顆頭間距離調節などの機構がついている．アルコン型咬合器の関節部は顆路指導部を備え，コンダイラー型咬合器では顆頭球を備えた形式である．前方部には切歯指導機構とオルビタールロケーターの着脱機構を備えている．

580 症型分類［補綴治療における］ しょうけいぶんるい［ほてつちりょうー］
classification system［for prosthodontic treatment］

歯質，歯の欠損の病態を評価し，補綴治療の難易度を分類するもの．2004年から日本補綴歯科学会でその策定を開始し，現在まで，口腔の条件，身体社会的条件，口腔関連QOL，精神医学的条件のフォームが作成されている．治療計画，治療の到達目標などを決定するための基本となる．術者の技量や経験に左右されることなく，エビデンスの蓄積，医師間の情報交換，症例の選択，インフォームドコンセントなどにも有用である．

581 笑線 しょうせん
smile line

咬合状態のまま笑ったときに，上唇を最大限に挙上した位置と下唇を最大限に下制した位置を示す線．上下顎前歯人工歯歯頸線の位置の指標となる．

→「微笑線」参照

582 上部構造（体）［インプラントの］
じょうぶこうぞう（たい）
superstructure［of implant prosthesis］

インプラントを支台とする補綴装置．オッセオインテグレーテッドインプラントにおいては，アバットメント，フレーム構造，人工歯そして義歯床も含めて上部構造と呼ぶのが一般的である．骨膜下インプラントにおいては，人工歯と義歯床の部分を意味し，フレームから突出したアバットメントならびにその連結部分は中間構造体と称して区別することもある．

→「下部構造（体）」,「中間構造（体）」参照

583 床翼 しょうよく
denture flange

〔同義語〕フレンジ

義歯床の人工歯歯頸部から床縁に至るまでの部分．頰側床翼，舌側床翼など，特に翼状の形態をなす部分をいう．

584 小連結子 しょうれんけつし
minor connector

クラスプやレストなどを義歯床や大連結子に連結する金属部分．鉤脚やレストの脚部と同義となることが多い．

585 **初期接触**　しょきせっしょく
initial occlusal contact
習慣性閉口路に沿って閉口するとき，最初に生じる咬合接触．

586 **食形態調整**
しょくけいたいちょうせい
diet modification
ペースト食，とろみ刻み食，軟菜食，普通食など，食形態を経口摂取能力にあわせて調整すること．摂食嚥下リハビリテーションにおいて，食形態の調整は，経口摂取能力と実際の食形態との乖離をなくすために重要である．食形態の分類は日本摂食嚥下リハビリテーション学会嚥下調整食分類 2021 が広く用いられている．その他にも，嚥下食ピラミッド，特別用途食品許可基準区分，ユニバーサルデザインフードがあり，それぞれの対応表も発表されている．また，水分のとろみづけについても 3 段階に分類されている．

587 **食片圧入**　しょくへんあつにゅう
food impaction，impaction of food debris
歯間部へ食片が押し込まれること．不適切な隣接接触関係（歯間離開度，鼓形空隙の形態）や咬合関係（くさび状咬頭）などにより垂直に起こる場合と，舌や頰粘膜の圧により水平に起こる場合がある．歯周疾患や齲蝕を引き起こす可能性がある．

588 **食物粉砕度**　しょくもつふんさいど
degree of food pulverization
規定回数の咀嚼により食物が粉砕される程度．咀嚼能率を評価するために用いられ，粉砕された食物の粒子の大きさを測定する方法と，食物の表面積の増加程度を計算式で求める方法がある．

589 **ショルダー型**　―がた
shoulder
支台歯の歯頸部辺縁形態ならびに修復物辺縁形態の 1 つ．支台歯軸面にほぼ直角に形成されるため，歯質との移行部は明瞭であるが，歯質削除量は多く，継ぎ手接合（butt joint）となるため，セメント合着時の浮き上がりが大きい．しかし，修復物辺縁の厚みを十分にとることが可能となり，前装用材料のスペースや修復物の強度を確保することができるため，ジャケットクラウンや前装冠の辺縁形態として適用される．

590 **シリコーンゴム印象**　―いんしょう
silicone rubber impression
縮重合型と付加重合型に分類されるシリコーンゴム印象材による印象．硬化後の寸法安定性に優れているため，有歯顎から無歯顎まで，精密印象として広く用いられる．

591 **ジルコニア**
zirconium oxide，zirconia
〔同義語〕酸化ジルコニウム，二酸化ジルコニウム
通常，ZrO_2の構造で存在する酸化物．イットリアを添加して室温における結晶構造を安定化させた材料はイットリア部分安定化ジルコニアといい，歯冠修復および欠損補綴の構造材料として使用される．

592 **ジルコニアブロック**
zirconia block
歯科用 CAD/CAM システムのミリングに用いられるブロック．完全焼結型ブロックと部分焼結型（半焼結型）ブロックがある．ミリング前に完全焼結したものを完全焼結型，ミリング後に完全焼結するものを部分焼結型（半焼結型）と呼ぶ．

593 シングルデンチャー
single complete denture
上下顎のいずれかが無歯顎の場合に適用される全部床義歯．対顎が①天然歯列である場合，②部分欠損はあるが固定性ブリッジで修復された歯列の場合，③部分欠損はあるが可撤性部分床義歯が装着されていない場合，④全部欠損であるが全部床義歯が装着されていない場合がある（Heartwell，1974）．

594 人工歯 じんこうし
artificial teeth
天然歯の代用として用いる歯．一般的には，レジン歯，硬質レジン歯，陶歯が用いられるが，特殊な場合には金属歯も用いられる．

595 人工歯根 じんこうしこん
artificial tooth root
歯が失われた部位の顎骨に植立され，補綴装置の支台として用いられる人工物．
→「口腔インプラント」参照

596 人工歯肉 じんこうしにく
artificial gum
1）歯肉の退縮や欠損を人工物によって補い，審美性を修復するための，義歯床に類似した装置．
2）支台歯と歯肉の関係を再現するために，作業用模型に付与される弾力性のある疑似歯肉．

597 人工歯肉付模型
じんこうしにくつきもけい
definitive cast with artificial gum
〔同義語〕ガム模型
クラウンやブリッジの製作時に応用される作業用模型で，歯型周囲の歯肉に相当する部分が，弾力性を有するゴム印象材や軟性樹脂などの人工歯肉材料で可撤性に再現された模型．人工歯肉が付与されている状態では，カントゥア，鼓形空隙の調整やクラウンのマージンと歯肉縁との位置関係の確認が正確となり，また，人工歯肉を取り外した場合には，支台歯辺縁部の形成状態，クラウン辺縁部の適合状態や，前装用材料の歯頸部における築盛状態の確認が容易となる．

598 人工歯排列 じんこうしはいれつ
tooth arrangement
義歯製作過程において，人工歯を咬合床に並べること．前歯部では，患者の性別・顔形・性格・年齢などに調和した外観と発音機能を考慮し，臼歯部では，義歯の維持・安定と咀嚼機能を考慮して排列する．上顎から排列する方法(上顎法)と下顎から排列する方法（下顎法）とがある．

599 診断用義歯 しんだんようぎし
diagnostic denture
診断および治療計画の立案のために，一時的に装着される義歯．

600 診断用ワクシング→「診断用ワックスアップ」参照

601 診断用ワックスアップ
しんだんよう―
diagnostic waxing
〔同義語〕診断用ワクシング
補綴治療を行う前に，最終補綴装置によって修復されることが予想される歯列や歯肉の形態を模型上にワックスで成形すること．全顎に及ぶクラウンブリッジによるオーラルリハビリテーション（咬合再構成）や，インプラント治療を行う場合に多用される．

602 審美障害 しんびしょうがい
esthetic dissatisfaction,
cosmetic disturbance
歯，歯肉の色調や形態の不良，歯列の

不正，歯の欠損，口腔領域と顔貌との不調和などを訴えた状態，あるいはそれを表す病名．色調や形態などの客観的評価が可能なものから，患者の内的イメージと現実とのギャップによる葛藤状態から生じた精神心理学的なものまで病態はさまざまである．不良補綴装置もその原因になりうる．

す

603 推進現象［義歯の］ すいしんげんしょう［ぎしー］
denture propulsion
上下顎の義歯が咬合した場合，人工歯の咬頭傾斜によって義歯が前後的（矢状推進現象；forward propulsion）あるいは左右的（側方推進現象；latero propulsion）に移動する現象．顎堤の傾斜によっても発現する．

604 垂直的顎位 すいちょくてきがくい
vertical mandibular position
上顎に対する下顎の垂直的な位置．

605 垂直被蓋→「オーバーバイト」参照

606 水平基準面 すいへいきじゅんめん
horizontal plane of reference
咬合や下顎運動の解剖学的な決定要素の計測に用いられる水平的な仮想平面．通常，1つの前方基準点と2つの後方基準点で決定されるが，前者には眼窩下点や鼻翼下縁あるいは鼻下点が，また，後者には平均的顆頭点や蝶番点などが用いられる．フランクフルト平面，Camper平面，咬合平面などがある．

607 水平的顎位 すいへいてきがくい
horizontal mandibular position
上顎に対する下顎の水平的な位置．

608 水平被蓋→「オーバージェット」参照

609 水平面 すいへいめん
horizontal plane
1）正中面と前頭面とに直交して，生体を上部と下部とに分割するすべての仮想平面．
2）歯において，歯軸に直交する仮想平面．

610 睡眠時無呼吸症候群
すいみんじむこきゅうしょうこうぐん
sleep apnea syndrome
〔同義語〕SAS
睡眠時に呼吸停止または低呼吸になる病気．閉塞性（OSAS：上気道の閉塞によるもの），中枢性，および混合性（閉塞性と中枢性の混合型）に分類される．閉塞性のみ歯科的治療の対象となる．
→「OSAS治療用口腔内装置」，「経鼻的持続陽圧呼吸療法」参照

611 スープラバルジクラスプ→「歯冠型クラスプ」参照

612 スキャナー
scanner
〔同義語〕3Dスキャナー，三次元スキャナー，3Dデジタイザー，三次元デジタイザー
物体の立体的な表面形状をプローブで接触したり，レーザー光や画像データによって計測するための装置．模型や印象面を計測するための技工用デスクトップ（モデル）スキャナーや口腔内を直接計測する口腔内スキャナーがある．

613 スキャンボディ
scan body
インプラント治療における光学印象採得の際に，インプラント体またはアバットメントに装着して用いるパーツ．口腔内スキャナーや技工用デスクトップ（モ

デル）スキャナーによってスキャンボディと歯列をスキャンすることによって，インプラントの三次元的位置関係を画像データとして記録し，歯列とインプラントの位置関係を画像構築することができる．印象材を用いる従来法においては印象用コーピングに相当する．

614 スクリュー固定式 ―こていしき
screw retainning system
インプラント治療における歯冠補綴装置（上部構造）のアバットメントまたはインプラント体への連結方法の1つ．上部構造にスクリュー開口部（アクセスホール）を設け，スクリューを用いて，上部構造をアバットメントに固定する．補綴装置への損傷を最小限にしながら，必要に応じてその着脱ができる術者可撤式の代表例とされる．
→「セメント固定式」参照

615 スタディモデル→「研究用模型」参照

616 スタビリゼーションアプライアンス
occlusal device, stabilization appliance
〔同義語〕スタビリゼーションスプリント
オクルーザルアプライアンスの1つ．均等な咬合接触の付与により下顎の安静を得ることを目的として，上下顎歯列のいずれかの咬合面全体を被覆する全歯列型アプライアンス．
→「オクルーザルアプライアンス」参照

617 スタビリゼーションスプリント→「スタビリゼーションアプライアンス」参照

618 ステント
stent
1）放射線照射治療時の小線源の保持，インプラント体植立時の植立方向のガイドなどに用いられる，補助装置の総称．2）軟組織を保持・固定する装置の総称．外科処置に併用され，移植皮膚片の保持や保護に利用するもの，あるいは形成外科手術後の患部の軟組織を一定期間，定形に保つものなどがある．
→「スプリント」参照

619 ストラップ
strap
大連結子の1つで，部分床義歯の複数の構成部分を連結する帯状の金属部分．バーとプレートとの中間的な幅のものをいう．一般的にストラップの用語は，パラタルストラップとして，上顎義歯にのみ用いられる．

620 スパー
spur
部分床義歯の安定を得る目的で，支台歯間線を挟んで義歯床とは反対側の歯の舌側面に設置されるレストのような形態をした補助支台装置の1つ．小連結子により義歯床または大連結子に結合され，単独では維持力を発揮しないが，義歯の動きに抵抗して義歯を安定させる点で間接支台装置でもある．前歯舌側面に設置した場合，歯の唇側移動を起こすことがある．
→「フック」参照

621 スピーチエイド
speech aid
鼻咽腔閉鎖機能の不全による構音障害の改善を図ることを目的とした補綴装置．口蓋裂のような軟口蓋欠損部を物理的に閉塞する鼻咽腔閉鎖型（pharyngeal bulb type）と，神経麻痺による軟口蓋部の運動障害などに適用される軟口蓋挙上型（palatal lift type）とがある．後者は軟口蓋挙上装置（PLP）と呼ばれる．
→「バルブ型鼻咽腔補綴装置」参照

622 Speeの彎曲 すぴー―わんきょく
curve of Spee
下顎犬歯の尖頭と小臼歯，大臼歯の頬側咬頭頂を連ねた線を矢状面に投影した際に現れる円弧．ドイツの解剖学者Spee（1890）によって発見されたため，この名がある．彼はこの円弧が下顎頭の前縁を通り，その中心は，眼窩内涙骨上縁付近にあると考えた．

623 スプーンデンチャー
spoon denture
主に上顎前歯少数歯欠損症例に適用される，クラスプのない広い口蓋床のある暫間義歯．その外形がスプーンに似ていることに基づいた名称．

624 スプリットキャスト
split cast
基底部にくさび型の溝をもつ作業用模型．これにより作業用模型を咬合器から容易に取り外し，かつ正確に復位することができる．また，半調節性咬合器の顆路調節に利用できる．模型に溝を付ける代わりに，既製のスプリットマウンティングプレートが使われることがある．

625 スプリットバー
split bar
その長軸方向に割れ目（スリット，スプリット）を付与して，弾力性をもたせた緩圧型の大連結子．

626 スプリンティング
splinting
固定性あるいは可撤性の修復物や補綴装置によって複数歯を連結し，1つのユニットにすること．

627 スプリント
splint
本来は変位した組織あるいは可動性の硬組織を一定期間，適切な位置に固定する装置の総称．軟組織を対象とするステントに対応する用語．
1）骨折により転位したり不安定となった部位を整復し，固定する装置．
2）動揺歯の連結固定装置．
3）顎関節症の治療などに用いられ，下顎を適切な位置に誘導する，いわゆるオクルーザルアプライアンス．

628 スリークォータークラウン→「3/4冠」参照

629 3Dスキャナー→「スキャナー」参照

630 3Dデジタイザー→「スキャナー」参照

631 3Dプリンタ すりーでぃ――
3D printer
設計データ（STLデータ）をもとにしてスライスされた二次元の層を，1枚ずつ積み重ねていく積層造形法によって立体モデルを製作する装置．液状の樹脂を紫外線レーザーで硬化させていく方式や，熱可塑性樹脂をノズルから押し出して積み上げていく方式などがある．
→「STL」参照

632 スリーブ
sleeve
バーアタッチメントの構成要素の1つ．マトリックスの部分，あるいはそれに付与されるさや状，またはレール状の構造物．なお，スライド型アタッチメントのマトリックス部分を意味することもある．

633 すれ違い咬合 ―ちが―こうごう
non-vertical stop occlusion
上下顎に残存歯があるにもかかわらず，咬頭嵌合位を失っている咬合（尾花甚一, 1952). 上下顎の残存歯が左右的にすれ違って存在する場合と, 前後的にすれ違って存在する場合があり, それぞれ左右の臼歯群のすれ違い咬合と, 前歯群と臼歯群のすれ違い咬合が典型的である. 残存歯と対向する顎堤の骨吸収が大きく, 咬合平面の設定が困難で, 義歯の設計が難しい.

せ

634 **生活不活発病**→「廃用症候群」参照

635 **正中線** せいちゅうせん

median line

生体 (物) を左右に分割する中心線.

636 **正中面** せいちゅうめん

median plane

生体 (物) を縦断して左右に 2 等分する, 正中線を含んだ仮想平面.

637 **生物学的幅径**

せいぶつがくてきふくけい

biologic width, supracrestal tissue attachment

健康な歯周組織の維持に必要とされる歯肉溝底部から歯槽骨頂部までの歯肉の付着の幅. 上皮性付着 (約 0.97 mm) と結合組織性付着 (約 1.07 mm) の幅からなる. 一般に, 歯冠補綴装置のマージンを歯肉縁下に設定する際, フィニッシュラインの位置は, 生物学的幅径が遵守されなければならない. 生物学的幅径を損傷する位置に歯冠補綴装置のマージンを設定すると炎症が惹起され, それは生物学的幅径が改善されない限り消退しないとされている.

638 **精密印象** せいみついんしょう

precise impression

〔同義語〕最終印象

補綴装置を製作する目的で採得する, 寸法精度や表面精度などに優れた印象.

639 **積層一回印象**→「二重同時印象」参照

640 **舌圧痕** ぜつあっこん

indentation of tongue

舌尖から舌側縁にみられる歯列の圧痕. 舌習癖やクレンチングによって生じるといわれる.

641 **石膏コア** せっこうー

plaster core, plaster index

支台歯形成や補綴装置製作時に, 支台歯や人工歯の形態, 排列状態, 位置関係などを保存するために, それらを石膏で記録したもの.

642 **切歯指導釘** せっししどうてい

incisal guide pin, anterior guide pin

〔同義語〕インサイザルピン

咬合器上弓の最前方部に取り付け, 顎間距離を保持し, 切歯指導板の誘導に対応して矢状および側方切歯路を再現するためのピン.

643 **切歯指導板** せっししどうばん

incisal guide table, anterior guide table

〔同義語〕インサイザルテーブル

咬合器下弓の最前方部に取り付け, 切歯指導釘を誘導し, 顎間距離の保持ならびに矢状および側方切歯路を再現するためのテーブル. 金属製とプラスチック製とがある.

644 **切歯点** せっしてん

incisal point

下顎左右側中切歯の近心隅角間の中点. 咬合平面の基準点や顎運動の測定点として用いられる.

645 摂食嚥下 せっしょくえんげ
eating and swallowing

食物を認知してから胃に送り込むまでの一連の動作．随意運動と反射運動が複雑に組み合わされ，多くの臓器や器官が機能して営まれる．食物を認知してから口腔内に取り込む先行期（認知期），食物を口腔へ取り込んでから咀嚼によって食塊を形成する準備期（咀嚼期），食塊を搾送運動により咽頭へ送り込む口腔期，食塊を嚥下反射により食道へと送り込む咽頭期，食塊を蠕動運動により食道を通過して胃へと送り込む食道期の5期に分けられる．特に嚥下については，口腔期，咽頭期，食道期を指して嚥下の3期ともいう．「期」はそれぞれの時期に働く組織活動を基準として区別される用語であり，口腔相，咽頭相，食道相などの「相」は食塊の動きを基準として使用される．

→「摂食嚥下障害」，「嚥下障害」参照

646 摂食嚥下障害
せっしょくえんげしょうがい
dysphagia，eating problem

摂食嚥下に関連する器官や神経の機能障害により食べる能力が低下した状態，あるいはそれを表す病名．成人あるいは高齢者の摂食嚥下障害は，獲得された摂食嚥下機能が何らかの原因により失われ，減退することにより生じる．評価・検査方法には，特殊な機器を用いないスクリーニング検査と，機器を用いた精密検査がある．

→「嚥下障害」参照

検査方法→「嚥下造影検査」，「嚥下内視鏡検査」，「改訂水飲みテスト」，「反復唾液嚥下テスト」参照

647 摂食嚥下リハビリテーション
せっしょくえんげ―
dysphagia rehabilitation

摂食嚥下障害がある人を元の状態あるいは日常支障のない状態に近づける医療行為．医師，歯科医師，言語聴覚士，理学療法士，作業療法士，栄養士，看護師，歯科衛生士，保健師などの多職種連携が必要になる．実際には，機能障害と能力低下を評価し，それぞれへの介入を行い再評価を繰り返す．

→「嚥下障害」，「摂食嚥下」，「摂食嚥下障害」参照

歯科的対応のための補綴装置→「嚥下補助装置」，「スピーチエイド」，「舌接触補助床」，「軟口蓋挙上装置」参照

648 摂食訓練 せっしょくくんれん
dysphagia training

摂食嚥下障害に対して行われる経口摂取のための訓練．摂食機能療法で行われる摂食訓練（経口摂取訓練）は，食物を用いる直接訓練と用いない間接訓練に分類される．直接訓練には，複数回嚥下や交互嚥下，姿勢調整や食形態調整など，嚥下法の工夫や代償法が含まれる．間接訓練はいわゆる基礎訓練であり，リラクセーション，反射の賦活，筋力増強，パターンの再獲得などを目的とした訓練などがある．

649 接触点 せっしょくてん
contact point，contact area

〔同義語〕コンタクトポイント

1）隣接する歯が互いに点状あるいは小面状に接触している部位．正常歯列においては，上下的には前歯部で歯冠切縁から1/5～1/4，臼歯部では歯冠咬合面から1/3の位置，また頬舌的には前歯部で中央かやや舌側寄り，臼歯部で中央からやや頬側寄りの位置に存在する．

2）咬合時に対合する歯が互いに点状あ

るいは小面状に接触する部位.

650 **切歯路** せっしろ
incisal path
顎運動時に切歯点あるいは切歯部の前方に設定した標点が示す運動経路. 特に滑走運動時の運動経路をいう. 顆路とともに顎運動の重要な要素であり, 種々の顎運動に対応してさまざまな経路をとる.

651 **切歯路調節機構**
せっしろちょうせつきこう
adjustable anterior guidance
平均値咬合器や調節性咬合器において, 切歯指導釘と切歯指導板より構成され, 切歯路を再現あるいは設定するための機構.

652 **舌接触補助床**
ぜつせっしょくほじょしょう
palatal augmentation prosthesis (PAP)
義歯あるいは口蓋床の口蓋部を肥厚させ, 舌の口蓋への接触を与え, 咀嚼, 発音, 嚥下などの口腔機能改善を図るための補綴装置.

653 **切端咬合** せったんこうごう
edge-to-edge occlusion
咬頭嵌合位において, 上下顎の前歯が切縁どうしで接触する咬合様式.

654 **切端咬合位** せったんこうごうい
edge-to-edge occlusal position
前方咬合位の1つで, 上下顎中切歯の切縁と切縁とが接触する咬合位.

655 **接着［修復物の］**
せっちゃく［しゅうふくぶつ―］
bonding［of restoration］, adhesion
修復物を接着性材料で支台歯に結合すること. 従来の, セメントの嵌合効力を応用して結合する合着に対応する語. 適切な接着性材料を用いることによって, 象牙質とエナメル質では樹脂含浸層とレジンタグによる微小機械的結合, 金属, セラミックス, コンポジットレジンなどでは水素結合, シロキサン結合, 分子間引力などの結合力によって接着するといわれている. 代表的な接着性材料として接着性セメントがある.

656 **接着性セメント→**「接着」参照

657 **接着ブリッジ** せっちゃく―
resin-bonded prosthesis
1～2歯程度の少数歯欠損において, 支台歯の歯質削除を可能な限り少なくして製作されたフレームワークを, 接着性材料によって装着するブリッジ. 支台歯の一方が通常のインレーやクラウンの場合には, コンビネーションタイプの接着ブリッジという.

658 **舌面形成** ぜつめんけいせい
preparation of lingual wall
前歯の支台歯舌側面を支台歯形態に応じて切削形成すること.

659 **セメント固定式** ―こていしき
cement retainning system
歯冠補綴装置のアバットメントへの連結方法の1つ. セメント合着と仮着に区分される. 一般的な歯科治療の技法を流用できることから, インプラント治療においても多用されている. 歯冠補綴装置の連結が確実な場合は, スクリュー固定式に比較して精度に関しては寛容で, 骨縁への応力集中は少ない. 反面, 撤去を要する場合には, 歯冠補綴装置の破壊が不可避となる(セメント合着の場合). 歯冠補綴装置の術者可撤を可能とするため, 仮着セメントを用いることもある.
→「スクリュー固定式」参照

660 **セラモメタルクラウン→**「陶材焼付

冠」参照

661 **全運動軸**　ぜんうんどうじく

kinematic axis

矢状面内のすべての顎運動に対応する回転軸．河野正司（1968）は，下顎の矢状面内運動に対応して，その運動範囲の上下的な幅が最小となる帯状の点が下顎頭上にあることを発見し，左右のこの点を結ぶ軸を全運動軸と名付けた．

662 **線鉤**　せんこう

wrought wire clasp，wire clasp

〔同義語〕ワイヤークラスプ

既製の金属線を屈曲・適合して製作されたクラスプ．

663 **前後調節彎曲**→「調節彎曲」参照

664 **前後的歯牙彎曲**→「前後的歯列彎曲」参照

665 **前後的歯列彎曲**

ぜんごてきしれつわんきょく

anteroposterior curve

〔同義語〕前後的歯牙彎曲

上顎あるいは下顎の前歯切縁と臼歯咬合面を連ねてできる面を矢状面に投影したときに観察される前後的な彎曲．下顎については，特にSpeeの彎曲という．

666 **前装冠**　ぜんそうかん

facing crown

審美性を重視し，鋳造，切削加工などにより製作した金属冠の外観に触れる部分に歯冠色の前装用材料を適用したクラウン．前装部に陶材やレジンが用いられる．

667 **栓塞部**　せんそくぶ

obturator prosthesis

上下顎の穿孔部あるいは欠損部を栓塞する部分．顎義歯などに設置される．

→「中空型栓塞部」，「天蓋開放型栓塞部」参照

668 **選択削合**　せんたくさくごう

selective grinding

自動削合の前段階として咬合の修正，調整を行うもので，咬合紙により印記された調整部位を，ダイヤモンドポイントやカーボランダムポイントなどを用いて，部分的に削除する方法．中心咬合位，偏心咬合位において，均等な咬合接触が得られるように削合する．

669 **選択的加圧印象**

せんたくてきかあついんしょう

selective pressure impression

スペーサーの厚さや遁路の数，大きさなどを変化させ，顎堤粘膜に加わる圧力をそれぞれの部位の圧負担能力に応じて調整して採得する印象．これにより，義歯の適正な粘膜負担を得ることができるとされている．

670 **剪断咬頭**→「非機能咬頭」参照

671 **全調節性咬合器**

ぜんちょうせつせいこうごうき

fully adjustable articulator

調節性咬合器のうち，両側の矢状顆路傾斜および非作業側の側方顆路の調節機構に加え，運動量の小さい作業側の側方顆路および側方顆路傾斜角の調節機構をも備えて，それぞれの顆路を生体と同じ曲線によって再現できる咬合器．Denar SE articulator，Stuart articulator，TMJ articulatorなどがある．

672 **前頭面**　ぜんとうめん

frontal plane

正中線に平行で矢状面に直行し，生体を前後に分割するすべての平面．頭蓋の前面部がこの面とほぼ平行になることに因んだ名称．

673 **セントラルベアリングスクリュー**

central bearing point，central

bearing screw

口外法ゴシックアーチ描記装置，パントグラフのクラッチ，チューイン法の口腔内記録装置などの中央部に取り付けられ，支柱となるネジ．先頭部が半球状のネジであるため，高径の調節や円滑な顎運動が行える．

674 セントラルベアリングトレーシング

central bearing tracing

ゴシックアーチトレーサーなどのセントラルベアリングデバイスを用いて水平描記板上に描かれる図形．

675 セントラルベアリングトレーシングデバイス

central bearing tracing device

上下顎歯列の間でセントラルポイントの位置を規定する装置（Gysi, 1910）．一方の歯列に取り付けた描記針と，他方の歯列に取り付けた描記板から構成される．顎間記録，もしくは不適切な咬合接触の修正の際に，咬合力を均一化してセントラルベアリングスクリューがセントラルベアリングプレート上で接触滑走することで，描記板上に下顎運動軌跡を記録するために用いる．

676 セントラルベアリングプレート

central bearing plate

セントラルベアリングスクリューが接触，滑走する板．

677 セントリックストップ

centric stop

咬頭頂と窩の接触関係により，対向した歯列間の咬合高径が維持されること．

678 全部金属冠 ぜんぶきんぞくかん

complete metal crown

〔同義語〕フルメタルクラウン

金合金，金銀パラジウム合金，チタンなどの金属材料を素材とし，鋳造あるいはCAD/CAMにより製作される全部被覆冠．鋳造で製作するクラウンは全部鋳造冠といわれ，適合性，形態再現性，強度に優れる．

679 全部床義歯 ぜんぶしょうぎし

complete denture, full denture

〔同義語〕総義歯

上顎または下顎のすべての歯を喪失した症例に対して，これを補綴する目的で適用される有床義歯．義歯に加わる咬合圧の負担様式による分類では，粘膜負担義歯に相当する．基本的に人工歯と義歯床から構成される．

680 全部床義歯補綴学

ぜんぶしょうぎしほてつがく

complete denture prosthodontics

〔同義語〕総義歯補綴学

歯科補綴学の一分科で，片顎または上下両顎のすべての歯を喪失した症例に対し，全部床義歯によって修復・整形し，損なわれた口腔と関連組織の形態と機能および外観を回復させるとともに，患者の健康の維持・増進を図るために必要な理論と技術を考究する学問．

681 全部被覆冠 ぜんぶひふくかん

artificial crown, complete crown, full veneer crown, full coverage crown

歯冠部全体を人工物で被覆した歯冠補綴装置．金属冠，前装冠，ジャケットクラウンなどがある．

682 前方位［下顎の］

ぜんぽうい［かがく—］

protrusive position［of mandible］

下顎を中心位から前方に移動したときのすべての顎位．

683 前方運動［下顎の］

ぜんぽううんどう［かがく—］

protrusive movement［of mandible］

下顎の前方への運動．通常，下顎が中心位から前方へ向かって接触滑走することをいう．

684 **前方基準点**　ぜんぽうきじゅんてん

anterior reference point

2つの後方基準点とともに，水平基準面を設定するための顔面上の点．一般に眼窩下点，鼻翼下縁，鼻下点などが用いられる．

685 **前方咬合位**　ぜんぽうこうごうい

protrusive occlusal position

咬頭嵌合位から上下顎の歯を接触させた状態で，下顎を前方に滑走運動させたときのすべての咬合位．

686 **前方咬合小面**

ぜんぽうこうごうしょうめん

occlusal facet of protrusion

Gysi の軸学説および咬合小面学説に従って，フルバランストオクルージョンを付与する目的で人工歯咬合面に形成する咬合小面の1つ．前方および側方の滑走運動で接触する面であり，上下顎前歯の切縁と下顎臼歯の頰舌側咬頭の前方斜面，上顎臼歯の後方斜面に発現する．

687 **前方誘導（指導）**→「アンテリアガイダンス」参照

そ

688 **早期加重**→「早期荷重」参照

689 **早期荷重**　そうきかじゅう

early loading

〔同義語〕早期負荷，早期加重，アーリーローディング

インプラント体埋入後，48時間から3か月以内にインプラント体へ機能的な荷重を加えること．また，その荷重を指すこともある．荷重を加える作業に関しては早期加重という．

690 **総義歯**→「全部床義歯」参照

691 **総義歯補綴学**→「全部床義歯補綴学」参照

692 **早期接触**　そうきせっしょく

deflective occlusal contact, occlusal prematurity, premature contact

咬合干渉の1つで，閉口時に，安定した上下顎の咬合接触状態が得られる前に一部の歯だけが咬合接触する状態．

693 **早期負荷**→「早期荷重」参照

694 **装具**　そうぐ

orthotic device

けがや病気による四肢・体幹の機能障害の軽減を目的として使用する器具．疼痛，損傷，変形を生じる力や治癒の妨げになる応力を防御したり，筋力低下や麻痺，痙性がある筋を補助したり，変形を矯正するために用いる．けがや病気の治療を目的とする治療用装具と，後遺症により失われた機能を代償する更生用装具では，取り扱う制度が異なる．

695 **双子鉤**　そうしこう

double Akers clasp

レスト付き二腕鉤を鉤体部で背中合わせに結合し，2本の支台歯に設置する形態のクラスプ．各々2個の鉤腕が辺縁隆線から咬合面側鼓形空隙にかけて設置されることからエンブレジャークラスプ（embrasure clasp）とも呼ばれる．維持力の増強と支台歯の二次固定効果があり，直接および間接支台装置として用いられる．

696 **相補下顎位**　そうほかがくい

complementary mandibular

position

下顎を基準とした場合の顎位．数学的には互いに独立な6個のパラメータで完全に定義できる．下顎の歯のワックスアップなどにおいて，咬頭嵌合位での咬合接触の付与に続いて偏心位での接触状態や咬合面間の離開量を適切に与えようとするとき，偏心位で上顎の各咬頭や溝がどの位置にあるかを立体的に考慮しなければならない．このように下顎に対する上顎の立体的位置関係を問題にするときに相補下顎位の概念が必要となる．

697 相補下顎運動
そうほかがくうんどう
complementary mandibular movement

下顎を基準としてみた場合の顎運動．下顎に描記板を設置して描記したゴシックアーチやコンダイラー型咬合器の動き，下顎咬合面に印記したFGP記録などは，下顎に対して上顎がどのように運動するかという情報である．顎運動は6自由度運動であるため，下顎運動と相補下顎運動は運動方向が逆になるだけという単純なものではない．例えば限界運動野が最も収束する点は，下顎運動では下顎頭の中央部付近であるのに対し，相補下顎運動では関節隆起中央付近となる．

698 即時加重→「即時荷重」参照

699 即時荷重 そくじかじゅう
immediate loading
〔同義語〕即時負荷，即時加重，イミディエートローディング

インプラント体埋入後48時間以内に，インプラント体へ機能的もしくは非機能的な荷重を加えること．また，その荷重を指すこともある．即時荷重を加えられたインプラント体がオッセオインテグレーションを獲得するためには，インプラント体の微小動揺（micromovement）を150 μm以下に抑えることが必要とされている．荷重を加える作業に関しては即時加重という．

700 即時義歯 そくじぎし
immediate denture

抜歯前に予定部位を調整した模型上で製作し，抜歯後直ちに装着される義歯．

701 即時暫間修復
そくじざんかんしゅうふく
immediate provisional restoration
〔同義語〕即時暫間補綴

インプラント体を埋入直後，あるいは48時間以内に，インプラント体を支台として暫間上部構造を装着する術式．最終上部構造を支持させるインプラント体に即時暫間修復を行う術式が一般的であるが，即時暫間修復専用のインプラント体を別に埋入し，治癒期間のみ暫間修復を行う術式も行われている．

702 即時暫間補綴→「即時暫間修復」参照

703 即時負荷→「即時荷重」参照

704 測色法［歯冠色の］
そくしょくほう［しかんしょく―］
method of color measurement［of tooth color］

歯冠色色調選択の方法の1つ．シェードガイドや色見本を用いて術者の目により判断する視感比色法と，光電色彩計（刺激値直読方式）や分光測色計などを用いる器械測色法とがある．

705 側方位［下顎の］
そくほうい［かがく―］
lateral position［of mandible］

下顎を中心位から右側方あるいは左側方に移動したときのすべての顎位．

706 側方運動［下顎の］ そくほううんどう［かがく―］
lateral mandibular movement, mandibular lateral translation
下顎の側方への平行運動．通常，咬頭嵌合位あるいは下顎後退接触位から側方へ接触滑走することをいう．

707 側方顆路 そくほうかろ
lateral condylar path
下顎側方運動時の顎関節窩内での作業側，非作業側の下顎頭の運動経路．

708 側方顆路角 そくほうかろかく
angle of lateral condylar path
〔同義語〕Bennett 角
下顎側方運動時に水平面投影した非作業側下顎頭の運動経路が正中矢状面となす角度．

709 側貌記録 そくぼうきろく
profile, profile record
額，鼻背，鼻尖，上下口唇，オトガイ部などから構成される側貌の外形についての記録．以前は有歯顎時にヒューズ線や紙型などで製作しておき，無歯顎時に咬合高径の参考にしたが，近年はデジタルカメラによる撮像を用いる．

710 側方咬合位 そくほうこうごうい
lateral occlusal position
咬頭嵌合位から上下顎の歯を接触させた状態で，下顎を右側あるいは左側へ滑走運動させたときのすべての咬合位．

711 側方咬合彎曲
lateral occlusal curve
→「Wilson の彎曲」参照

712 側方歯牙彎曲→「Wilson の彎曲」参照

713 側方歯列彎曲→「Wilson の彎曲」参照

714 側方切歯路 そくほうせっしろ
lateral incisal path
側方滑走運動時の切歯点が示す運動経路．これを水平面に投影して得られた図形はゴシックアーチと呼ばれる．

715 側方切歯路角
そくほうせっしろかく
angle of lateral incisal path
側方滑走運動時の切歯点あるいは切歯部前方に設けた点が示す側方切歯路を水平面投影したときに，左側と右側の運動経路がなす角度．特に水平面に描記した後方側方滑走運動路がなす角度はゴシックアーチの展開角として知られる．

716 側方調節彎曲→「調節彎曲」参照

717 側方彎曲基準板
そくほうわんきょくきじゅんばん
orientation plate for compensating curve
半径 4 インチの球面をもつ彎曲板．咬合平面の分析や，補綴処置時に咬合彎曲を形成，付与するために用いる．これは，Monson 球面説が顎運動のガイドとしては否定されながらも，形態学的には有歯顎の咬合彎曲を基準として考えていることによる．

718 咀嚼 そしゃく
mastication
食物を摂取して粉砕し，唾液と混和し，食塊を形成するための嚥下と消化の一過程．

719 咀嚼圧 そしゃくあつ
masticatory pressure
咀嚼時に，天然歯あるいは人工歯の咬合面部に発現する単位面積あたりの力．

720 咀嚼運動 そしゃくうんどう
masticatory movements
咀嚼時の顎運動．食物摂取に際して，

嚥下の前に食物をかみ切る（咬断），かみくだく（粉砕），すりつぶす（臼磨）などの動作が含まれる．

721 咀嚼運動路 そしゃくうんどうろ
path of masticatory movement

咀嚼時の顎運動経路．食品の性状，形状，硬さによって左右されるが，同一個人における同一食品の咀嚼時にはほぼ一定した経路を示す．これは，開口相，閉口相，咬合相からなり，切歯点がまず作業側へやや偏位し，直線的な開口（第1相）に続いてさらに外方へ偏位し（第2相），そこから咬頭嵌合位に向かって斜めに閉口していく経路(第3相)をとり，結果としてその経路は作業側に偏った不整紡錘型となる．なお，直接，咬頭嵌合位に戻るのではなく，側方位で咬合接触が生じ，接触滑走（第4相）が起こるとの説や，閉口後に咬頭嵌合位からさらに反対側への接触滑走（第5相）が生ずるとの説もある．

722 咀嚼機能検査
そしゃくきのうけんさ
test for chewing ability

咀嚼能力を測定して判定する機能検査．咀嚼機能を直接判定する直接的検査法と，咀嚼に関与する他の要素により間接的に測定する方法に大別される．

直接的検査法には，主観的評価方法と客観的評価方法とがある．主観的評価方法は，咀嚼能率判定表により評価する．客観的評価方法は，咀嚼試料の粉砕の状態を客観的数値として表す方法で，ピーナッツや米のほか，色変わりチューインガム，パラフィンワックスや検査用グミゼリーなどを用いる．特に検査用グミゼリーを用いる方法は，グミゼリー20秒間咀嚼時のグルコースの溶出量を血糖測定器で測定する方法で，短時間で簡便にチェアサイドで咀嚼機能の評価が行える．

間接的検査法は，顎運動，筋活動，咬合接触状態，そして咬合力などにより咀嚼能力を評価，判定する．

723 咀嚼効率→「咀嚼能率」参照

724 咀嚼サイクル
chewing cycle
→「咀嚼周期」参照

725 咀嚼周期 そしゃくしゅうき
masticating cycle
〔同義語〕咀嚼サイクル

開口相，閉口相，咬合相の3相からなる一連の咀嚼運動．

726 咀嚼障害 そしゃくしょうがい
dysmasesis，masticatory disturbance

歯数の不足，歯根膜疾患，不正咬合，齲蝕，歯肉炎，歯周炎，口内炎，咀嚼習慣，舌の病変・実質欠損・運動障害，咀嚼筋・顎関節機能異常などにより，咀嚼の機能が減退した状態，あるいはそれを表す病名．不良補綴装置もその原因になりうる．

727 咀嚼側 そしゃくそく
masticatory side

上下顎歯列間に食物を挿入して咀嚼する側．咀嚼側は食物を咀嚼する側として規定される．

728 咀嚼能率 そしゃくのうりつ
masticatory efficiency
〔同義語〕咀嚼効率

咀嚼能力を判定する指標．物理的，生化学的に基準とされる食物粉砕度を得るために必要な能力．

729 咀嚼能率測定
そしゃくのうりつそくてい
masticatory performance,

determination of masticatory efficiency

咀嚼能率を求めるための測定．規格化された咀嚼試験条件で得られる食物粉砕度の測定．

730 **咀嚼能力** そしゃくのうりょく

ability of mastication

顎口腔系が食物を切断・破砕・粉砕し，唾液との混和を行いながら食塊を形成して，嚥下動作を開始するまでの一連の能力．この能力を測定あるいは検査し，評価することを「咀嚼機能検査」，「咀嚼能力検査」という．咀嚼機能・咀嚼能力の検査法としては，咀嚼試料を用いて評価する直接的検査法と，他の要素から判断する間接的検査法がある．前者には，食品の粉砕度，混合状態，内容物の溶出量や，咀嚼能率判定表（アンケート調査）によって判断する方法がある．後者には，咬合力，咬合接触面積の測定，咀嚼時の咀嚼筋活動や顎運動の分析などの方法がある．

731 **咀嚼リズム** そしゃく—

masticatory rhythm

咀嚼運動の基本的な律動．動物実験の結果では，脳幹網様体に存在するリズムジェネレータで形成されるとされる．

732 **咀嚼力** そしゃくりょく

masticatory force

咀嚼時に，顎口腔系器官・組織の働きにより咬合面間に発現する力．

733 **ソフトブローイング**→「ブローイングテスト」参照

た

734 **対咬関係**→「対合関係」参照

735 **対向関係［顎堤の］**

たいこうかんけい［がくてい—］

ridge relationship，ridge relation

上下顎の顎堤の位置関係．前頭面での対向関係と矢状面での対向関係とがあり，臼歯部人工歯の頰舌的排列位置や最後方人工臼歯の位置決定などに利用される．

736 **対合関係** たいごうかんけい

interocclusal relationship

〔同義語〕対咬関係

上下顎の歯のかみ合った状態．正常な天然歯列の咬頭嵌合位では，上顎の歯が下顎の歯を被蓋し，臼歯の機能咬頭は相対する歯の咬合面にある窩または辺縁隆線にかみ込み，1歯対2歯で緊密に咬合接触している．

737 **対抗作用**→「拮抗作用」参照

738 **対合歯** たいごうし

antagonist，dental antagonist

上下顎の歯が咬合したとき，その歯の咬合の対象となる歯．

739 **ダイコム**

digital imaging and communications in medicine（DICOM）

CT，MRI，内視鏡，超音波などの医用画像診断装置や医療情報システムなどの間でデジタル画像データや関連する診療データを通信・保存する方法を定めた国際標準規格．

740 **待時加重**→「待時荷重」参照

741 **待時荷重** たいじかじゅう

delayed loading

〔同義語〕遅延荷重，待時負荷，遅延負荷，待時加重

インプラント体を顎骨内に埋入してから，下顎で3か月間以上，上顎で6か月間以上の免荷期間（unloaded period）を置いた後に，上部構造を装着して咬合負荷を加えること．荷重を加える作業に関

しては待時加重という.

742 **待時負荷→「待時荷重」参照**

743 **ダイナミック印象** —いんしょう
dynamic impression
旧義歯あるいは最終義歯をトレーの代わりとして，長時間流動性が持続する印象材を用いて患者の日常生活における機能時の義歯床下粘膜の動態を採得する印象.

744 **ダイナミックナビゲーション**
dynamic bavigation
インプラント体埋入手術における動的誘導システム．術野の上方に設置されたカメラが，顎骨およびハンドピースに装着された標識を捕捉することによって，ドリルの先端が顎骨内のどの位置にあるのかをリアルタイムでモニター上に描出し，可視化するシステム.

745 **大連結子** だいれんけつし
major connector
連結子の1つで，離れた位置にある義歯床と義歯床，義歯床と間接支台装置などを連結する部分．上顎に用いられるものとして，パラタルバー，パラタルストラップおよびパラタルプレートがあり，下顎には，リンガルバー，リンガルプレートおよびリンガルエプロンがある.

746 **ダウエルピン**
dowel pin
歯型可撤式模型，分割復位式模型において歯型の着脱を容易にし，かつ正確に復位させるために歯型の根部に応用する既製のピン.

747 **唾液検査** だえきけんさ
saliva test
唾液を試料として用いて行う検査．歯科領域では齲蝕原性菌，歯周病関連菌の検査をはじめ，唾液の分泌量（口腔乾燥症）や緩衝能および粘性と義歯床の維持力などの検査，各種ホルモンの測定による免疫検査が行われている.

748 **タッピング**
tapping
咬合面間に食物のない状態で上下顎の歯（人工歯）を反復的にカチカチとかみ合わせること．ブラキシズムや寒冷時にも観察される．臨床的には，咬合，顎関節，筋などの検査，診断に利用される.

749 **タッピング運動** —うんどう
tapping movement
1）開口量の少ない反復的な習慣性開閉口運動．臨床的には，咬頭嵌合位の歯の接触部位や早期接触部位の検出，顎運動経路の検査，診断などに利用される.
2）ゴシックアーチ描記板上に記録される複数の点（タッピングポイント）を記録するための下顎反復小開閉口運動．この運動は歯や顎関節に依存しない運動で，水平的顎間関係の決定や下顎位の診断に用いられる.

750 **単一印象** たんいついんしょう
single impression
1種類の印象材を用いて採得する印象.
→「連合印象」参照

751 **単一式模型→「歯型固着式模型」参照**

752 **短縮歯列** たんしゅくしれつ
shortened dental arch
広義では上下顎第二大臼歯まで（28歯）の完全歯列から1つでも遊離端欠損している歯列をいい，狭義では上下顎第二小臼歯以下(20歯以下)の歯列のこと.
Käyser（1981）が提唱した，少なくとも4つの咬合ユニット（occlusal unit：OU＝小臼歯の上下ペアが1 OU，大臼歯の上下ペアを2 OUとして計算）を有した歯列は，臨床的に十分適応能力を有しているという shortened dental arch（SDA）concept に基づいており，Käyser の定義では，少なくとも片側の最後方咬合ユニットが小臼歯のペアとなる歯列としている．

基本的に短縮歯列は遊離端欠損歯列であり，中間欠損歯列とは区別される．

753 単純鉤 たんじゅんこう
single-arm clasp

支台歯の頰・唇側面に設置された 1 つの鉤腕からなる環状鉤．

754 単独歯型→「単独歯型式模型」参照

755 単独歯型式模型
たんどくしけいしきもけい
single die

〔同義語〕単独歯型

作業用模型の 1 つ．単独の歯型のみを用いる方法で，クラウンやブリッジを製作するための作業用模型としては利用価値が少ない．インレー，ピンレーなどのように，歯冠の一部形態を修復する場合で，特に咬合関係，接触関係が必要でない場合に利用可能な簡易な方法．

ち

756 チェックバイト
interocclusal record，check bite

1）対合する歯列または顎の位置的相互関係の記録

2）咬合器の顆路調節を目的に採得する，下顎の前方位あるいは側方位における顎間記録．前者を前方チェックバイト（protrusive check bite），後者を側方チェックバイト（lateral check bite）という．

757 チェックバイト法 ―ほう
check bite technique，check bite method

顆路の測定法の 1 つで，生体の顆路の出発点とその任意の一点とを結んだ直線が各基準平面となす角度を計測する方法．上下顎歯の咬合面間や咬合床の咬合堤間で，ワックス，石膏，酸化亜鉛ユージノールペーストなどの記録材を硬化させ，上下顎関係を記録する．Christensen（1905）により開発されたといわれており，半調節性咬合器の顆路調節に用いられる．

758 遅延荷重→「待時荷重」参照

759 遅延負荷→「待時荷重」参照

760 知覚異常→「感覚障害」参照

761 チャネルショルダーピン
channel shoulder pin（C. S. P.）

自家製アタッチメントの 1 つで，パトリックスをマトリックスへ誘導するチャネル（channel），マトリックスの壁に直角で樋状の辺縁をもつ支持要素としてのショルダー（shoulder），およびマトリックスからパトリックスを撤去するときの摩擦抵抗要素としてのピン（pin）から構成される．Steiger（1959）により紹介された．

762 チューイン法 ―ほう
chew-in technique

顎運動の口内記録法の 1 つで，上下顎のいずれか一方に設置したレジンなどの記録媒体を，対合歯または対顎に設置した描記針によって彫り込んで，下顎を自由に運動させたときの三次元的な顎運動経路を記録する方法．この記録をもとに TMJ 咬合器の関節部に顎運動の誘導面を形成する．Luce（1911）により開発されたものが原法である．

763 中間義歯 ちゅうかんぎし
bounded saddle denture，tooth

borne denture

残存歯と欠損部の位置関係により分類された部分床義歯で，欠損部の近遠心の両側に残存歯が存在する欠損様式に適用されるもの．遊離端義歯に対する用語であり，片側性に欠損部が存在し，かつ欠損部の近遠心側に残存歯が存在する欠損様式に適用される片側性中間義歯（unilateral bounded saddle denture）と，両側にわたって欠損部が存在し，かつ欠損部の近遠心両側に残存歯が存在する欠損様式に適用される両側性中間義歯（bilateral bounded saddle denture）とに分類される．

764 中間欠損 ちゅうかんけっそん

intermediary defect

歯列の部分欠損症例において，欠損部の近遠心側のいずれにも歯が存在するもの．

765 中間構造（体）［インプラントの］

ちゅうかんこうぞう（たい）

mesostructure［of implant prosthesis］

インプラント体やアバットメントとその上部構造（クラウン，義歯）を連結する構成要素．インプラント体上に中間構造体を固定し，その中間構造体にセメント，ホリゾンタルスクリュー，アタッチメントなどで固定性あるいは可撤性上部構造が支持または維持される．中間構造体によりインプラント体埋入方向の改善ならびに咬合面からのアクセスホールの排除が達成できるため，歯冠や咬合面形態の製作自由度を高くすることができ，審美的，機能的に有利な場合がある．広義ではアバットメントともとらえることができる．

→「下部構造（体）」，「上部構造（体）」参照

766 中空型栓塞部

ちゅうくうがたせんそくぶ

hollow obturator

顎義歯の軽量化のために，中空にした栓塞部．

→「栓塞部」，「天蓋開放型栓塞部」参照

767 中心位 ちゅうしんい

centric relation

歯の接触とは無関係で，下顎頭が関節結節の後方斜面と対向し，関節窩内の前上方の位置にあるときの上下顎の位置的関係．この位置では，下顎の運動は純粋な回転運動を営む．この生理的な上下顎の位置から，患者は垂直方向，側方または前方運動を自由に行うことができる．臨床的に有用で，再現性の高い基準的な位置である（GPT-9）．

※中心位の定義は，時代を追うごとに変化してきたため，GPT-8では，この定義を単一化することが難しく，7つの定義を併用するという形をとっていた．GPT-9では，7つの定義の併記をやめ，中心位の臨床応用に主眼を置き単一の定義としている．特筆すべきは，関節円板に対する記載がなくなっていることである．

768 中心咬合位 ちゅうしんこうごうい

centric occlusion

下顎が中心位で咬合したときの対向する歯列の咬合位．これは，咬頭嵌合位と一致する場合もある．前項のごとく，中心位の定義が不明確のため，本項の意味も多様となる．

769 鋳造鉤 ちゅうぞうこう

cast clasp

鋳造法により製作されたクラスプ．

770 鋳造床　ちゅうぞうしょう
cast plate
金属床の1つで，ロストワックス法によって製作される義歯床の金属部分．

771 鋳造バー　ちゅうぞう―
cast bar
鋳造法により製作されたバー．

772 チューブ陶歯　―とうし
tube teeth
人工歯の基底面から歯冠方向へ垂直に貫通する維持孔を有する陶歯．維持孔へ嵌合するように製作したピンに合着することで金属床義歯やブリッジの人工歯として使用したが，近年は使用されていない．

773 調音検査→「構音検査」参照

774 超高齢社会　ちょうこうれいしゃかい
super-aged society
高齢化率（65歳以上の人口が総人口に占める割合）が21%以上の社会．
→「高齢化社会」，「高齢社会」参照

775 聴診法　ちょうしんほう
auscultation，stethoscopy
生体の各部で産生される音を聴診する検査．補綴領域では，顎関節症の関節雑音を聴診したり，咬合接触するときの咬合音を骨伝導音として聴診することによって早期接触などの咬合異常を診断する方法もあり，骨伝導音を電気的に分析する装置が開発され臨床に用いられたこともある．摂食嚥下リハビリテーションの領域では嚥下障害の判定のために嚥下時に頸部で産生される音を聴診する検査が行われており，嚥下障害のスクリーニング法として有効とされている．
→「咬合音検査」参照

776 調節性咬合器
ちょうせつせいこうごうき
adjustable articulator
解剖学的咬合器のうち，顎運動を再現する要素としての顆路および切歯路の再現機構を備えた咬合器．矢状面内と水平面内の特定の範囲内で調節ができる．半調節性咬合器と全調節性咬合器とに分類される．

777 調節彎曲　ちょうせつわんきょく
compensation curve
全部床義歯の臼歯部人工歯排列において，Christensen現象の発現を補償するとともに，偏心位における咬合接触により咬合平衡を保持する目的で人工歯列に付与する咬合彎曲．矢状面における前後調節彎曲と，前頭面における側方調節彎曲とがある．

778 蝶番運動　ちょうばんうんどう
hinge movement
左右の下顎頭が下顎窩内で滑走運動を伴わないで，純粋な回転のみを行う運動．一般的に下顎が後退し，開口量が0～25 mmの範囲で開閉口運動を行うときに観察される．

779 蝶番咬合器　ちょうばんこうごうき
hinge articulator
〔同義語〕平線咬合器
上下顎フレームが単純な蝶番によって連結され，開閉運動のみを行える咬合器．咬頭嵌合位の再現だけが可能である．文献上に現われる最初の咬合器（Gariot咬合器；1805）として知られる．

780 蝶番軸　ちょうばんじく
hinge axis，transverse horizontal axis
左右側の下顎頭が滑走運動を伴わないで純粋に回転したとき，左右の下顎頭の回転中心を線で結んだ軸．

781 蝶番点 ちょうばんてん
hinge axis point
下顎に存在する蝶番軸を左右の皮膚上に示した点．頭蓋の水平基準面を設定するために，前方基準点とともに用いられる後方基準点．咬合器への模型および顎運動をトランスファーする際に用いられる．

782 直接維持装置→「直接支台装置」参照

783 直接支台装置
ちょくせつしだいそうち
direct retainer
〔同義語〕直接維持装置
部分床義歯の支台装置で，欠損部に隣接する歯に設定されるもの．

784 治療用義歯 ちりょうようぎし
treatment denture
最終義歯の製作に先立ち，咬合および床下粘膜治療などを目的として装着される暫間的な義歯．
→「暫間義歯」参照

つ

785 追跡管理→「トレーサビリティ」参照

786 ツインステージ咬合器
一こうごうき
twin-stage articulator
2種類の歯列模型を用いたり2組の調節条件を用いて，ツインステージ（2段階）方式で操作することにより，特定の理念に基づいた咬合様式を具現化することを目的とした咬合器．前者にはHanau Twin-Stage OccluderおよびVerticulater（Jelenko）などがあり，一般にFGPテクニックに利用される．また，後者にはTwin Hoby articulator（保母須弥也）などがある．

て

787 低位咬合 ていいこうごう
infraocclusion
1）一部の歯あるいは人工歯の咬合面が正常な咬合平面まで達しておらず，咬合接触がない不正咬合．
2）咬頭嵌合位が適正な咬合高径よりも低い位置にある咬合状態．

788 T字クラスプ→「Elbrecht クラスプ」参照

789 ディギャッシング
degassing
陶材焼付冠の製作の際，陶材を築盛する前に金属表面の酸化膜形成，異物除去，鋳造歪みの解放，水素ガスの除去などの目的で行う熱処理．この酸化膜を金属表面に形成することで，陶材と化学的に結合し，強固な陶材焼付強度を得ることができる．

790 ディスクルージョン→「臼歯離開咬合」参照

791 ティッシュコンディショナー
tissue conditioner
義歯床粘膜面に使用され，異常な形態，性状を呈する義歯床下粘膜を健康な状態に回復させるために用いられるアクリル系の材料．この材料を用いて，有床義歯製作時の前処置として，ティッシュコンディショニング(粘膜調整)を行う．この材料は，暫間的なリライン材として用いられることもある．

792 ティッシュストップ
tissue stop
鉤脚やフレームワークの維持格子など

の後方部分に設置され，模型粘膜面と接する小突起．製作した支台装置やフレームワークを模型に復位させることを容易にし，レジン塡入時にそれらの位置の移動を防止する．

793 **ティナージョイント**
tinner's joint

箔や板金の端を折り曲げ，嵌合させて作る接合法．錫（Tin）細工の成型法として錫職人（tinner）が用いる技法であったことからこの名称が付いた．歯科ではポーセレンジャケットクラウン製作時のマトリックス箔の接合などに用いられる．

794 **Davis クラウン**　でいびすー
Davis crown

Davis（1911）が提案したポストクラウン．基底部に維持孔を有する Davis 陶歯をポストにセメント合着して製作する．原法では陶歯が歯の根面と接する構造であったが，後に鋳造法が採用されて適合が向上した．歯冠部のほとんどの部分が陶材のため審美性に優れる．

795 **テーパー**
taper

〔同義語〕軸面傾斜角

対向する軸面のなす角度．歯冠補綴装置の基本的な保持力はテーパーが平行に近いほど大きい．臨床的には形成操作や適合性およびセメント合着などの観点から，長軸に対して2°～5°が推奨されている．

796 **適合検査材**→「プレッシャー・インディケイティング・ペースト」参照

797 **適合試験**　てきごうしけん
fitness test

静的あるいは動的な状態下での，補綴装置と口腔内諸組織との適合状態を検査すること．適合状態は，通常，白色のシリコーンゴムやペーストなどのプレッシャー・インディケイティング・ペーストの被膜厚さにより判断される．

798 **適合試験材**→「プレッシャー・インディケイティング・ペースト」参照

799 **デジタルインプレッション**→「光学印象採得」参照

800 **デジタルデンチャー**
digital denture，digitally fabricated denture

〔同義語〕CAD/CAM デンチャー

従来の製作法に代わりコンピューター支援により設計，製作された有床義歯．

801 **Duchange の指数**
でゅしゃんじゅーしすう
Duchange's index

ブリッジの設計において，抵抗性の良否の判定を目的として Duchange（1948）により提唱された係数．各歯の歯根表面積をもとに，各歯の咬合圧に対する支台歯の抵抗（R：resistance）とポンティックの疲労（F：fatigue）を係数化したものであり，これを用いてブリッジの咬合圧に対する抵抗性を算出する．なお，延長ブリッジでは補足疲労（FS：fatigue supplement）を考慮している．

→「補足疲労」参照

802 **テレスコープクラウン**
telescopic crown

外冠と内冠とに分離できる構造をもつ二重の金属冠．両者の緊密な適合から生じる摩擦力あるいはくさび効果を利用して，部分床義歯や可撤性ブリッジなどの支台装置として応用される．その種類には内冠軸面が平行なパラレルテレスコープクラウンまたはシリンダーテレスコープクラウンと，咬合面に向かって円錐形に一定の傾斜角をもつコーヌステレスコープクラウンとがある．

803 天蓋開放型栓塞部
てんがいかいほうがたせんそくぶ
buccal flange obturator
顎義歯の清掃性向上などのために，中空型栓塞部の天蓋部分を開放した構造の栓塞部．
→「栓塞部」，「中空型栓塞部」参照

804 デンタルインプラント→「口腔インプラント」参照

805 Tench の間隙 てんちーかんげき
Tench's space
全部床義歯の臼歯部人工歯排列法として上顎法を用いる場合に，上顎の犬歯と第一小臼歯の間に設ける 1.0 mm 前後の間隙．咬合構成時の 1 歯対 2 歯の関係の排列，上下顎顎堤の矢状対向関係による調節彎曲などの調整を容易にする目的で作られる．Tench（1925）により提唱された．

806 Tench のコア てんちーこあ
Tench's core
〔同義語〕Tench の歯型
重合後の義歯を正しく咬合器に再装着するために，埋没，重合前に採得される上顎人工歯列切縁・咬合面部の石膏による陰型．

807 Tench の歯型→「Tench のコア」参照

808 デンチャースペース
denture space
天然歯の喪失によって口腔内に生じる，上下顎の顎堤間の義歯が占める空間．上部は上顎顎堤，硬口蓋，軟口蓋，下部は下顎顎堤，口底，内側部は舌，外側部は口唇および頬部によって取り囲まれている．

809 デンチャープラーク
denture plaque
義歯表面に付着するプラーク．天然歯に付着するプラークに比べて，真菌，特に *Candida albicans* の占める割合が大きい場合がある．口臭，残存歯の齲蝕，歯周病，義歯性口内炎，誤嚥性肺炎などの原因となる．したがって，これらの疾病予防，健康の保持増進のためには，義歯用ブラシや超音波洗浄による機械的清掃に加えて，義歯洗浄剤による化学的清掃も大切である．

810 デンチャーマーキング
denture marking
〔同義語〕義歯刻印
有床義歯に患者の氏名などの情報を付与する操作．施設などにおける義歯の紛失などの防止および身元確認などの法医歯科学的見地より有用である．情報を記入したプレートなどを義歯床内に埋め込む方法などがある．

811 転覆試験 てんぷくしけん
tilting test
咬合採得時やろう義歯試適時に咬頭嵌合位で咬合させた状態で，上下顎の咬合堤やろう義歯人工歯咬合面の間にスパチュラなどを挿入し床の動揺程度を観察して，適正な顎間記録を確認する方法．

812 テンプレート
template
1）補綴装置製作時に，咬合平面や咬合彎曲を設定するための基準となる平面板，あるいは曲面板．
2）即時義歯装着時に，抜歯後の顎堤形態と製作されている義歯の粘膜面形態との適合性を確認するために用いられる透明なプレート．欠損部を予測して形成した作業用模型上で製作し，抜歯後にこれを用いて加圧部を整形する．

813 テンポラリーアバットメント
temporary abutment

〔同義語〕テンポラリーシリンダー

インプラントの術者可撤式暫間補綴装置製作に用いられるパーツ．インプラント体もしくはアバットメントに連結し，その周囲に常温重合レジンを用いて歯冠形態を回復する．

814 テンポラリークラウン→「プロビジョナルクラウン」参照

815 テンポラリーシリンダー→「テンポラリーアバットメント」参照

816 瞳孔線 どうこうせん
pupillary line

顔面を正面からみて，遠方を直視した時の左右瞳孔の中点を結んだ直線．咬合平面と平行であるため，義歯製作時の仮想咬合平面をこれと平行に設定する．

817 等高点 とうこうてん
isometric point

〔同義語〕トライポッドマーク

サベイヤー上であらかじめ設定した模型の三次元的な位置関係を再現するために，アナライジングロッドに垂直な一平面内で模型に記入された記号や線．通常，3 標点を描記する．

818 陶材築盛法 とうざいちくせいほう
porcelain build up

陶材粉末と蒸留水を細い筆やスパチュラを用いてガラス練板上で混和し，所定の形態に築盛する方法．コンデンスを加え，振動により過剰の水分を表面に浮き上がらせ，陶材粉末粒子を緊密に密着させ陶材を固めながら行う．コンデンス法には，彫刻刀の柄のギザギザで軽い振動を与える振動法，乾燥した陶材粉末をかけ，水を吸収してから，この粉末を筆で払い落とすブラッシュ法，築盛が終わったクラウンにさらに水を加え，ガーゼまたはティッシュペーパーで吸水する沈殿法，陶材の表面をスパチュラや彫刻刀の刃で圧迫しながら滑沢にするスパチュラ法，陶材表面を筆でなで表面に浮き上がる水分を吸水して粒子を圧縮するウィップ法などがある．

819 陶材焼付冠 とうざいやきつけかん
metal-ceramic restoration, porcelain-fused-to-metal restoration

〔同義語〕陶材焼付金属冠，セラモメタルクラウン

鋳造，金属箔あるいは CAD/CAM により製作したメタルコーピングに陶材を焼き付けた前装冠．単独歯冠補綴あるいはブリッジの支台装置として用いられる．

820 陶材焼付金属冠→「陶材焼付冠」参照

821 陶歯 とうし
porcelain teeth

陶材で作られた人工歯．長所としては，色調・透明度とも天然歯に類似していること，耐摩耗性が高く長期間使用しても摩耗や咬耗がほとんど起こらないこと，色調が変わらないこと，などがあげられる．欠点としては，削合や調整がやや困難であること，削合量が多くなると破折しやすくなること，床用材料との結合には工夫を要すること，咀嚼時に咬合音を発すること，などがある．

822 陶歯前装鋳造冠
とうしぜんそうちゅうぞうかん
porcelain-faced cast crown

審美性の改善を目的として鋳造冠の唇・頰側部にシェル状の陶歯をセメント合着したクラウン．陶材焼付冠の普及によりほとんど使用されなくなった．

823 疼痛誘発テスト
とうつうゆうはつ―
symptom provoking test
一般的には咬頭干渉部位やブラキシズムによってできたと思われる咬耗面などでかみしめを行わせ，疼痛誘発の有無を調べる検査．割り箸などを片側後方臼歯でかませ，対側または同側の顎関節に疼痛を誘発するか，あるいは咬頭嵌合位でのかみしめ時に比べて軽減するかを調べる検査も含まれる．

824 動的嚥下障害→「機能性嚥下障害」参照

825 頭部後屈法→「頭部後傾法」参照

826 頭部後傾法 とうぶこうけいほう
head tilting method for taking maxillomandibular registration
〔同義語〕頭部後屈法
すでに垂直的顎間関係の設定された上下顎咬合床を装着させた状態で，頭部を後方に軽く傾けて下顎の前方偏位を制御しながら閉口させ，そのときの接触位を人工歯の咬頭嵌合位とする咬合採得法の1つ．

827 DUMLの法則 どぅむる―ほうそく
DUML rule
前方滑走運動時における干渉の削除部位を示す法則．上顎臼歯では咬頭の遠心斜面（Distal of the Upper）を，下顎臼歯では咬頭の近心斜面（Mesial of the Lower）を削除する．

828 動揺度検査［歯の］
どうようどけんさ［は―］
tooth mobility test
歯の動揺度を測定し，歯周組織の粘弾性的性質の変化や形態的変化を類推し，歯の骨植状態を診断する検査．ピンセットや手指で歯の動揺の程度を触知する方法，歪み計により定量的な変位量を測定する方法，強制荷重を与えて加速度計による周波数分析や音圧などから測定する方法がある．補綴装置の支台歯としての適否の指標に用いられる．

829 トップダウントリートメント
top down treatment
〔同義語〕補綴主導型インプラント治療
インプラント治療において，最初に目標とする最終上部構造の形態（最終ゴール）を定め，想定した最終上部構造が得られるように，インプラント体の埋入位置や方向ならびに埋入本数を決めてから，インプラント体埋入手術や骨造成術などを行い，インプラント補綴に移行していく治療方法．理想的な上部構造を得るための治療計画を立てた後に，インプラント治療を遂行していくことから，補綴主導型インプラント治療（restoration driven implant treatment）ともいう．

830 トライポッドマーク→「等高点」参照

831 ドライマウス→「口腔乾燥症」参照

832 トランスファーインデックス
transfer index→「トランスファーコーピング」参照

833 トランスファーキャップ
transfer cap→「トランスファーコーピング」参照

834 トランスファーコーピング
transfer coping
〔同義語〕トランスファーインデックス，トランスファージグ，トランスファーキャップ

1）歯列印象内に歯型を正確に位置づけることを目的として用いられる，常温重合レジンあるいは金属で製作されるキャップ．
2）インプラントのオープントレー用の印象用コーピングのうち，印象材内に取り込まれるボディ部．
3）アバットメントをインプラント体に正確な位置関係で接合するために用いるジグ．常温重合レジンあるいは金属で製作する．アバットメントポジショニングジグ（abutment positioning jig）ともいう．
→「ピックアップ印象」参照

835 トランスファージグ
transfer jig→「トランスファーコーピング」参照

836 取り込み印象→「ピックアップ印象」参照

837 Dolder バー どるだーー
Dolder U-Bar
U字形のバーと，バーの全体を被覆するサドルから構成されるバーアタッチメント．維持力はバーとサドル間の金属摩擦で発揮される．

838 トレーサビリティ
traceability
〔同義語〕追跡管理
医薬品・農産物・食品・工業製品などの商品やその原材料・部品などを個別に記録し，生産から加工，流通，販売，廃棄までの過程を各段階で記録することで，商品から履歴情報を確認できるようにすること．歯科では材料や部品，技工物などに求められている．

839 Donders の空隙
どんだーすーくうげき
space of Donders
下顎の安静時に舌背上部と硬・軟口蓋との間にみられる空隙．Donders (1875) によって，補綴装置の形態との関係などその臨床的重要性が指摘された．

840 遁路 とんろ
spillway
1）咬合面で粉砕された食物の排出路となる咬合面間の隙間．
2）補綴装置合着時の浮き上がり防止のために付与される合着材の排出路．
3）レジン填入の際，余剰レジンを排出するために付与する溝．

な

841 内冠 ないかん
coping, inner cap, inner crown
テレスコープクラウンの一部であり，外冠と対になる支台歯側に装着される金属冠やセラミック冠．内外冠の緊密な接触が可撤性義歯の維持力として働く．
→「テレスコープクラウン」参照

842 内斜線 ないしゃせん
internal oblique line
下顎骨筋突起前縁から下方へ走り，臼後三角の舌側を通り，顎舌骨筋線へ移行する骨の隆線．顎舌骨筋の付着していない部分に限定して用いられる場合や，顎舌骨筋線と同義として用いられる場合もある．臨床的には，外斜線とともに，臼歯部義歯床縁の位置を設定する場合の目安として用いられる．

843 ナイトガード
occlusal device
ブラキシズムによる歯周組織への傷害を防止する目的で主に就寝時に装着する，歯の切縁および咬合面全体を被覆するオクルーザルアプライアンス様の装置．本装置の装着により上下顎の歯が直接接触することを防止できる．そのため，補綴装置の保護の目的で使用されることもある．

844 **ナイフエッジ型**　一がた
knife edge type
ショルダーレス型のうちナイフの刃状に形成された支台歯歯頸部辺縁形態ならびに修復物辺縁形態．辺縁部は，フェザーエッジ型に比べて厚い．

845 **ナソロジー**
gnathology
1920年代にMcCollumとStallardらによって創唱された，顎口腔系のメカニズムを解剖学，生理学，病理学などを通して総合的に研究する学問．診断，治療，オーラルリハビリテーションの術式なども含まれる．

846 **軟口蓋挙上装置**
なんこうがいきょじょうそうち
palatal lift prosthesis（PLP）
口蓋床の後方へ延長した挙上子によって軟口蓋を挙上させて鼻咽腔閉鎖をしやすくし，音声の鼻音化や構音障害の発生を防止する装置．脳梗塞の後遺障害などの神経麻痺による軟口蓋の運動不全に適用される．

に

847 **ニアゾーン**
near zone
歯の欠損側に隣接した支台歯の欠損側半分の領域．この部分のアンダーカットの様相をクラスプの設計の指標とするBlatterfein (1951) によって提唱された．
→「ファーゾーン」参照

848 **二酸化ジルコニウム**→「ジルコニア」参照

849 **二次固定**　にじこてい
secondary splinting
可撤性補綴装置を介して支台歯相互の連結固定効果を発現させる方法．

850 **二重同時印象**
にじゅうどうじいんしょう
double mix impression
〔同義語〕積層一回印象
流動性の異なる同種のゴム印象材を同時に練和して採得する連合印象．代表的なものとしてはシリコーンゴム印象材のパテとライトボディタイプあるいはレギュラーボディタイプによる印象がある．

851 **二重埋没法**　にじゅうまいぼつほう
double investing method
1）ワックスパターン埋没法の1つで，ワックスパターン周囲に筆で泥状の埋没材を塗布し，その上から埋没材粉末をふりかける操作を数回繰り返して球状に硬化させ，残りを同種または異種の埋没材で二次的に埋没する方法．この方法は大きな硬化膨張を期待できる．
2）ろう義歯埋没法の1つで，重合後の取り出しを容易にするために，フラスク上部に石膏を注ぐ際に，人工歯部の石膏の硬化後に，残りの部分に石膏を注入する方法．

852 **二面形成**　にめんけいせい
tooth preparation in two planes
支台歯の唇側，頬側の軸面形成および上下顎臼歯機能咬頭外斜面の軸面形成において，上部（切縁側・咬合面側）と下部（歯頸部側）が異なる2面をなすように形成すること．下部は維持力に，上部は構造的強度と審美性とに影響する．

853 **ニュートラルゾーン**
neutral zone

無歯顎の口腔内において，口腔の諸機能時に頰，唇による内方への圧と舌による外方への圧とによって全部床義歯に加わる荷重が均衡化されると想定される領域で，デンチャースペースの1つである．デンチャースペースを，基礎床と熱可塑性の軟性材料を用いて記録する方法をニュートラルゾーンテクニックやフレンジテクニックという．

854 **二腕鉤**　にわんこう
two-arm clasp
〔同義語〕両翼鉤
2つの鉤腕からなる環状鉤．通常，臼歯部に用いられ，3面4隅角を取り囲む．

855 **認知行動療法**
にんちこうどうりょうほう
cognitive behavioral therapy
行動療法と認知療法の総称．病気の予防や健康の維持増進のために不適切な行動を望ましいものに改善する治療法．歯科においては，歯列接触癖の治療法などに応用されている．

ね

856 **Neyのクラスプ**　ねいー
Ney clasp，Ney's clasp
Ney社によって開発されたNey Surveyor Systemの中で紹介され，金合金（NEY-ORO G-3 casting gold）を用いることを前提として設計された鋳造鉤．レスト付き二腕鉤（#1 clasp），T型分割腕鉤（#2 clasp），コンビネーションクラスプ（#1-#2 combination clasp），バックアクションクラスプ（back action clasp），リバースバックアクションクラスプ（reverse back action clasp），リングクラスプ（ring clasp）の6種からなる．

857 **粘膜支持**→「粘膜負担」参照

858 **粘膜支持義歯**→「粘膜負担義歯」参照

859 **粘膜負担**　ねんまくふたん
tissue borne
〔同義語〕粘膜支持
機能時に補綴装置に加わる力の大部分あるいは全部を顎堤粘膜が負担するという概念．

860 **粘膜負担義歯**　ねんまくふたんぎし
tissue borne denture
〔同義語〕粘膜支持義歯
機能時に発現する力を顎堤粘膜が負担する義歯．無歯顎症例，少数残存歯症例に対する有床義歯や，レストの設置されていない暫間義歯などがこれに相当する．

の

861 **ノンパラレルピンテクニック**
non parallel pin technique
補綴装置を健康象牙質へねじ止めする方法．ピンの方向が平行である必要がないため維持力は強大である．前歯部では舌面から水平方向にホリゾンタルピンを，臼歯部では咬合面へ垂直方向にバーティカルピンを使用する．

862 **ノンメタルクラスプデンチャー**
non-metal clasp denture
義歯の支台装置であるクラスプを義歯床用樹脂を用いて製作した部分床義歯のこと．現在，ポリアミド系，ポリエステル系，ポリカーボネート系，アクリル系，ポリプロピレン系の樹脂が用いられている．人工歯を除く義歯全体を熱可塑性樹脂で製作するものと，金属構造を併用するものがある．一般にノンクラスプデンチャー，フレキシブルデンチャーなどと呼称される義歯は，定義上，ノンメタルクラスプデンチャーに含まれる．

は

863 **バー**

bar

大連結子の1つで，部分床義歯の複数の構成部分を連結する棒状の金属部分．臨床的目安として，幅が8 mm以下のものとされる．その適用部位によりパラタルバー，リンガルバー，外側バーに分類され，また，製造法により鋳造バー，屈曲バーに分類される．

864 **バーアタッチメント**

bar attachment

離れた支台歯を連結固定するバーと，これを把持するために義歯側に設置されるスリーブからなる．緩圧型（可動性）のバージョイントタイプ（bar joint type）と非緩圧型（固定性）のバーユニットタイプ（bar unit type）がある．アッカーマンバーアンドクリップタイプアタッチメント，Dolderバー，Haderバーアタッチメントなどがある．

865 **バー義歯**　一ぎし

bar denture

1）大連結子としてバーを応用した部分床義歯．

2）バーアタッチメントを維持・支持に用いたオーバーデンチャー．

866 **バークラスプ**

bar clasp

支台歯に近接する義歯床縁または連結子から起こり，歯槽部を支台歯に向かって横走するバー状の鉤腕をもつクラスプの総称．鉤腕は支台歯の頬側面または舌側面に向かって彎曲し，鉤尖が支台歯のアンダーカット域に適合する．鉤腕が歯面と接する部分の形態により，Iバークラスプ，RoachクラスプT型などがある．

867 **Haderバーアタッチメント**

はーだ——

Hader bar attachment

プラスチック製のバー，スペーサー，サドルから構成されるバーアタッチメント．バーは加熱して欠損部形態に適合するよう形態の修正が可能で，鋳造して金属に置き換える．義歯完成後にプラスチックサドルを挿入する．維持力の調節は不可であるが，維持力が低下した場合は簡単にサドルの交換が可能である．

868 **ハードブローイング**→「ブローイングテスト」参照

869 **ハーフアンドハーフクラスプ**

half and half clasp

環状鉤の1つで，支台歯の近遠心側にそれぞれ独立した体部とレストを有し，一方は頬側を他方は舌側を走行する鉤腕をもつクラスプ．孤立歯が適応症とされる．

870 **ハーフクラウン**

half crown

前歯・臼歯を問わず，歯面のほぼ1/2を覆うクラウンの総称．

871 **バイトゲージ**

bite gauge

咬合高径の決定に用いられ，顔面の計測基準点間距離を計測する装置の総称．Willisのバイトゲージ，坪根式バイトゲージ（坪根政治）などがある．

872 **バイトトレー**

bite tray

上下顎の歯列および顎堤の印象と咬合採得とを同時に行う咬合印象用の既製トレー．

873 **ハイブリッド型コンポジットレジンクラウン**　—がた—
hybrid composite resin crown
→「レジンジャケットクラウン」参照

874 **廃用症候群**　はいようしょうこうぐん
disuse syndrome
〔同義語〕生活不活発病
特定の器官を長期間使用しないことによる廃用（性）萎縮が重なることで生じた機能低下の病態．口腔領域では，歯の喪失により顎骨や筋に廃用の影響が及ぶことがある．

875 **ハウジング**
housing
1）ボックス型顆路を備えた咬合器において，関節部についている箱形の顆路指導機構．この中に顆頭球（コンダイル）が収まる．フォッサ・ボックスとも呼ばれる．
2）一部のアタッチメントにおけるマトリックス部の別称．磁性アタッチメントでは磁石構造体の収納部分を指す．

876 **Pound 三角**　ぱうんどさんかく
Pound's triangle
〔同義語〕犬歯臼後隆起線
下顎犬歯近心隅角とレトロモラーパッドの頬側面・舌側面とを結んだ仮想の三角形．下顎全部床義歯において臼歯部人工歯を排列する目安となる．下顎臼歯部人工歯の舌側面は，この三角形内にあり，舌側線に近接する必要がある．人工歯の舌側咬頭が舌側線よりも舌側に排列されると，舌房が狭くなり，舌感不良や義歯不安定などの不快事項が生じやすくなる．なお，下顎犬歯近心隅角とレトロモラーパッドの舌側面を結んだ仮想線をPound ラインと呼ぶ．

877 **Passavant 隆起**
ぱさばんとりゅうき
Passavant's ridge, Passavant's pad
嚥下や発声時に咽頭後壁に認められる水平の隆起．上咽頭収縮筋あるいは口蓋咽頭筋からなる輪状筋の収縮によって形成される．鼻咽腔閉鎖不全を呈する症例にみられることが多いが，その存在や形状には個人差が大きい．一時はスピーチエイドのバルブの高さの基準とされたが，最近では，鼻咽腔閉鎖運動時の最狭窄部は，そのやや上方であるとされている．

878 **鋏状咬合**　はさみじょうこうごう
scissors bite
すべての上顎臼歯の舌側咬頭が下顎臼歯の頬側に鋏状に接触し，上下顎の臼歯が正常に咬頭嵌合しない咬合．

879 **把持**　はじ
bracing
補綴装置に加わる水平方向の成分に抵抗する作用．

880 **把持腕**→「拮抗腕」参照

881 **発音間隙**→「発音空隙」参照

882 **発音空隙**　はつおんくうげき
speaking space
〔同義語〕発音間隙
発音時の上下顎歯列の咬合面間に生じる空隙．［s］発音時にはこの空隙が最小となり（最小発音空隙，closest speaking space），全部床義歯の咬合高径を決定する際の基準の1つとして用いられる．

883 **発音試験**　はつおんしけん
phonetic test
義歯の製作過程，あるいは装着時に，人工歯の排列位置や義歯床形態が患者の構音機能に調和しているか否かを検査する方法．パラトグラムなどが用いられる．

884 **発音利用法**　はつおんりようほう

phonetic method of measuring occlusal vertical dimension

1）咬合採得において，特定音を発音したときの顎位を利用して咬合高径を決定する方法．

2）人工歯の排列位置の決定やろう義歯の歯肉形成などに際して，口唇や舌の構音動作を利用する方法．

885 **バックアクションクラスプ**

back action clasp

舌側面に鉤体部をおき，鉤腕がそこから欠損側隣接面，辺縁隆線部を通り，頬側面のファーゾーンのアンダーカット部に鉤尖がくるクラスプ．

886 **パッシブフィット**

passive fit

複数のインプラント体で支持されスクリューにより固定される上部構造とアバットメント，あるいは上部構造とインプラント体の臨床的に理想的な適合状態を指す．上部構造がスクリューの締め付けによって変形し適合した状態を示すのではなく，あくまで，まったく力を加えなくても（パッシブに）良好な適合を指す状態をいう．

887 **発声**　はっせい

utterance

喉頭から口腔および鼻腔までの声道の固有の部位を挟めたり閉鎖して，呼気を利用して音を作る行動．

→「構音」参照

888 **バットジョイント**

butt joint

2つの構造物の互いの端と端とを重なることなく接合することにより形成される継ぎ目．歯冠補綴装置では，支台歯に形成されたショルダー部とそこに装着された修復物で形成される継ぎ目．また，金属床義歯においては金属部とレジン部との接合部．インプラント体上面とアバットメント下面との接合部がインプラント体の長軸に垂直な平面どうしで接触する接合様式のこともいう．

889 **馬蹄形バー**　ばていけいー

horseshoe plate

〔同義語〕ホースシューバー

上顎に応用されるU字形をした大連結子．口蓋前方から後方に向かって馬蹄形をなして走行する．臼歯部の両側性遊離端欠損症例などで口蓋隆起を避ける目的で用いられる．

890 **パトリックス**

patrix

2つパーツの組み合わせからなるアタッチメントの突起部分．マトリックス部の陥凹形態に適合するような凸状形態を有する．歯冠内アタッチメントでは可撤部に，歯冠外あるいは根面アタッチメントでは固定部に設定される．

891 **Hanauの咬合5辺形**→「Hanauの咬合5要素」参照

892 **Hanauの咬合5要素**

はのうーこうごうごようそ

Hanau's Quint

〔同義語〕Hanauの咬合5辺形

全部床義歯の両側性平衡咬合成立における咬合の5要素［顆路傾斜角，切歯路角，咬合平面，咬頭の高さ（傾斜），調節彎曲］の量的関係を5辺形の中に表現したもの．

893 **ハミュラーノッチ**

hamular notch

上顎結節と蝶形骨翼状突起内側板の翼突鉤の結合部に形成された切痕．上顎結節の後方で上顎義歯床の後縁設定の目安となる．

894 **パラタルストラップ**
palatal strap
上顎に用いられる大連結子の1つで，パラタルバーを薄く，やや幅を広くした帯状の金属装置．パラタルバーと比較して異物感ならびに構音障害が減少し，支持機能の向上が期待できる．

895 **パラタルバー**
palatal bar
口蓋を走行するバータイプの大連結子．口蓋を左右方向に走行するものは，前後的設置位置により前パラタルバー，中パラタルバー，後パラタルバーに分類される．また，口蓋を前後方向に走行するものは，口蓋の側方に設置される側方パラタルバーと，口蓋正中部に設置される正中パラタルバーに分類される．

896 **パラタルプレート**
palatal plate
上顎に用いられる大連結子の1つで，口蓋を広範囲に被覆したもの．パラタルバーに比較して異物感が少なく，粘膜負担要素が多くなる．

897 **パラタルランプ**→「オクルーザルランプ」参照

898 **パラトグラム**
palatogram
発音時に舌が口蓋に接触する範囲を示す図．同一の言語音ではほぼ一定の形となることから口蓋における調音点を知る方法．すなわち，義歯の適切な口蓋形態の確認に用いられる．口蓋に墨や粉末を塗布して行う静的パラトグラムと，電極を利用するダイナミックパラトグラムとがある．
→「発音試験」参照

899 **パラファンクション**
parafunction
〔同義語〕非機能運動
習慣性の非機能的動作．顎口腔領域にみられる異常習癖には，ブラキシズム（クレンチング，グラインディング，タッピング），異常嚥下，咬唇，咬舌，弄指，弄舌，吸引などがある．

900 **パラレルピンテクニック**
parallel pin technique
ブリッジや連結装置の維持を平行な複数のピン（パラレルピン）とピンホールとの嵌合により求める方法．ピンホールを平行に形成するには市販の平行形成器や自作のツールを利用する．

901 **バランシングランプ［義歯の］**
—［ぎし—］
balancing ramp［of denture］
全部床義歯における非解剖学的人工歯の排列に際して，下顎第二大臼歯，あるいは下顎最後臼歯の後部に形成された斜面．前方および側方運動時に咬合の平衡を保つために，上顎の最後臼歯咬合面の遠心端部を接触・滑走させるような形態とする．前歯部と両側のバランシングランプで咬合平衡を図る咬合様式をスリーポイントバランスという．Sears（1952）により提唱された．

902 **Balkwill 角**　ばるくうぃるかく
Balkwill angle
咬合平面と Bonwill 三角とのなす角．

903 **バルブ型鼻咽腔補綴装置**
—がたびいんくうほてつそうち
speech bulb
口蓋床の後方へ延長したバルブによって，鼻咽腔閉鎖機能を補助する装置．口蓋裂や手術による軟口蓋欠損部に対して適用される．

904 **半固定性ブリッジ**→「半固定性補綴装置」参照

905 **半固定性補綴装置**
はんこていせいほてつそうち
fixed prosthesis with rigid and nonrigid connectors, fixed partial denture with rigid and nonrigid connectors
〔同義語〕半固定性ブリッジ
補綴装置のうち，長大なブリッジや支台歯の平行性のないブリッジなどで，その一部に可動性の連結機構を含んだ装置.

906 **半固定性連結**
はんこていせいれんけつ
nonrigid connection, semifixed connection
ブリッジの連結部の一方を固定性にし，もう一方にキーアンドキーウェイなどのアタッチメント類を用いて可動性をもたせた連結．支台歯の平行性の確保が困難な場合に適用されることが多い.

907 **半自浄型ポンティック**
はんじじょうがたー
semihygienic pontic
自浄性，清掃性に基づくポンティック形態の1つ．基底面の一部が顎堤粘膜に接触した後，徐々に粘膜から離れていく形態で，完全自浄型に比べれば自浄性・清掃性にやや劣るが，審美性・発音機能は優れる．偏側型，リッジラップ型，船底型などがこれに相当する.

908 **半側麻痺**→「片麻痺」参照

909 **反対咬合**　はんたいこうごう
reverse articulation
咬頭嵌合位において，連続する3歯以上の被蓋関係が唇舌・頬舌的に正常とは逆である不正咬合．歯の位置異常によるもの（歯性反対咬合），顎位の異常によるもの（機能性反対咬合），顎骨の形態に基づくもの（骨格性反対咬合）などがある．前歯部のものは，下顎前突あるいは下顎近心咬合となり，臼歯部のみに発現したものは交叉咬合とも呼ばれる．ただし，いずれにおいても，1，2歯の場合には単なる転位として扱われる.

910 **半調節性咬合器**
はんちょうせつせいこうごうき
semiadjustable articulator
調節性咬合器のうち，矢状顆路と非作業側の側方顆路の調節機構を備え，通常，それぞれの顆路を直線的に再現する咬合器．Hanau H2，Whip-Mix，Dentatus 咬合器などがある.

911 **パントグラフ**
pantograph
下顎限界運動を3軸6面に三次元的に記録する口外描記方式の下顎運動解析装置．その形態的特徴から，縮図器（パントグラフ）の名称がつけられた．この記録機構は，歯の接触を避けるために一点接触のクラッチにより咬合させ，それに接続された上顎フレームと下顎フレームから構成され，そのフレーム上の左右下顎頭部にそれぞれ2組，前方部に2組の描記針と描記板とを備えている．Stuart（1955）と Denar（1970）のものが有名であり，それぞれ専用の全調節性咬合器とを組み合わせた臨床システムとなっている．生体の下顎運動を咬合器上に正確に再現し，可及的に口腔機能に調和した補綴装置の咬合面形態を得ることを意図したものである.

912 **パントグラフ法**　ーほう
pantographic recordings
顎運動の記録法の1つで，パントグラフを用いて，下顎運動路を水平面および矢状面に記録する方法．通常，この記録は全調節性咬合器の調節に用いられる．

913 **反復唾液嚥下テスト**
はんぷくだえきえんげー
repetitive saliva swallowing test (RSST)
非侵襲的かつ簡便に誤嚥の有無をスクリーニングする方法として広く用いられている方法．食塊のない状態で強制的に嚥下を惹起させた場合，どの程度嚥下運動が遂行されるかを評価するもの．験者の示指で被験者の舌骨，中指で甲状軟骨を触知した状態で唾液嚥下を指示し，30秒間の嚥下回数を数える．甲状軟骨が中指を乗り越えた場合に1回と判定し，3回未満の場合，精査を要する．

ひ

914 **被圧縮性**　ひあっしゅくせい
tissue displacebility
1）軟組織が圧迫された場合に組織が示すたわみ．または，加圧に対して生じる組織の沈み．
2）粘膜が加圧により圧縮され，その厚さを減じる性質．

915 **被圧変位**　ひあつへんい
tissue displacement
歯あるいは粘膜が加圧により変形，移動すること．

916 **被圧変位量**　ひあつへんいりょう
amount of tissue displacement
一定時間で，単位面積あたり一定の荷重量を加えた場合の，歯あるいは顎堤粘膜の変位量．

917 **ビーディング**
beading
上顎の口蓋部において，義歯床や大連結子の外形に沿って作業用模型の当該部分に溝を形成する操作．義歯床縁の封鎖や舌感の向上を目的とする．模型の削除量は粘膜の被圧変位量により調節する．

918 **ヒーリングアバットメント**
healing abutment
2回法術式を用いるインプラント治療において，二次手術で歯肉粘膜を切開して露出させた骨内のインプラント体(フィクスチャー)に連結し，インプラント周囲の粘膜が治癒するまでの期間，暫間的に装着しておく円筒形の金属．チタンで成形されているものが多い．

919 **鼻咽腔閉鎖機能**
びいんくうへいさきのう
palatopharyngeal closure, velopharyngeal closure
嚥下時や発声時にみられる，軟口蓋，咽頭側壁，咽頭後壁による鼻腔と口腔を分離する機能．

920 **鼻咽腔閉鎖機能検査**
びいんくうへいさきのうけんさ
examination of velopharyngeal function
鼻咽腔閉鎖機能の診断を目的として行われる検査．咽頭部からの間接鏡検査，鼻腔からの直接ファイバースコープ検査，肺活量検査，鼻漏出気流計検査，ストローを用いたブローイングテスト，側方頭部エックス線規格写真の計測などがある．歯科補綴学分野では補綴装置の効果の判定，あるいは睡眠時無呼吸症候群の治療効果の評価・判定に用いられる．

921 **ピエゾグラフィー**
piezography
発音を利用して，舌，頬粘膜の水平的な圧を記録する方法で，Klein ら（1974）により提唱された．口腔周囲筋の活動を阻害しないデンチャースペース（ピエゾグラフィックスペース）を採得することにより，固有の人工歯排列位置を決定し，適正な義歯床研磨面形態を付与できる．

922 **被蓋** ひがい
overlap
上顎歯列が下顎歯列をひさし状に覆っている状態．水平的な被蓋（オーバージェット）と垂直的な被蓋（オーバーバイト）とに分けられる．健常者の理想的な咬合では，咬頭嵌合位において上顎歯列が下顎歯列を水平的にも垂直的にも覆っており，前・臼歯部の被蓋の程度は偏心運動時のアンテリアガイダンスや臼歯離開咬合，さらに臼歯部の咬頭傾斜などと密接なかかわりをもつ．

923 **非解剖学的咬合器**
ひかいぼうがくてきこうごうき
nonanatomical articulator
【同義語】非顆路型咬合器
顆路を再現できない咬合器の総称．自由運動咬合器，蝶番咬合器，FGP テクニック用咬合器などがある．

924 **非解剖学的人工歯**
ひかいぼうがくてきじんこうし
nonanatomic teeth
天然歯の形態を模倣せず，機能のみを重視した機械的形態の人工臼歯の総称．無咬頭人工歯，ブレード人工歯などが含まれる．

925 **鼻下点** びかてん
subnasal point，subnasion
皮膚上の鼻中隔最前方部と上唇の皮膚表面との交点．皮膚表面上の計測点で，咬合高径の決定時に標点の 1 つとして用いられることが多い．

926 **鼻下点・オトガイ間距離**
びかてん―かんきょり
distance between subnasal and gnathion
鼻下点からオトガイ部までの距離．瞳孔から口裂までの距離と等しいとして，咬合高径を決定する際の目安になる．

927 **非顆路型咬合器**→「非解剖学的咬合器」参照

928 **非緩圧型アタッチメント**
ひかんあつがた―
rigid attachment
義歯に加わる機能圧を支台歯に直接伝達するアタッチメントの総称．義歯と支台歯を強固に連結するタイプである．

929 **非緩圧型維持装置**→「非緩圧型支台装置」参照

930 **非緩圧型支台装置**
ひかんあつがたしだいそうち
rigid retainer
〔同義語〕非緩圧型維持装置
支台歯と義歯を強固に連結する構造と作用をもつ支台装置．テレスコープクラウンや非緩圧型アタッチメントなどがある．

931 **非機能運動**→「パラファンクション」参照

932 **非機能咬頭** ひきのうこうとう
nonfunctional cusp
〔同義語〕剪断咬頭
機能咬頭に対する用語で，咀嚼運動中に対合歯の咬合面窩にかみ込まない咬頭．

933 **非作業側** ひさぎょうそく
balancing side，nonworking side
〔同義語〕平衡側
咀嚼運動時または側方滑走運動時における下顎の外側方への移動側の反対側．

934 **非作業側咬頭接触**
ひさぎょうそくこうとうせっしょく
balancing contact, balancing occlusal contact
非作業側における対合する歯の接触．従来，非作業側臼歯部での咬合接触は歯周組織や顎関節に為害作用を及ぼすと考えられてきたが，近年，強く咬合したときの非作業側臼歯部の咬合接触は機能的に重要であるとの考えがある．

935 **非作業側側方顆路**
ひさぎょうそくそくほうかろ
lateral condylar path on balancing side
〔同義語〕平衡側側方顆路
側方滑走運動時における非作業側下顎頭の運動経路．前下内方に移動し，その水平面内の運動は側方顆路角やサイドシフトを形成する．

936 **非自浄型ポンティック**
ひじじょうがた—
nonhygienic pontic
自浄性，清掃性に基づくポンティック形態の１つ．基底面全体が鞍状に顎堤粘膜に接触している形態で，審美性・発音機能は最も優れるが，自浄性はまったく期待できない．鞍状型や有床型がこれに相当し，可撤性ブリッジの場合に適用される．

937 **微笑線**　びしょうせん
smiling line
微笑したときの下唇の彎曲線．上顎前歯人工歯を排列する際に切縁の彎曲位置の基準となる．
→「笑線」参照

938 **鼻唇角**　びしんかく
nasolabial angle
側貌の審美性に関与する鼻柱点，鼻下点および上唇点を結んでできる角度．義歯患者では人工歯の前後的位置・唇舌的傾斜や床翼の厚み，床縁の位置と形態に影響され，義歯によるリップサポートの評価に用いることができる．

939 **鼻唇溝**　びしんこう
nasolabial groove, nasolabial sulcus
鼻翼の外側縁から口角の外側縁に向かって走る顔の表面にある浅い溝．起始部が頬骨，停止部が口角部の口輪筋内にある頬骨筋が，笑った際などに口角を挙上してできる溝で，表情に応じてその形態は著しく変化する．無歯顎患者において上顎義歯による上唇の支持がないと鼻唇溝は深くなるため，義歯に適正な豊隆を付与して年齢に応じた自然な形態を回復する必要がある．

940 **鼻息鏡**　びそくきょう
snort mirror
呼気鼻漏出の判定に用いる器具である．これを使用した鼻息鏡検査は鼻咽腔閉鎖機能のスクリーニングに用いられる．冷やした鼻息鏡を鼻下に置き，単音の発音やソフトブローイングをさせて，鏡が曇った範囲から呼気鼻漏出の程度を評価する．

941 **非咀嚼側**　ひそしゃくそく
nonmasticatory side
上下顎歯列間に食物を挿入して咀嚼する側（咀嚼側）の反対側．非作業側に対応する用語として扱われることもあるが，非咀嚼側は食物を咀嚼していない側として規定されるのに対し，下顎はその方向に運動して作業側となることもあるため同義語とはいえない．

942 **ピックアップ印象**　—いんしょう
pickup impression

〔同義語〕コーピング印象，取り込み印象

クラウンやブリッジあるいはフレームワークや印象用コーピングなどを支台歯やインプラント上に装着した状態で印象採得を行い，補綴装置などを印象体の中に取り込む印象法．

ピックアップ印象［インプラントの］

インプラントの上部構造を製作するための印象採得法で，印象用コーピングや上部構造の一部をインプラント体やアバットメントに連結した状態で精密印象を採得し，印象内に印象用コーピングや上部構造の一部を取り込む印象法．

ピックアップ印象［クラウンブリッジの］

クラウンブリッジにおける歯型可撤式模型を製作するための印象採得法の1つで，歯型に適合するトランスファーコーピングを口腔内の支台歯に装着し，歯列全体の精密印象を採得する際に，トランスファーコーピングを印象内に取り込む印象法．トランスファーコーピングを使用することから，コーピング印象（coping impression）ともいう．

ピックアップ印象［有床義歯の］

1) 部分床義歯の支台装置（維持装置）をキャストオン法で製作するための印象採得法で，口腔内の支台歯にクラウンを試適し，義歯を製作するための精密印象を採得する際に，クラウンを印象内に取り込む印象法．

2) 可撤性床義歯を修理するための印象採得法で，口腔内に義歯を装着した状態で印象採得を行い，義歯を印象内に取り込む印象法．

943 HIP プレーン　ひっぷー

hamular notch incisive papilla plane（HIP plane）

左右のハミュラーノッチと切歯乳頭中央点を含む平面．咬合平面に平行であるとされている．Cooperman（1975）により提唱された．

944 ビデオ嚥下造影→「嚥下造影検査」参照

945 ビデオレントゲン検査→「嚥下造影検査」参照

946 被覆冠　ひふくかん

coverage crown, veneer crown

歯冠補綴装置の中で，歯冠の全部あるいは一部を被覆することによって歯の形態・機能・審美性を回復する補綴装置の総称．全部被覆冠と部分被覆冠とがあり，材料としては，金属，陶材，レジンなどがある．

947 描記針　びょうきしん

stylus

ゴシックアーチなどの描記法において描記板上に下顎運動路を描くための突起．口内法ゴシックアーチ描記装置では，これがセントラルベアリングスクリューを兼ねている．

948 描記板　びょうきばん

tracing plate

ゴシックアーチなどの描記法において描記針によって下顎運動路が描かれる板．

949 標示線　ひょうじせん

line of reference

前歯欠損症例における咬合採得の最終段階で，上下顎咬合堤の唇側面に記入される人工歯選択および排列の基準となる線．歯列の正中線，口角線，鼻幅線，上唇線および下唇線がある．

950 鼻翼幅　びよくふく

nasal width

無歯顎患者の上顎前歯人工歯の幅径を決定する際に利用する鼻翼の幅径．鼻翼の外側からの垂線（鼻幅線）が上顎犬歯尖頭を通るとされる．

951 ヒンジアキシスロケーター
hinge axis locator

左右の蝶番点を試行錯誤的に探索するための超軽量のフェイスボウ．クラッチに取り付けるアンテリアクロスバー（anterior cross-bar）と，指針を上下・前後に微動できるレジストレーションアーム（registration arm）から構成される．Lauritzen（1961）によって考案された．

952 ヒンジ型アタッチメント —がた—
hinge attachment

垂直遠心回転（蝶番運動）を許容し，他の運動を制限している歯冠外アタッチメントの1つ．義歯に加わる咬合圧は，主に遠心部において粘膜，近心部において歯根膜で負担する．

953 ヒンジボウ
hinge bow

左右側の蝶番点と前方基準点からなる基準平面に対する上顎歯列の位置関係を咬合器にトランスファーするためのフェイスボウ．Stuartがフェイスボウに調節機構を付与したものとして紹介した．

954 ピンテクニック
pin technique

補綴装置の主たる維持を金属ピンとピンホールとの嵌合に求める方法．歯質削除量が少ない利点があり，欠損歯の補綴や動揺歯の固定に応用される．複数のピンホールが平行なパラレルピンテクニックと非平行なノンパラレルピンテクニックとがある．

955 ピン陶歯 —とうし
pin porcelain teeth

〔同義語〕有釘陶歯

ピンによる維持機構を有する人工陶歯．有床義歯用とクラウンブリッジ用とがある．有床義歯用のものは，義歯床との機械的維持力を増すために，前歯では舌側面に，臼歯では基底面にピンが設けられている．クラウンブリッジ用は，ピンの長さによってショートピン陶歯とロングピン陶歯に区別されるが，いずれも現在ほとんど使われていない．

956 ピンレッジ
pinledge

前歯舌面に形成した複数のピンホールに適合させた鋳造ピンに主たる維持を求めた部分被覆冠．ピンの基部に階段状のレッジ（ledge）とくぼみ状のニッチ（niche）を形成し，咬合力による変形に抵抗させる．歯質削除量が少ないため金属の露出がなく審美性に優れている．ブリッジの支台装置や動揺歯の固定装置に応用される．通常，有髄歯に適用される．

ふ

957 ファーゾーン
far zone

歯の欠損側に隣接した支台歯の非欠損側半分の領域．Blatterfein（1951）によって提唱された．

→「ニアゾーン」参照

958 ファイバーポスト
fiber-reinforced composite resin post

ガラス，石英などの長繊維をレジン系有機マトリックスで束ねた既製ポスト．曲げ弾性係数が象牙質に近いため，応力集中を起こしにくい．審美性の面から白色，半透明のグラスファイバー，石英ファイバーが主流である．

959 フィクスチャー→「インプラント体」参照

960 **Fischer 角**　ふぃっしゃーかく
Fischer's angle
矢状面に投影された前方運動の顆路と側方運動時の非作業側顆路とのなす角.

961 **フィニッシュライン**
finish line
1) 支台歯形成面の辺縁.
2) 金属床義歯におけるレジンとフレームワークとの接合境界線. 義歯床研磨面では外側フィニッシュライン (external finish line), 義歯床粘膜面では内側フィニッシュライン (internal finish line) と称する. 物理的強度の確保や触感覚的, 衛生的に支障のない円滑な移行面を形成するために, 断面はステップ状 (バットジョイント) に形成される.

962 **フェイスボウ**
facebow
頭蓋あるいは顎関節に対する上顎歯列(人工歯列を含む)の三次元的位置関係を咬合器上で再現するために用いる器具. 左右の後方基準点と前方基準点を示す3本のポインターと, 上顎歯列や咬合堤をフェイスボウに連結するためのバイトフォーク (bite fork) を組み込むためのフレームから構成される. Snow (1899) によって創案された.

963 **フェイスボウトランスファー**
facebow transfer
フェイスボウによって, 2つの後方基準点と1つの前方基準点からなる平面で位置づけられた上顎模型を咬合器に付着する一連の操作. これにより, 生体の下顎頭の開閉軸と咬合器の開閉軸とが一致することになる.

964 **フェザーエッジ型**　ーがた
feather-edge type
ショルダーレス型のうち最も菲薄に形成された支台歯歯頸部辺縁形態ならびに修復物辺縁形態. 辺縁部はナイフエッジ型よりもさらに薄く, 精密鋳造加工にはあまり適さない. 板金加工用 (帯環金属冠用) に形成された支台歯辺縁形態に対応する伸展修復物の辺縁形態として用いられていた.

965 **フェルール**
ferrule
失活歯の歯冠修復において, 歯冠補綴装置が支台歯フィニッシュラインの歯冠側に存在する健康な歯質に適合し, 残存歯質を抱え込む部分. フィニッシュラインの上に高さ約2 mm以上の健康な残存歯質があると, その周囲をクラウンがリング状に把持し, 歯根破折を防止する効果(フェルール効果, 帯環効果)がある.

966 **複印象**　ふくいんしょう
duplicate impression
1) 有床義歯における耐火模型を製作するための技工用の印象.
2) クラウンブリッジ, 有床義歯ともに変形や破損を避けたい作業用模型や補綴装置を正確に複製するための印象.

967 **複合欠損**　ふくごうけっそん
Combination of Class Ⅲ and Class Ⅱ or Ⅰ of the Kennedy's classification of partially edentulous arches
歯列の部分欠損症例において, 中間欠損と遊離端欠損が混在するもの.

968 **副歯型式模型**
ふくしけいしきもけい
definitive cast with individual die
クラウンやブリッジを製作する場合に用いられる作業用模型で, 歯型と歯列模型との分離・結合様式から分類したものの1つ. 副歯型 (individual die) と歯型固着式模型の両方を用いる模型．修復物の内面と辺縁は副歯型で，支台相互および隣接歯や対合歯との関係は歯型固着式模型で調整するので，正確なワックスアップや模型上での調整が可能である．

969 複製義歯 ふくせいぎし
duplicate denture
第一の義歯を複製した第二番目の義歯．通常，使用中の義歯などの既存の義歯を複製し，これを改造して治療用義歯や診断用義歯とすることが多い．

970 複製模型 ふくせいもけい
duplicate cast
作業用模型と同一模型を保存するためや，鋳造床などの製作過程で使用する耐火模型を製作するために，作業用模型を印象して複製した模型．

971 フック
hook
部分床義歯の安定を得る目的で支台歯間線を挟んで義歯床とは反対側の 2 本の切縁隅角部に設置される切縁レストのような補助支台装置の 1 つ．小連結子により義歯床または大連結子に結合され，単独では維持力を発揮しないが，義歯の動きに抵抗して義歯を安定させる点で間接支台装置でもある．義歯の沈下に伴ってフックがくさび作用を発揮して歯間離開を起こすことがある．

972 不動粘膜 ふどうねんまく
attached mucous membrane
咀嚼・発音・嚥下などの機能時にも移動，変形しない粘膜．

973 船底型ポンティック
ふなぞこがた―
spheroid pontic
基底面が楕円形で歯槽頂部の粘膜と点状に接触する形態のポンティック．

974 部分義歯 ぶぶんぎし
partial denture
1）残存歯またはインプラントを支台とする，歯列の一部欠損に適用される義歯．支台歯に固着される固定性部分義歯（fixed partial denture；固定性ブリッジ）と，任意に着脱できる可撤性部分義歯（removable partial denture；可撤性ブリッジ，部分床義歯）とがある．
2）部分床義歯と同義．部分義歯の用語は定着しておらず，removable partial denture と partial denture とは歴史的にも長い間混同されてきたが，partial denture を有床義歯に限定した用語とするものは，本来誤用である．

975 部分床義歯 ぶぶんしょうぎし
removable partial denture
〔同義語〕局部床義歯
歯列内の部分的な歯の喪失と，それに伴って生じた歯周組織や歯槽突起の実質欠損の補綴を目的とした，残存歯またはインプラントを支台とする有床可撤方式の義歯．少数歯欠損から 1 歯残存に至るあらゆる欠損の症例に適用され，多様性に富む．

976 部分床義歯補綴学
ぶぶんしょうぎしほてつがく
removable partial prosthodontics
〔同義語〕局部床義歯補綴学
歯科補綴学の一分科で，歯列内の部分的な歯の喪失，関連組織の実質欠損，また，それらによる異常を部分床義歯によって修復・整形し，損なわれた機能と外観を回復させるとともに，患者の健康の維持・増進を図るために必要な理論と技術を考究する学問．

977 部分被覆冠 ぶぶんひふくかん
partial coverage crown，partial

veneer crown

歯冠補綴装置の中で，歯冠の一部を人工物で被覆するもの．主にブリッジの支台装置として用いられるが，単冠や動揺歯の固定装置にも応用される．通常，有髄歯に適用され，代表的なものに，ピンレッジ，3/4 冠，4/5 冠，7/8 冠，プロキシマルハーフクラウンがある．

978 ブラキシズム

bruxism

咀嚼筋群が何らかの理由で異常に緊張し，咀嚼・嚥下・発音などの機能的な運動と関係なく，非機能的に上下顎の歯を無意識にこすり合わせたり（グラインディング），くいしばったり（クレンチング），連続的にカチカチとかみ合わせる（タッピング）習癖．顎関節症の原因の1つとされている．

979 ブラックトライアングル

interdental gingival space，black triangle

歯周疾患，外傷性要因，機械的・化学的要因あるいは歯冠長延長術によって生じた歯間部軟組織の喪失により生じた空隙．前歯部では三角形状の空間となり，暗くみえるためその名がある．審美障害の原因の1つとなる．

980 プラットフォーム［インプラントの］

implant platform

〔同義語〕インプラントプラットフォーム

一般的には，辺縁骨レベルのインプラント体の頂部でアバットメントとの接合面．平面あるいは斜面形状のものがある．

981 プラットフォームシフティング

implant platform shifting

〔同義語〕プラットフォームスイッチング

インプラント体上面の直径よりも小径のアバットメントを使用し，インプラントネック部周囲の骨吸収を防ぐテクニック．

982 プラットフォームスイッチング→「プラットフォームシフティング」参照

983 フラビーガム

flabby tissue，flabby gum

顎堤に発現する可動性の大きい粘膜組織．歯槽骨の吸収と粘膜の肥厚および粘膜下組織の線維性増生がみられるが，不適切な義歯の長期使用による慢性的な機械的刺激が原因とされる．上顎前歯部が好発部位である．

984 フランクフルト平面　―へいめん

Frankfort horizontal plane

水平基準面の1つであり，左右側いずれかの眼点（orbitale；眼窩点ともいい，眼窩下縁最下点を指すが，側方頭部エックス線規格写真法などの骨組織上では，両側眼窩の最下点の中央点を意味する）と両側の耳点（porion；耳珠上縁点を指すのが普通であるが，頭部エックス線規格写真法では，外耳孔の最上縁の点を指す）とを結んでできる平面．

フランクフルト（ドイツ）で開催された会議（1882）で採択された．なお，フランクフルト線（ドイツ水平線；左右側いずれかの眼窩点と耳珠上縁点を結ぶ線）と鼻聴道線（Camper 線；左右側いずれかの鼻翼下縁と耳珠上縁とを結ぶ線）とは約 10° の角をなす．

985 フランス式埋没法

―しきまいぼつほう

French flasking technique

人工歯，支台装置，連結子のすべてをフラスク下部に固定するろう義歯のフラスク埋没法．それらの義歯床粘膜面に対する浮き上がりを防止するには有効であるが，流ろうやレジン塡入操作がやりにくいのが欠点とされる．

986 ブリッジ

fixed partial denture，bridge

少数歯欠損に対し，残存歯またはインプラントを支台歯として連結補綴することにより，形態・機能・審美性を回復する補綴装置．支台装置，ポンティック，連結部とで構成される．支台装置とポンティックとの連結方法の違いにより，固定性ブリッジ，半固定性ブリッジ，可撤性ブリッジに分類される．

987 フルカントゥアジルコニアクラウン→「モノリシックジルコニアクラウン」参照

988 フルジルコニアクラウン→「モノリシックジルコニアクラウン」参照

989 BULL の法則 ぶる―ほうそく

BULL rule

下顎側方滑走運動時の作業側咬頭干渉を除去する部位を示す法則．支持咬頭の機能を維持するために，上顎臼歯では頬側咬頭内斜面（Buccal of the Upper）を，下顎臼歯では舌側咬頭内斜面（Lingual of the Lower）を削合する．Schuyler（1935）によって提唱された．

990 フルバランストオクルージョン

fully bilateral balanced occlusion，fully balanced occlusion（articulation）

両側性全面平衡咬合．側方滑走運動時および前方滑走運動時に，作業側の歯だけでなく，前歯も含めた非作業側の歯における上下顎の対応する咬合小面が，全面に接触滑走し，咬合の平衡が保たれる咬合様式．全部床義歯に与えられる咬合様式の1つである．

991 フルメタルクラウン→「全部金属冠」参照

992 フレアーアウト

flare out

臼歯の咬耗・咬合崩壊により咬合高径が低下したため，前歯部が唇側に傾斜し歯間離開を生じた状態．

993 ブレードインプラント

blade implant

顎骨内に固定される板状のブレード部，その上の軟組織を貫通するネック部，および口腔内に露出するアバットメントとしてのヘッド部から構成される口腔インプラント．

994 ブレード人工歯 ―じんこうし

metal insert teeth

非解剖学的人工歯に属する，咬合面に金属製の刃（ブレード）をつけた人工臼歯．機能面，特に咀嚼能率と義歯の安定性とを追及した機械的人工歯で，咬合接触面積を減少させるために，ブレードが対合人工歯に設置した金属テーブルに接するように製作される．Sosin のブレードメタル臼歯や Levin のメタルインサーテッドティースなどがある．

995 フレームワーク

framework

1）前装冠において，前装材を保持する金属の骨格部分．メタルコーピングと同義．

2）金属床義歯において，支台装置，連結子，維持格子からなる金属の骨格部分．これらは通常，一塊鋳造される．義歯全体の強度と適合性が高まり，体積も小さく，異物感も少なくなる利点がある．

996 プレッシャー・インディケイティング・ペースト

pressure indicating paste（PIP）

〔同義語〕適合試験材，適合検査材

口腔内諸組織などに対する補綴装置の

適合状態を検査するための材料．白色のシリコーンゴムやクリームタイプの材料がある．

→「適合試験」参照

997 フレミタス

fremitus

歯と歯が接触する際に触知される振動．

998 フレンジ→「床翼」参照

999 フレンジテクニック

flange technique

Lott と Levin（1964）により提唱されたもので，義歯の維持・安定を得るため，義歯床翼部（フレンジ）の形態を周囲筋の生理的な運動により形成印象し，人工歯列弓と義歯床研磨面の形態を決定する方法．

1000 ブローイングテスト

blowing test

鼻咽腔閉鎖機能検査法の１つであり，ソフトブローイングとハードブローイングがある．前者はコップに水を入れ，ストローで静かにできるだけ長く泡立つように吹かせ，持続的呼気時間を測定する．後者は巻笛やラッパを思い切り吹き，呼気鼻漏出を判定する．

1001 プロキシマルハーフクラウン

proximal half crown

臼歯歯冠の隣接側のほぼ1/2を覆い，咬合面中心溝の部分では反対側の小窩を含む鳩尾形窩洞が設計された部分被覆冠の1つ．主にブリッジの支台装置として，通常，下顎有髄大臼歯に用いられ，近心傾斜歯や遠心部の萌出が不十分な歯などに適用される．

1002 ブロックアウト

block-out

ワックスや石膏などを用いて模型上のアンダーカットを塞ぐ操作．

1003 プロビジョナルクラウン

provisional crown

〔同義語〕暫間被覆冠，テンポラリークラウン

プロビジョナルレストレーションの中で製作される単独冠．ブリッジとして製作される場合は，プロビジョナルブリッジという．

1004 プロビジョナルレストレーション

provisional restoration

歯冠補綴装置の製作に際し，形成された支台歯を暫間的に被覆するクラウンやブリッジ．診断や治療方針の確認，支台歯の保護，歯周環境の改善，咬合の保持，審美性の回復を目的とする．

1005 分割印象 ぶんかついんしょう

sectional impression

単一の印象が不可能，あるいは望ましくない場合に適用され，複数の部分から構成される印象．歴史的には石膏やモデリングコンパウンドなどの非弾性印象材を用いる場合には不可避な方法であったが，現在では特殊印象法の１つである．この場合に用いる印象用トレーを分割トレーと呼ぶが，一般的にはそれぞれのトレーに異なる印象材を用い，撤去後，口腔外でそれらを組み合わせて一塊の印象とする．フラビーガムと正常な顎堤部など，被圧変位量の異なる部分の印象圧を適切にコントロールすることを目的とする場合と，一塊の印象を口腔外に撤去することが不可能な症例に用いる場合がある．後者では，義歯自体も分割義歯となることが多いが，顎義歯で頻用される．

1006 分割可撤式模型→「分割復位式模型」参照

1007 分割義歯 ぶんかつぎし

sectional denture

複数の部分に分かれ，口腔内でそれらを組み合わせて利用される義歯．小口症，開口障害などのために，通常の補綴装置の着脱が物理的に困難な場合や，欠損部の顎堤の吸収が高度な症例に適用されたブリッジの複雑な形態のポンティック部を可撤式とする場合，維持のためアンダーカットを積極的に利用する場合などに利用される．

1008 分割コア ぶんかつ―
interlocking core

平行でない複数の根管を利用する場合，複数部分に分割して製作する築造体．

1009 分割式模型→「分割復位式模型」参照

1010 分割歯型式模型→「分割復位式模型」参照

1011 分割トレー ぶんかつ―
sectional impression tray

分割印象に用いる特殊なトレー．石膏印象用には既製トレーも存在したが，現在，分割トレーと呼ばれるものは基本的にすべて個人トレーである．通常は2分割であり，通常のトレー材料で製作されたトレー本体と，それらを連結するジグ部分とから構成される．ただし，概形印象には既製の局部トレーを組み合わせて利用することもある．

1012 分割復位式模型
ぶんかつふくいしきもけい
definitive cast with divided die

〔同義語〕分割可撤式模型，分割式模型，分割歯型式模型

クラウンやブリッジを製作する場合に用いられる作業用模型で，歯型と歯列模型の分離・結合様式から分類した可撤式模型の1つ．歯列模型から分割歯型（divided die）の部分を分割して，着脱可能にした模型．

1013 分割腕鉤 ぶんかつわんこう
divided arm clasp

Ney 社から発表された鋳造鉤の1つ．レスト付き二腕鉤の2本の鉤腕とレストがそれぞれ独立し，脚部で連結している形態で，支台歯の咬合面，頰・舌側面に設定されるクラスプ．一腕のみが分割されるものと，二腕とも分割されるものとがある．義歯の沈下および上方への脱離に対しては抵抗するが，横揺れに対する抵抗は期待できない．

1014 分散強化型ガラスセラミックス
ぶんさんきょうかがた―
dispersion-stregthened glass ceramics

オールセラミック素材の中で，ガラス内部に石英やアルミナ，リューサイト，マイカ，二ケイ酸リチウムなどの高硬度の粒子が20～40%配合されたもので，1,000℃以上の高温で溶解し，焼成される．

1015 ヘアピンクラスプ
hairpin clasp

欠損側に体部をおき，頰・舌側面の鉤腕を中央部付近で方向を反転させてニアゾーンのアンダーカット部に鉤尖をおいたヘアピン状のクラスプ．Roach により提唱された．

1016 平均値咬合器
へいきんちこうごうき
average value articulator

顆路角（傾斜），切歯路角（傾斜），Balkwill 角，顆頭間距離などの顎運動の各要素を解剖学的平均値に固定した咬合器．

1017 **平均的顆頭点**
へいきんてきかとうてん
arbitrary hinge position

平均的な下顎頭の位置に基づいて皮膚上に設定される顆頭点．フェイスボウトランスファー時の後方基準点として利用される．その具体的な位置に関しては，Gysiによる耳珠上縁と外眼角を結ぶ線上で外耳道の前方13 mmの点，Lundeenによるその下方3 mmの点，Hanauによるフランクフルト平面上で外耳道の前方12 mmの点，など諸説がある．

1018 **平行形成器** へいこうけいせいき
parallelometer

ブリッジやピンレッジの支台歯形成において，口腔内でそれらの平行関係を機械的に規制して，形成操作を容易とする器具．支台歯以外の天然歯に固定源を求め，それに切削器具を連結して，平行運動だけを可能とする機構のものが主であるが，タービンヘッドの先端に装着して，タービンバーの方向を視覚的に判定するだけの簡便な機構のものもある．

1019 **平衡咬合** へいこうこうごう
balanced articulation（occlusion）

中心位（中心咬合位）および偏心位において，力学的に安定した状態にある咬合状態．天然歯列について用いられることもあるが，本来は義歯の咬合を記述する用語であり，片側性平衡咬合と両側性平衡咬合とがある．

1020 **平衡咬合小面**
へいこうこうごうしょうめん
balancing occlusal facet

Gysiの軸学説および咬合小面学説に従って，フルバランストオクルージョンを付与する目的で人工歯咬合面に形成する咬合小面の1つ．非作業側への側方滑走運動時に接触する面であり，下顎臼歯では頬側咬頭内斜面，上顎臼歯では舌側咬頭内斜面に発現する．

1021 **閉口障害** へいこうしょうがい
difficulty in closing mouth

閉口動作において咬頭嵌合位あるいは本来の閉口位に閉口できない状態．外傷などによって顎関節部に炎症が生じ，疼痛や炎症性の浮腫などのために閉口が困難である場合や，顎関節の脱臼や亜脱臼によって閉口が困難となる場合などがある．関節円板の後方転位が下顎頭の後方移動を妨げる一時的な閉口障害をオープンロック（open lock）というが，亜脱臼との区別は明確ではない．

1022 **平行切削器** へいこうせっさくき
parallelometer

ミリングによって，テレスコープクラウンやバーなどの自家製アタッチメントを製作するために用いる精密な技工用切削器．サベイヤー部，模型固定台，切削用回転部，動力部などから構成されている．コーヌスクローネ製作用のHUGパラレロメーターを始め，数種類の製品がある．

1023 **平衡接触** へいこうせっしょく
nonworking side occlusal contact，balancing occlusal contact

側方滑走運動時の非作業側における歯の接触．アンテリアガイダンスやグループファンクションの干渉となる場合は望ましくないとされ，全部床義歯において平衡咬合を構成する場合は望ましい接触とされる．

1024 **平衡側**→「非作業側」参照

1025 **平衡側側方顆路**→「非作業側側方顆

路」参照

1026 **平行測定** へいこうそくてい
parallel check
1) ブリッジの支台歯形成時に各支台歯間の平行性を確認する検査. 大型ミラー, 口腔内写真撮影用ミラーを用いて咬合面側, 切縁側, 唇・頬側, 舌・口蓋側から支台歯全体をみて, すべてのマージン部にアンダーカットがなく, 平行性があることを口腔内あるいは作業用模型上で確認する. 専用のノギス状のインスツルメント, 平行測定器もある.
2) 部分床義歯の製作時に, サベイヤーを用いて歯列模型上の歯および軟組織の平行性を調べる検査.

1027 **平行測定器** へいこうそくていき
parallelometer
クラウンやブリッジの製作に際し, 支台歯の形成面のテーパーの判定, 複数のピンホールやポスト孔などの平行性の確認, 各部のアンダーカットの検査などに用いる器具. 臨床, 技工いずれの現場でも利用されるが, ノギス状のものやデンタルミラーに平行線を刻印したものなどがある.

1028 **平行模型** へいこうもけい
parallel cast
上下顎模型の基底面を咬合平面と平行に, 正中口蓋縫合線を模型の正中に一致させて製作した石膏模型.

1029 **平線咬合器**
plane line articulator
→「蝶番咬合器」参照

1030 **Bennett 運動** べねっとうんどう
Bennett movement, laterotrusion
下顎側方運動における作業側下顎頭の側方移動. Bennett (1908) により提唱された. 作業側下顎頭は下顎側方運動時の回転中心となり, 下顎全体は側方移動する. その際の作業側下顎頭の移動範囲は, 上下前後のいずれか外方約 1 mm で約 60° の円錐形内である.

1031 **Bennett 角**→「側方顆路角」参照

1032 **ベベル型** —がた
bevel
支台歯の歯頸部辺縁形態ならびに修復物辺縁形態の 1 つ. 歯軸に対して外開きの斜面を与えた形態. 通常, ベベル型単独で用いることは少なく, ショルダー型に幅の小さいベベルを付与したベベルドショルダー型や, ヘビーシャンファー型にベベルを付与したベベルドシャンファー型 (beveled chamfer type) として応用されることが多い.

1033 **ベベルドショルダー型** —がた
beveled shoulder type
支台歯の歯頸部辺縁形態ならびに修復物辺縁形態の 1 つ. ショルダーの外縁に小さい幅のベベルを付与した形態. ショルダー型の欠点であるセメント合着時の浮き上がりによる辺縁部の適合不良を補正するために, 前装冠の唇 (頬) 側辺縁などに応用される. ただし, ジャケットクラウンのように縁端強度の弱い材料のものには応用できない.

1034 **辺縁形成**→「筋圧形成」参照

1035 **辺縁骨レベル** へんえんこつ—
marginal bone level
天然歯を支える歯槽骨やインプラント体の周囲骨組織の骨頂部の位置.

1036 **辺縁封鎖** へんえんふうさ
border seal
義歯床縁と義歯床下粘膜または義歯周囲軟組織との封鎖状態. 床縁封鎖ともいう.

1037 偏心位［下顎の］
へんしんい［かがくー］
eccentric position［of mandible］
中心位以外のすべての顎位.

1038 偏心咬合位 へんしんこうごうい
eccentric occlusal position
咬頭嵌合位から上下顎の歯を接触させた状態で，前方，側方，あるいは後方に滑走させたときのすべての咬合位.

1039 偏側型ポンティック
へんそくがたー
semihygienic pontic
唇側または頬側の歯頸部のみが顎堤粘膜と線状に接触し，舌側に向かうに従って徐々に粘膜から離れていく形態のポンティック.

1040 片側性咬合平衡
へんそくせいこうごうへいこう
unilateral occlusal balance
全部床義歯あるいは多数歯欠損の部分床義歯において，作業側に食塊が介在しても，義歯が離脱したり，回転しないで安定している状態.

1041 片側性平衡咬合
へんそくせいへいこうこうごう
unilateral balanced articulation［occlusion］
側方咬合位において，非作業側の咬合接触がない状態で，作業側人工歯の頬・舌側咬頭のみの咬合接触により力学的な平衡状態を作りだし，義歯の転覆を防止することを意図した咬合様式. Pound のリンガライズドオクルージョンも片側性平衡咬合の１つである.

1042 片側離脱［ブリッジの］
へんそくりだつ
partial loss of retention［of fixed partial denture（bridge）］
固定性ブリッジの支台装置の一部が脱離した状態. ブリッジは脱落せず口腔内に残るため，脱離した支台歯の齲蝕進行が促進されるなど重篤な経過をたどることが多い.

1043 偏咀嚼 へんそしゃく
unilateral chewing
左右のいずれか一方だけで行う咀嚼.

1044 片麻痺 へんまひ（かたまひ）
hemiplegia
〔同義語〕半側麻痺
身体の片側半身の運動が障害され麻痺を来した状態. 大脳や脳幹部などの障害においてみられる. 症状は運動障害，言語障害，失認などで，右片麻痺では論理や言葉などの言語をつかさどる左脳に障害が生じており，理解はあるが言葉で表せられない失語症が生じるのが特徴. 左片麻痺では情緒や感覚をつかさどる右脳に障害が生じ，性格変容が生じやすいのが特徴.

ほ

1045 ホースシューバー→「馬蹄形バー」参照

1046 ポーセレンジャケットクラウン
porcelain jacket crown
陶材のみで製作された全部被覆冠. 一般に白金や純パラジウムの箔を用いたマトリックス法で製作される. 審美性，化学的安定性，耐摩耗性に優れ，金属に比べて熱伝導度が小さく，組織に対する為害作用が少ないなどの長所を有するが，脆弱で破折しやすく，製作が煩雑であるという短所もある. 現在，使用頻度は低くなっている.

1047 ポーセレンブリッジ
porcelain fixed partial denture, porcelain bridge
全部被覆冠を支台装置とし，支台装置とポンティックを同質のポーセレンで焼成したブリッジ．アルミナ陶材などの強度に優れたポーセレンで焼成した全部ポーセレンブリッジと，強度を補うためポーセレンの中に金属を埋入した金属加強ポーセレンブリッジとの2種がある．

1048 ポーセレンレイヤリングジルコニアクラウン
porcelain layering zirconia crown
ジルコニアフレームにサンドブラスト処理などの前処理を行い，専用のポーセレンを築盛・焼成したクラウン．ジルコニアとポーセレンとは化学的な結合は期待できず，熱膨張率の差による機械的結合が主たる結合様式である．

1049 ボーンアンカードブリッジ
bone anchored fixed partial denture, bone anchored bridge
〔同義語〕オッセオインテグレーテッドブリッジ
複数本のオッセオインテグレーテッドインプラントを支台とする，固定性または術者可撤性の補綴装置．

1050 補強線 ほきょうせん
reinforcing wire
レジン床義歯，咬合床，個人トレーなどの破折・変形を防止し，強化するための金属線．レジン床義歯では，上顎口蓋面や下顎舌側面にしばしば用いられる．

1051 ボクシング
boxing an impression
棒状と板状のワックスを用いて印象の辺縁外周に沿って箱枠を作る操作．棒状ワックスで適切な辺縁部を確保し，板状ワックスで隔壁を形成することによって模型の適切な厚みを確保する．

1052 保持→「維持」参照

1053 保持形態 ほじけいたい
retention form
外力などによって歯冠補綴装置が支台歯から脱落しないよう保持するために，支台歯に付与される形態．クラウンの場合，基本的な保持形態は相対する軸面であるが，保持力をより増強するため，ピンホール，グルーブ，小窩，鳩尾形，これらを併用したロックなどの補助形態が追加されることがある．

1054 補助アタッチメント ほじょー
auxiliary attachment
単独では支台装置の役割を果たせないアタッチメント．ロマグノリプレソマティック，スイングロックアタッチメント，ガグリールメッティイソクリップなどがある．その役割を大別すると次の3種類に分類できる．①分割ブロック：不平行な支台歯に固定性ブリッジを適用するときの連結機構として使用．②維持用エレメント：維持の目的だけに使用．③バランサー：片側欠損症例で反対側に延長したバーの先端に支持や回転軸を求めるための装置．

1055 補助維持装置→「補助支台装置」参照

1056 補助支台装置 ほじょしだいそうち
auxiliary retainer
〔同義語〕補助維持装置
部分床義歯に用いられる支台装置で，限定された機能を有するもの．フック，スパーなどがこれに含まれる．

1057 ポステリアガイダンス
condylar guidance, posterior

guidance

顎運動を顎関節の形態学的要因によって規定する要素．前方部の歯の指導要素に相対する用語．

→「アンテリアガイダンス」参照

1058 ポスト

post，dowel

支台歯根管内に形成されたポスト孔に適合し，歯冠部築造体（コア）あるいは歯冠補綴装置を保持する棒状の構造体．既製ポスト（金属，ファイバー）と，自家製ポストの鋳造体がある．

1059 ポストクラウン

post-and-core crown，dowel crown

〔同義語〕継続歯

歯冠部とポスト部が一体の全部歯冠補綴装置．主に前歯部単冠に用いられる．歯冠部の前装部と舌面板，支台歯の根面に接する根面板と，歯冠部を保持するための維持部からなり，レジン前装ポストクラウン，陶歯前装ポストクラウンなどがある．

1060 ポストコア

post-and-core

支台歯のポスト（歯根部）とコア部（歯冠部）が一体となった支台築造体．

1061 ポスト孔　一こう

prepared root canal for dowel

ポストを挿入，装着するために，支台歯の歯根部に形成される孔．

1062 ポストダム

posterior palatal seal，postpalatal seal，post dam

上顎の義歯床口蓋後縁に辺縁封鎖を確実にするために設けられる堤状の突起．ポストダムの形成には，機能印象時に該当部位を加圧形成する方法と，作業用模型の同部位を削除修正する方法とがある．

1063 補足疲労　ほそくひろう

fatigue supplement

ブリッジの設計指針としてポンティックに生じる負荷の大きさを示す指数のうち，2 歯以上の連続するポンティックや延長ポンティックを適用する場合に付加される指数．ブリッジはポンティック部の負荷（疲労）の大きさが支台歯の負担能力（抵抗力）を越えないように設計する必要があり，支台歯の抵抗力として歯根表面積の大きさをもとにした指数が歯種ごとに決められ，ポンティックの疲労として歯種ごとに同名歯の抵抗力に相当する指数が与えられており，補足疲労の指数は欠損部位や欠損歯数などによって決定される．これら指数をもとに支台歯の抵抗力とポンティックの疲労を算出し，欠損に隣接する歯以外の歯を支台歯として加えるかどうか，加えるとすればどの歯を加えるかの判断を行う．

→「Duchange の指数」参照

1064 Posselt の図形

ぽっせるとーずけい

Posselt's envelope of motion，Posselt's three dimensional representation

Posselt（1952）が正中矢状面内の下顎運動記録と種々の高径における水平的な下顎運動記録とを組み合わせて再現した，切歯部における三次元的な下顎限界運動範囲を示す図形．その形態と Posselt の出身地に因みスウェーデンのバナナ（Swedish banana）とも呼ばれる．

1065 補綴　ほてつ

prosthesis

身体器官の喪失によって損なわれた形態と機能を人工装置によって修復・整形

すること.

1066 **補綴学**　ほてつがく

prosthetics

生体の欠損部を義歯，義眼，義足などの人工物で修復することに関する理論と技術を考究する学問.

→「歯科補綴学」参照

1067 **補綴主導型インプラント治療→「トップダウントリートメント」参照**

1068 **補綴前処置**　ほてつぜんしょち

preprosthetic treatment

補綴装置の製作時に，その治療の妨げとなるような口腔内環境を改善するために適用される，各種の歯科治療．抜歯，小帯切除術などの外科処置，充填や根管治療などの保存処置，口腔清掃や歯肉切除などの歯周治療，MTMなどの歯科矯正治療，レストシートやガイドプレーンの付与などの支台歯の処置，その他（ティッシュコンディショナーによる処置，咬合挙上など），多様なものが含まれる.

1069 **補綴装置**　ほてつそうち

prosthesis，dental prosthesis

1）身体器官の欠損や形態異常に対して，修復・整形・機能回復を目的として適用される各種人工装置の総称.

2）歯質，歯列，顎骨などの欠損や形態異常を修復し，失われた形態・機能・審美性の回復を図る人工装置.

1070 **ポリサルファイドゴム印象**　—いんしょう

polysulfide rubber impression

ポリサルファイドゴム印象材による印象．硬化後の寸法安定性に優れているので，有歯顎から無歯顎までの精密印象で多用される.

1071 **Bonwill 三角**　ぼんうぃるさんかく

Bonwill triangle

切歯点と左右の下顎頭上面の中央部頂点を結んだ線で形成される一辺4インチの正三角形．Bonwill（1858）によって提唱された.

1072 **ポンティック**

pontic

ブリッジの構成要素の1つ．支台装置と連結されることによって歯の欠損部を補う人工歯で，咀嚼や発音といった口腔の機能および形態，審美性などを回復する役割をもつ．適用部位，基底面形態，自浄性，使用材料や支台装置との位置関係の違いなどにより各種に分類される.

ま

1073 **マージン**

margin

クラウン，インレー，アンレーなどの外縁.

1074 **埋没**　まいぼつ

investing

重合，ろう（鑞）付け，鋳造などに先立ち，対象物の全体あるいは一部を耐火材や石膏などで被覆，または包埋すること.

1075 **マウンティングジグ**

mounting jig

上顎模型を咬合器に装着するときに用いる用具．バイトフォークを保持するためのもの（キャストサポート）や，Bonwill三角を基準にして平均的位置に模型を位置づける咬合平面板などがある.

1076 **マウンティングプレート**

mounting frame，mounting plate，mounting ring

石膏模型を咬合器に装着するための用具．通常は咬合器の上弓と下弓のそれぞれ中央部分に設置されたリングまたは円形の金属またはプラスチック板．

1077 前ろう（鑞）付け法
まえ―づ―ほう
pre-ceramic soldering

陶材焼付冠の固定性連結製作法の1つで，陶材を金属冠に焼き付ける前に行うろう（鑞）付け．

1078 窓開け　まどあ―
cut-back

前装鋳造冠の製作において，前装用材料を築盛するための領域をワックスパターンに付与する操作．いったん，歯冠形態をワックスにて完全に回復した後に行われる．

1079 マトリックス
matrix

2つのパーツの組み合わせからなるアタッチメントの受け手部分．パトリックス部の突起形態を受容するような凹状形態を有する．歯冠内アタッチメントでは固定部に，歯冠外あるいは根面アタッチメントでは可撤部に設定される．

1080 麻痺性嚥下障害→「機能性嚥下障害」参照

1081 摩耗［歯の］　まもう［は―］
dental abrasion

摩擦などの異常な機械的作用により生じた表在性の歯質摩滅．不適当なブラッシングによる歯頸部根面のくさび状あるいは溝状の摩耗症，職業的あるいは習慣的原因による切縁・咬合面の摩耗症，およびクラスプによるエナメル質の摩耗などがある．摩耗面は滑沢で硬くなり，経時的に黄褐色を呈する．組織学的には象牙細管の石灰化と，歯髄側面における第二象牙質の形成がみられる．

1082 Munsell 色票系→「Munsell 表色系」参照

1083 Munsell 表色系
まんせるひょうしょくけい
Munsell color system

〔同義語〕Munsell 色票系

色の三属性による色票配列に基づいてMunsellが考案した表色系．色相，明度，彩度の三属性によって物体色を表す．物体色の三属性は色立体という三次元空間で表すことができ，明度は高さで，色相は角度で，彩度は中心軸からの距離で表す．

1084 マンディブラーキネジオグラフ（MKG）　―（えむけーじー）
Mandibular Kinesiograph（商品名）

下顎中切歯部に取り付けた小型永久磁石の動きを，頭部に固定したセンサーアレイで検出する非接触型の三次元下顎運動記録装置．Jankelson（1969）により考案された．

み

1085 水飲みテスト　みずの―
water swallowing test（WST）
→「改訂水飲みテスト」参照

1086 未病　みびょう
presymptomatic disease

病気に著しく近い心身の状態．検査を行えば異常を認めるが自覚症状のない時期で放置により病気に移行する状態と，自覚症状を有するが検査により異常を認めない状態に大別される．本来，東洋医学の概念が原点であったが，近年，QOLへの関心の高まりから現代予防医学に取り入れられた語句である．

1087 ミューチュアリープロテクテッドオクルージョン

mutually protected occlusion

ナソロジー学派の主張する咬合様式．咬頭嵌合位においては，臼歯部が咬合し，前歯部はわずかに離開する．前方滑走運動においては前歯部が，側方滑走運動においては犬歯が接触滑走し，臼歯部は離開する．

1088 ミリング

milling

可撤性補綴装置を製作するときに，補綴装置の着脱方向を考慮して，フライス盤（ミリングマシン）を用いて作業用模型上でワックスパターンや鋳造体をミリング（切削，研削）加工する手法．

1089 ミリングバー

milling bar

支台歯間を連結する角棒状の鋳造体の側面を平行切削器で平行に仕上げたバー．平行な面どうしの摩擦により維持力を発揮する．

む

1090 無圧印象　むあついんしょう

mucostatic impression, non-pressure impression

可及的に印象圧を加えないで顎堤，口蓋粘膜の静止状態を採得する印象．

1091 無口蓋義歯　むこうがいぎし

roofless denture

義歯床の口蓋部を顎堤の内側縁に沿ってU字形に除去し，全体を馬蹄形にした上顎全部床義歯．

1092 無咬頭人工歯

むこうとうじんこうし

cusspless teeth, nonanatomic teeth, zerodegree teeth

非解剖学的人工歯に属する，咬頭傾斜角が0°の人工臼歯．咬合面が平坦であるため，機能時に顎堤への側方力は発現せず，顎堤の保存には有利であるとされている．しかし，解剖学的人工歯のように，咬合面形態を利用して顎運動との協調を図ることができないため，咬合平衡を確保するためにはバランシングランプなどを設定することもある．Sears（1922, 1938），Hardy（1942, 1950）などの人工歯が有名である．

1093 無歯顎　むしがく

edentulous jaw

歯をすべて喪失した，もしくは歯が存在しない顎．

1094 MUDLの法則

むどぅるーほうそく

MUDL rule

後方滑走運動時の干渉を除去する際に用いられる法則．上顎臼歯では近心斜面（Mesial of the Upper）を，下顎臼歯では遠心斜面（Distal of the Lower）を削合する．Lauritzenにより提唱された．

1095 明度　めいど

value

色の三属性の1つ．物体表面の相対的な明るさに関する色感覚の属性，およびそれを同一条件で照明した白色面を基準として尺度化した指標．黒を0，白を10とする間隔尺度を視感反射率の多次式で定義する．

→「Munsell 表色系」参照

1096 メジャリングディバイス

Measuring Device（商品名）

厚さを測定する簡易測定器の１つ．ステンレス製で，先端が鋭利な金属用と先端が球状のワックス用とがある．いずれも 0.1 mm までの読み取りができ，最大 10.0 mm までを測定できる．

1097 **メタルコーピング**
metal coping

1）形成された支台歯の上に適合される鋳造体．生活歯では薄いキャップ状，失活歯ではポストを伴うこともある．後者の場合，根面板と同義．
2）陶材焼付冠の陶材を焼き付けるための金属体．フレームワークと同義．

1098 **メタルバッキング**
metal backing

陶材焼付冠やレジン前装冠における舌側面フレームワークまたは有床義歯における人工歯舌側面を裏打ちするフレームワーク．

も

1099 **モールドガイド**
mold guide

人工歯の形態見本．

1100 **モダイオラス**
modiolus

口角の遠心部に口輪筋などの表情筋が集まって形成される結節．人工歯排列位置と義歯床研磨面形態に影響する．

1101 **モデリングコンパウンド印象** —いんしょう
modeling plastic impression compound

熱可塑性のモデリングコンパウンドによる印象．顎堤弓の大きさに合わせて選択した既製トレーをトリミングした後，軟化したモデリングコンパウンドを盛り，義歯床に関連する解剖学的形態を記録する．一般的には，加圧印象に分類される．

1102 **モノプレーンオクルージョン**
monoplane occlusion

無咬頭人工歯を使用した全部床義歯の咬合様式の１つで，咬合面を一平面上に排列する咬合様式である．人工歯咬合面の傾斜やバランシングランプなどにより両側性平衡咬合を付与する場合もある．
→「無咬頭人工歯」参照

1103 **モノリシックジルコニアクラウン**
monolithic zirconia crown

〔同義語〕フルジルコニアクラウン，フルカントゥアジルコニアクラウン

モノリシックは「一体となっている」という意味で，ジルコニアのみで製作されているクラウン．

1104 **Morrison クラウン**→「圧印金冠」参照

1105 **Monson カーブ** もんそん—
curve of Monson, Monson curve

前後的歯列彎曲と側方歯列彎曲の双方を含む咬合彎曲．眉間中央部付近を中心とする半径４インチの下方に凸な球面に，下顎歯の切縁や咬頭頂が接触するとされる．なお，咬耗が進行し，臼歯列が上方に凸な側方歯列彎曲を呈した場合をアンチ Monson カーブ（anti-Monson curve）あるいはリバースカーブ（reverse curve）という．
→「Monson 球面説」参照

1106 **Monson 球面説** もんそんきゅうめんせつ
Monson's spherical theory

Monson（1920）によって発表された幾何学的下顎運動理論．Spee の彎曲をすべての下顎運動の範囲にまで拡大する

と，1つの球面が形成され，その中心は歯の長軸と下顎頭の中心から始まる垂線との交点に一致し，半径は4インチとなるとした．さらにこの中心が下顎運動の中心点でもあり，下顎はこの球面に沿って運動するというものである．

1107 **有孔陶歯**　ゆうこうとうし
diatoric teeth

有床義歯用人工歯の機械的維持力を増すために，前歯では舌側面に，臼歯では基底面に穿下性の孔および側管が設けられている陶歯．

1108 **有根型ポンティック**
ゆうこんがた―
root extension pontic

抜去歯の歯根長1/4～1/5程度の根部を備えた形態のポンティック．上顎前歯部の審美性を維持する目的で抜歯前にブリッジを製作しておき，抜歯直後の抜歯窩に嵌入される．表面にはグレージングを行った陶材を使用することが必須である．

1109 **UCLA（型）アバットメント**
ゆーしーえるえー（がた）―
UCLA abutment

インプラント体にスクリューで直接連結される上部構造をロストワックスによる鋳造法で製作する際の技工用パーツの一般名称．カスタムアバットメントのうち鋳造により支台形態を製作するのに用いる場合と，スクリュー固定式上部構造のフレームワークとして用いる場合がある．

1110 **有歯顎**　ゆうしがく
dentulous jaw

歯の存在している顎．無歯顎に相対する用語．

1111 **有床型ポンティック**
ゆうしょうがた―
saddle pontic

基底面に歯肉色の床を付けて粘膜と接触させる形態のポンティック．欠損部の歯槽骨が大きく吸収した場合に，審美性を回復したり違和感を軽減したりする目的で用いる．自浄性や清掃性に劣るので可撤性ブリッジにすることが必須である．

1112 **有床義歯**　ゆうしょうぎし
plate denture, removable denture

粘膜を覆う義歯床を有する義歯．部分欠損歯列において顎堤の一部を覆う形式のものを部分床義歯，無歯顎において顎堤の全部を覆う形式のものを全部床義歯という．

1113 **有釘陶歯**→「ピン陶歯」参照

1114 **誘導面**→「ガイドプレーン」参照

1115 **遊離端義歯**　ゆうりたんぎし
extension base removable partial denture，distal extension removable partial denture

遊離端欠損部，すなわち歯列の部分的欠損のうち，欠損部遠心側に残存歯が存在しない欠損様式に適用される可撤性有床義歯．臨床的には片側性と両側性に分けられ，前者は片側性遊離端義歯（unilateral extension base denture）と呼ばれ，Kennedyの分類ではII級に相当する欠損に適用される．後者は両側性遊離端義歯（bilateral extension base denture）と呼ばれ，Kennedyの分類ではI級に相当する欠損に適用される．本義歯は欠損部近心側のみに残存歯列が存在するので，人工歯列の維持・支持および安定は欠損部顎堤と残存歯列に求めなければならず，通常，直接支台装置および間接支台装置が設定される．

1116 **遊離端欠損**　ゆうりたんけっそん

Class Ⅱ or Class Ⅰ of the Kennedy's classification of partially edentulous arches

歯列の部分欠損症例において，欠損部の遠心側に歯が存在しないもの．

1117 **遊離端ブリッジ**→「延長ブリッジ」参照

よ

1118 **予後**　よご

prognosis

本来，その病気のたどる経過についての医学上の見通し．歯科補綴学では，支台歯や顎堤などの組織や補綴装置自体および補綴治療により回復された機能や審美性のたどる経過についての見通しを意味する．

1119 **3/4 冠**　よんぶんのさんかん

three quarter crown, partial coverage crown, partial coverage retainer

〔同義語〕スリークォータークラウン，3/4 クラウン

前歯歯冠の 4 面のうち，唇側面を残して，他の 3 面を被覆する部分被覆冠の 1 つ．Carmichael（1906）によって創案された．Carmichael 3/4 冠では両隣接面と舌面が削除され，切縁溝と隣接面溝が形成されるとともに両隣接面溝を結ぶ舌側マージン部にショルダーが形成される．Tinker 型はスライスカットが小さく，金属の露出が少ないので審美性に優れる反面，マージン部が不潔域を通るため二次齲蝕の危険性が高い．スライス型は Tinker 型に比べてスライスカットが大きいので，金属の露出が多くなるが，二次齲蝕の発生は少なくなり，形成も容易である．Vest 型では唇面隅角部に半円溝が形成され，両隣接面および切縁側のマージンは唇面に設定されている．他の 2 型に比べ，溝形成に伴う歯髄損傷および二次齲蝕の危険性は少ないものの，金属露出が最も著しく審美性に劣るが，歯冠が薄い歯にも可能である．

1120 **3/4 クラウン**→「3/4 冠」参照

ら

1121 **ラウンデッドショルダー型**　―がた

rounded shoulder

オールセラミッククラウンやオールコンポジットレジンクラウンのフィニッシュラインの辺縁形態で，適合性，材料の強度，審美性などを勘案して丸みを付与した形態．

→「歯頸部辺縁形態」参照

1122 **ラミネートベニア**

laminate veneer

主に前歯唇側面の審美的修復を目的とした歯冠色のシェル．ポーセレンを応用したポーセレンラミネートベニアと，レジンを応用したレジンラミネートベニアの 2 種類がある．ともに接着性レジンを用いて歯質に接着させる．

1123 **ランナーバー**

runner bar

ブリッジや連結補綴装置において，各支台歯のワックスパターンに植立したスプルー部と鋳造リングの円錐台に植立したゲート部との間に設置したバー形態の湯道．溶湯の流れを調節し，湯だまりと

同様の効果をもつ.

り

1124 **リカントゥアリング**

recontouring

部分床義歯の支台歯への補綴前処置として，支台装置を適切に設定するために，頬舌側面歯質の削除などにより歯冠形態を修正すること.

→「補綴前処置」参照

1125 **リジッドサポート**

rigid support

支台歯と義歯とを強固に連結した，歯根膜負担を主体とする部分床義歯の設計の概念．その構造様式はリジッドコネクターといわれる．連結条件として，支台歯歯周組織の負担限界を超えないことが要求される.

1126 **リッジラップ型ポンティック**

—がた—

ridge lap pontic

基底面が唇側（頬側）の歯頸部から，舌側（口蓋側）に向かって全面的あるいは部分的（T字型）に歯槽頂部をやや越えた範囲まで粘膜と接触し，その後徐々に粘膜から離れていく形態のポンティック.

1127 **リップサポート**

lip support

歯や人工歯が口腔内で口唇を支えていること．歯の欠損により失われたリップサポートは，義歯により回復されるが，その回復程度は，前歯の前後的排列位置や傾斜度によって異なる．老人様顔貌の特徴とされるくぼんだ口元は，リップサポートの喪失が主体として生じ，これに加齢変化(老化)が加わったものである.

1128 **離底型ポンティック** りていがた—

hygienic pontic

基底面が顎堤粘膜から完全に離れている形態のポンティック.

1129 **リテンションビーズ**

retention beads

レジンを金属に接合させる際，金属との機械的維持を図るために用いるプラスチック製の細かいビーズ．ワックスパターンの表面にこのビーズを付着させ，鋳造体前装面に凹凸を付与する.

1130 **リバースバックアクションクラスプ**

reverse back action clasp

欠損側に近い頬側面に鉤体部をおき，鉤腕が欠損側隣接面，辺縁隆線部を走行して，舌側面のファーゾーンのアンダーカット部に鉤尖をおくクラスプ.

1131 **リベース**

rebase

人工歯部以外の義歯床を新しい義歯床用材料に置き換え，義歯床下粘膜との再適合を図ること．人工歯の咬合関係は正しいが，義歯床粘膜面の適合が不良な場合に適用される.

→「リライン」参照

1132 **リポジショニングアプライアンス**

occlusal device，repositioning appliance

〔同義語〕リポジショニングスプリント

オクルーザルアプライアンスの1つで，下顎頭や関節円板の位置を整復するための装置．通常，顎位を前方位で固定する前方整位型アプライアンスが用いられる.

→「オクルーザルアプライアンス」参照

1133 **リポジショニングスプリント**→「リポジショニングアプライアンス」参照

1134 **リマウンティングジグ**

remounting jig，remount cast jig

咬合器再装着時に使われる歯列咬合面記録（例；Tench のコア）を咬合器上に正しく位置づけるための金属板．咬合器の下弓に固定して使う．

1135 **リムーバルノブ**

removal knob

1）クラウンの試適，仮着において，取り外しを容易にするためにつけられた突起（ノブ）またはリング．患者の舌，頬粘膜を傷害しない部位に付与される．

2）鉤腕を変形させないために，部分床義歯に付与され，患者が日常的に利用する撤去用の突起．

1136 **両側性咬合平衡**

りょうそくせいこうごうへいこう

bilateral occlusal balance

全部床義歯あるいは多数歯欠損の部分床義歯装着時の側方咬合位において，作業側人工歯に加わる義歯の回転や離脱に係わる力の発現を非作業側の咬合接触によって防止する咬合状態．

1137 **両側性平衡咬合**

りょうそくせいへいこうこうごう

bilateral balanced articulation (occlusion)

側方咬合位において，作業側人工歯に加わる義歯の回転や離脱に係わる力の発現を非作業側の咬合接触によって相殺する目的で付与される咬合様式．全部床義歯に望ましい咬合様式の1つとされている．

1138 **両翼鉤**→「二腕鉤」参照

1139 **リライン**

reline

義歯床粘膜面の1層だけを新しい義歯床用材料に置き換え，義歯床下粘膜との適合を図ること．人工歯に異常所見はなく，また咬合関係に異常が認められず，義歯床粘膜面の適合が不良な場合に適用される．新しい義歯床用材料としては，咀嚼時の疼痛の緩和や顎堤のアンダーカットへの適合を図ることを目的として，軟質リライン材（soft relining material）が使用されることもある．本法には，直接法と間接法とがある．間接法において，模型と人工歯の位置関係を保持して，印象材の部分を床用材料に置き換えるために用いられる器具をリライニングジグ（relining jig）という．

→「リベース」参照

1140 **リラクセーションアプライアンス**

occlusal device，relaxation appliance

〔同義語〕リラクセーションスプリント

オクルーザルアプライアンスの1つで，筋の緊張緩和やブラキシズムの治療などを目的とする前歯型アプライアンス．上顎前歯切縁から口蓋を被覆し，閉口時に下顎前歯のみがこれに接触する．

→「オクルーザルアプライアンス」参照

1141 **リラクセーションスプリント**→「リラクセーションアプライアンス」参照

1142 **リリーフ**

relief

1）義歯床粘膜面の一部を凹状にして，義歯床を介して顎堤粘膜あるいは顎骨に加えられる咬合力を緩和すること．これにより，粘膜の疼痛あるいは義歯の破折を防止するとともに義歯の維持・安定を図る．その適用部位としては，粘膜が薄く被圧変位量が小さい口蓋隆起，下顎隆起，骨隆起などや，神経，血管の開口部に相当する切歯乳頭などがある．
2）印象用トレーの内部に印象材が入るスペースを設けること．

1143 リンガライズドオクルージョン
lingualized occlusion
中心咬合位および側方滑走運動時に，上顎臼歯の舌側咬頭だけが下顎臼歯に接触することで咬合力を舌側へ誘導して，義歯の安定を図る咬合様式．Pound（1970）により提唱された全部床義歯の咬合様式で，全部床義歯に望ましい咬合様式の1つ．

1144 リンガルエプロン
lingual apron
リンガルプレートの1つで，リンガルプレートの上縁を残存歯の舌側面に延長し，歯面の一部を覆うように設計された大連結子．義歯の沈下防止や，骨植の弱い前歯の固定に有効である．

1145 リンガルバー
lingual bar
下顎残存歯の舌側粘膜面に沿って設置されるバータイプの大連結子．特に，口底が浅い場合に前歯部の保護とバーの曲げ強度を向上させるために，舌側溝と舌の下方に設定され，断面形態がL字に近似したものをサブリンガルバー（sublingual bar）という．

1146 リンガルプレート
lingual plate
下顎残存歯の舌側粘膜面に設置される大連結子の1つ．下顎の舌側歯槽面を覆うように幅広く，かつ薄く設計される．

1147 リングクラスプ
ring clasp
欠損側隣接面に鉤体部をおき，支台歯のほぼ全周を1本の鉤腕が取り巻き，その先端をニアゾーンの深いアンダーカットに設置するクラスプ．通常，上顎大臼歯では口蓋側から，下顎では頬側から鉤腕が始まる．孤立した最後方臼歯を支台歯とする場合に用いる．補助鉤腕をつける場合もある．左右対称的な適用が原則とされる．

1148 リングライナー→「キャスティングライナー」参照

1149 臨床的歯冠 りんしょうてきしかん
clinical crown
歯肉から口腔内に露出している歯の部分で，歯肉縁から咬合面または切縁までのいわゆる外見上の歯冠．解剖学的歯冠に相対する用語で，Gottliebにより提唱された．解剖学的歯冠とは異なり，臨床的歯冠は年齢とともに変化する．萌出後高さを増し，加齢に従って歯槽骨の吸収，歯肉の退縮が生じ，歯根が露出するとさらに臨床的歯冠は長くなる．歯冠修復を行う際，クラウンなどに適正な維持力を得るためには，十分な臨床的歯冠長が必要となる．

1150 臨床的歯根 りんしょうてきしこん
clinical root
歯肉に覆われている歯根部．歯肉の退縮など局所環境因子により変化する．解剖学的歯根とは異なり，年齢とともに短くなる傾向にある．歯冠修復，咬合再建などの処置に際し，適正な臨床的歯冠歯根比の付与を考慮しないと咬合性外傷などを生じることとなる．臨床的歯根が短い場合には歯冠長を短くし，コーピング処置などを行い，負担軽減を図る方法もある．

1151 隣接面溝 りんせつめんこう
proximal groove
3/4冠や4/5冠など部分被覆冠の支台

歯の隣接面に長軸的に形成付与される維持溝(縦溝). その方向により装着方向が制限されるが, 被覆冠の唇側面や頰側面などの側面壁を取り除くことによって生じる維持力と強度の低下を補う.

1152 隣接面鉤 りんせつめんこう

mesiodistal clasp

〔同義語〕近遠心鉤

Roach により提唱された鋳造鉤で, 支台歯の舌面から近心面および遠心面を取り巻き, 隣接面のアンダーカットに維持を求めた支台装置. 主として前歯部に用いられる.

1153 隣接面板 りんせつめんばん

proximal plate

部分床義歯の支台歯に形成されたガイドプレーンに対応する機構として義歯に設けられた金属部分. 機能としては, 義歯の着脱を誘導し容易にすること, 義歯にかかる水平的動揺を防止すること, 支台歯への側方力を減少させること, 食片圧入を防止することなどがあげられる.

る

1154 流ろう るー

wax elimination

熱湯などによりモールドからワックスを取り除く操作.

れ

1155 レジンキャップ

resin cap

アクリリックレジンを用いた全部被覆冠の総称. 製作法が容易なうえ, 安価であり審美性にも優れるが, 強度, 耐摩耗性は十分ではない. 色調安定性もないため長期間の使用には適さない. 主として, 有髄歯の歯冠形成後のプロビジョナルクラウンとして, また, 暫間固定装置として使用される.

1156 レジン歯 ーし

acrylic resin teeth

メチルメタクリレートを主成分としたアクリリックレジンによる人工歯. 硬さが低いため削合しやすい, 対合歯を傷つけない, 義歯床との結合が強固, 安価であるなどの利点はあるが, 耐摩耗性が低いため容易に咬耗し咬合高径の低下を招きやすく, 変色しやすいなどの欠点がある.

1157 レジンジャケットクラウン

resin jacket crown

〔同義語〕硬質レジンジャケットクラウン, ハイブリッド型コンポジットレジンクラウン

コンポジットレジンのみで製作された全部被覆冠. 色調ならびに形態の付与が自由で, 弾性もあり, 修理が口腔内で行えるなどの長所を有する. しかし, 吸水性, 摩耗性, 変色性, 変質性があり, 自然感が劣るなどの短所もある.

1158 レジン床 ーしょう

resin denture base

歯肉色のレジンを材料とする義歯床. 材料的にはアクリリックレジン, ポリスルホン, ポリカーボネートなどがあるが, アクリリックレジンが最も一般的である. 加熱 (水を用いる湿熱, 電気ヒーターやマイクロ波による乾熱) 重合, 常温重合, 光重合などがあり, 加圧塡入, 加圧注入, 流し込み, 射出, 加熱圧縮により成形する. 重合済みのレジンブロックを切削加工するミリング法や 3D プリンタによる付加型造形法も臨床応用され

つつある．

1159 レジン床義歯　—しょうぎし

resin base denture

義歯床が床用レジンで製作された有床義歯．アクリリックレジンが多用されるが，射出成形レジンが用いられることもある．

1160 レジン前装冠　—ぜんそうかん

resin facing metal crown，resin veneer crown

審美的修復を目的に，歯冠の唇側や頬側などの外観に触れる面を歯冠色レジンで被覆した金属冠．

1161 レスト

rest

部分床義歯において，クラスプの鉤体部，義歯床，バーなどから突出し，支台歯のレストシートに適合する金属製の小突起．義歯に加わる咬合力の支台歯への伝達，義歯沈下および横揺れ防止，食片圧入の防止，咬合接触の回復など多様な機能を備えている．その適用部位によって，咬合面レスト（occlusal rest），切縁レスト（incisal rest），基底結節レスト（舌面レスト；cingulum rest），あるいは遠心レスト（distal rest），近心レスト（mesial rest）に分けられる．

1162 レストシート

rest seat

レストを受け入れるために支台歯に形成される小窩．咬合力に耐えるだけの幅や厚さをレストに付与できると同時に，義歯に加わる咬合力を垂直方向の力として支台歯へ伝達し，対合歯との早期接触や咬合干渉を避ける効果がある．

1163 レスト付き二腕鉤

—つ—にわんこう

two-arm clasp with occlusal rest

鉤脚が1つで，咬合面レストと2つの鉤腕を有する最も基本的な環状鉤．線鉤と鋳造鉤とがあるが，鋳造によるレスト付き二腕鉤は考案者の名からAkersクラスプとも呼ばれる．

→「Akersクラスプ」参照

1164 レトロモラーパッド

retromolar pad

下顎最後方大臼歯のすぐ後方に位置する臼後三角上で，顎堤遠心端に相当する位置に存在する，粘液腺（臼後腺）を含んだ軟組織からなる洋梨状の隆起．無歯顎になっても形態的変化が少ないため，下顎義歯床後縁の設定ならびに仮想咬合平面の後方基準として利用される．

1165 連結強度　れんけつきょうど

connecting rigidity

遊離端義歯において義歯と支台歯との間に設定した支台装置部分に発現する変位性．Körber（1973）らによって初めて提唱された用語であるが，連結強度が小さければ粘膜負担が主となり，逆に，連結強度が大きければ，歯根膜負担が主となる．臨床的には，レストのない線鉤は連結強度の小さいもの，テレスコープクラウンは連結強度の大きいものの代表といえる．

1166 連結固定［歯の］

れんけつこてい［は—］

splinting［of teeth］

1）歯周病に罹患した歯の消炎処置が完了しても歯の動揺が残遺した場合，接着法やワイヤー固定法などによりこれらを連結し，個々の歯の安静を図ること．

2）補綴装置の設計に際し，動揺の残遺した複数の支台歯を固定性または可撤性の支台装置により連結し，支台歯全体の支持能力を向上させること．

1167 **連結子**　れんけつし
connector
〔同義語〕連結装置
部分床義歯の構成要素の１つで，大連結子と小連結子との総称.

1168 **連結装置**→「連結子」参照

1169 **連合印象**　れんごういんしょう
combination impression
２種類以上の印象材，または流動性の異なる同種の印象材を用いて採得する印象.
→「単一印象」参照

1170 **連続鉤**　れんぞくこう
continuous clasp
1）鉤腕がレストから始まり複数歯の頰舌面を走行し，最も離れた歯のアンダーカットに鉤尖を置いたクラスプ.
2）前歯舌面の基底結節上を数歯にわたって連続的に走行する金属の構造体. Kennedy バーと同義.

ろ

1171 **ろう義歯**　―ぎし
wax denture
人工歯排列と歯肉形成が完了した重合前の義歯. 患者の口腔内に試適して，審美性，顎間関係，発音機能などを確認し，必要に応じて修正した後に重合される.

1172 **ろう型採得**→「ワックスアップ」参照

1173 **老人様顔貌**　ろうじんようがんぼう
senile appearance
1）加齢による変化だけでなく，歯の喪失に伴うリップサポートと咬合支持の喪失による顔貌の変化が，主として下顔面に特徴的に現れる老人様の顔貌. 口裂の縮小が起こり，上下の口唇は緊張を失って陥凹し，赤唇は薄くなり，放射状のシワが著明になり，老人の顔貌の特徴が強調される. 補綴装置によるリップサポートと咬合支持の回復により改善される.
2）無汗型外胚葉異形成症の小児にみられる特有な顔貌. 毛髪，睫毛，眉毛などがほとんどなく，目の周縁には小皺が多く，鼻は鞍状様で，無歯症により口唇が反転突出しているために，その顔貌が一見老人様を呈している状態をいう. 無歯症様顔貌（anodontia appearance）とも呼ばれている.

1174 **ろう堤**→「咬合堤」参照

1175 **Roach クラスプ**　ろーちー
Roach clasp
Roach（1929）の考案による歯肉型クラスプ. 義歯床あるいは連結子から出て歯肉部を横走し，支台歯部で垂直に屈曲して支台歯のアンダーカットに鉤尖が接触するバークラスプ. 鉤尖部の形態がアルファベットの文字に似ていることから I，S，L，U 型など種々の呼称があるが，代表的なものは T 型クラスプである.

1176 **ロングセントリックオクルージョン**
long centric articulation (occlusion)
咬頭嵌合位と下顎最後退接触位との間に，咬合高径の変化を伴わず，しかも咬頭傾斜の影響を受けない前後的な自由域をもつ咬合. Schuyler（1963）によって有歯顎にも導入された.

わ

1177 **ワイドセントリックオクルージョン**
wide centric articulation

(occlusion)

咬頭嵌合位が一点に集束しないで，左右的にわずかに自由域がある咬合．Schuyler（1963）や Guichet（1966）によって有歯顎にも導入された．

1178 **ワイヤークラスプ**→「線鉤」参照

1179 **ワックスアップ**

wax pattern fabrication，waxing

〔同義語〕ろう型採得

インレーやクラウンなどの鋳造体の原型となるワックスパターン（wax pattern）を作る過程で，歯型にワックスを付着し，その後ワックス形成器などを用いて形態を整え，最終的にワックスパターンを作りあげる技工操作の総称．製作方法には直接法と間接法とがある．ワックス操作法は，圧接法（wax adaptation technique），ディッピング法（dipping wax technique），ろう盛り上げ法（add-on technique）に大別される．歯冠形成法には彫刻法とドロップオンテクニック（drop-on technique）とがある．

1180 **ワックスコーンテクニック**

wax cone technique

ワックスアップによる機能的咬合面形成法の1つ．歯型に咬頭の位置を示す円錐状のワックスを置き，隆線を盛り上げて系統的に咬合面を形成する．ワックスの盛り上げシステムにいくつかの方法があるが，Payne の方法，Thomas の方法が代表的である．

→「ワックスアップ」参照

1181 **Walkhoff 小球**

わるくほっふしょうきゅう

Walkhoff palatal ball

無歯顎における水平的な顎位を決定する際に使用する小球．具体的には，上顎咬合床の口蓋後縁中央部に，ワックスなどの大豆大の小球（口蓋球）をつけ，これを舌尖で触れながら閉口させることにより下顎後退位に誘導する．

1182 **ワンピースキャスト法**　—ほう

one-piece cast method

〔同義語〕一塊鋳造法

複雑な形態の補綴装置を1回の鋳造によって製作する方法．一塊として鋳造されるため強度に優れるが，鋳造収縮の影響が大きく寸法精度が低下する場合がある．金属床，クラスプなどを1種類の金属で製作する場合，また，少数歯のブリッジを1種類の金属で製作する場合などに有効である．

2023
The Glossary of
Prosthodontic Terms 6th ed.

同義語一覧

付録：同義語一覧

選定用語	同義語として認める用語	使用が望ましくない用語	付録番号
アーライン		Ah-ライン・口蓋振動線	1
圧印金冠	Morrison クラウン		2
アペックス		アローポイント・エイペックス	3
アルミナ陶材	アルミナスポーセレン		4
安静空隙		フリーウェイスペース	5
アンテリアガイダンス	前方誘導（指導）	インサイザルガイダンス・切歯誘導（指導）・前歯誘導（指導）	6
維持	保持	リテンション	7
維持腕		リテンションアーム	8
印象用コーピング	インプレッションコーピング		9
インターオクルーザルレコード		咬合面間記録	10
インプラントアナログ	インプラントレプリカ		11
インプラント義歯	インプラント補綴，インプラント上部構造	嵌植義歯	12
インプラント体	フィクスチャー		13
インプラント体支持	顎骨支持		14
インプラント体-粘膜支持	顎骨-粘膜支持		15
Wilson の彎曲	側方咬合彎曲・側方歯牙彎曲・側方歯列彎曲		16
エステティックプレーン	エステティックライン		17
FGP テクニック	機能的運動路法	機能的咬頭路描記法	18
MPD 症候群		筋膜痛機能障害症候群	19
Elbrecht クラスプ	T 字クラスプ		20
嚥下造影検査	嚥下透視検査・ビデオ嚥下造影・ビデオレントゲン検査		21

選定用語	同義語として認める用語	使用が望ましくない用語	付録番号
延長ブリッジ	遊離端ブリッジ		22
オーバージェット	水平被蓋		23
オーバーデンチャー	残根上義歯	オーバーレイデンチャー	24
オーバーバイト	垂直被蓋		25
オーラルリハビリテーション	咬合再構成	オクルーザルリコンストラクション	26
オクルーザルアプライアンス	オクルーザルデバイス	オクルーザルバイトスプリント・オクルーザルバイトプレート・バイトプレート・バイトアプライアンス	27
オクルーザルランプ	パラタルランプ		28
オッセオインテグレーション		オステオインテグレーション・オッセオオスインテグレーション	29
オッセオインテグレーテッドインプラント	骨結合型インプラント	オステオインテグレーテッドインプラント・オッセオオスインテグレーテッドインプラント	30
オルタードキャスト法		アルタードキャスト法・模型改造法・模型修正法	31
概形印象		一次印象・準備印象・予備印象	32
外側バー		エクスターナルバー	33
ガイドプレーン	誘導面	ガイディングプレーン	34
解剖学的咬合器	顆路型咬合器		35
解剖学的人工歯		解剖学的人工臼歯・解剖的人工臼歯・解剖的人工歯・咬頭歯・咬頭人工歯	36
過蓋咬合		ディープバイト	37
下顎安静位		安静位・生理的下顎安静位	38
下顎後退接触位	下顎後退咬合位		39
下顎最後退接触位	下顎最後退咬合位		40
下顎頭	顆頭		41
下顎頭位	顆頭位		42
顎間距離		垂直顎間距離	43
顎間記録	顎間関係記録		44
顎関節雑音		顎関節音	45

選定用語	同義語として認める用語	使用が望ましくない用語	付録番号
顎関節内障		インターナルデランジメント・顎関節内部障害・顎内障	46
顎口腔系		口腔顎系・咀嚼系	47
顎堤		歯槽堤	48
顎堤粘膜		顎粘膜・歯槽堤粘膜・歯槽粘膜	49
顆頭間軸		下顎頭間軸・顆頭軸	50
下部構造（体）	サブストラクチャー		51
顆路指導板		顆路きょう導板	52
緩圧型支台装置	緩圧型維持装置		53
緩圧装置		緩圧性連結装置・ストレスブレイカー	54
感覚障害	感覚異常・知覚異常		55
嵌合効力	嵌合力		56
環状鉤		囲繞鉤・サーカムファレンシャルクラスプ・取り囲み鉤	57
間接支台装置	間接維持装置		58
寒天印象		ハイドロコロイド印象	59
Camper 平面		鼻聴道平面・補綴学的平面	60
義歯床下粘膜		床下粘膜	61
義歯床下粘膜異常	義歯性口腔粘膜症		62
義歯床研磨面		義歯床筋圧面	63
義歯床粘膜面		義歯床基底面	64
義歯床負担域	義歯床支持域		65
拮抗作用	対抗作用	レシプロケイション	66
拮抗腕	把持腕	レシプロカルアーム	67
機能性嚥下障害	動的嚥下障害・運動障害性嚥下障害		68
機能的人工歯		準解剖学的人工臼歯・準解剖学的人工歯・準解剖的人工臼歯・準解剖的人工歯	69
キャスティングライナー	リングライナー		70
CAD/CAM クラウン	CAD/CAM 冠		71
臼歯離開咬合	ディスクルージョン		72
頰棚		バッカルシェルフ・頰側棚	73
筋圧形成	筋形成・辺縁形成		74

選定用語	同義語として認める用語	使用が望ましくない用語	付録番号
グラインディング		臼磨運動	75
クラウン	冠		76
クラウンブリッジ補綴学		冠橋義歯学・冠橋義歯補綴学・歯冠補綴架橋義歯学・歯冠補綴架工義歯学・歯冠補綴橋義歯学	77
クラスプ	鉤		78
クリッキング		弾撥音	79
グレージング		グレーズ・艶焼き	80
クレピテーション	クレピタス	捻髪音	81
経鼻的持続陽圧呼吸療法	CPAP 療法		82
Kennedy バー		ダブルリンガルバー	83
研究用模型	スタディモデル	考究用模型・診断用模型・スタディキャスト・診査用模型	84
犬歯誘導咬合		カスピッドプロテクテッドオクルージョン・犬歯保護咬合	85
構音検査	調音検査		86
鉤外形線		クラスプライン	87
光学印象採得	デジタルインプレッション		88
口腔インプラント	デンタルインプラント・歯科インプラント		89
口腔乾燥症	ドライマウス		90
鉤肩		クラスプショルダー	91
咬合圧負担域		圧負担域・負担域	92
咬合器		咬交器	93
咬合器再装着		咬合器再付着・リマウンティング・リマウント	94
咬合器装着		咬合器付着・マウンティング・マウント	95
咬合小面		咬合局面	96
咬合堤	ろう堤		97
咬合平面設定板		咬合平面測定基準板	98
交叉咬合		クロスバイト	99

選定用語	同義語として認める用語	使用が望ましくない用語	付録番号
交叉咬合用人工歯		交叉咬合用人工臼歯・反対咬合用人工臼歯・反対咬合用人工歯	100
口唇接合線	口唇閉鎖線		101
鉤尖		鉤先・鉤端	102
口底	口腔底		103
鉤腕		クラスプアーム	104
鼓形空隙		エンブレジャー・歯間鼓形空隙	105
ゴシックアーチ描記法		ゴシックアーチトレーシング・切歯路描記法	106
個歯トレー		歯型トレー・支台歯トレー	107
個人トレー		各個トレー	108
コンビネーションシンドローム	アンテリアハイパーファンクションシンドローム・Kelly's 症候群		109
コンポジットレジン	硬質レジン		110
根面アタッチメント		歯根アタッチメント・スタッドアタッチメント	111
最大開口量		最大開口距離	112
作業側		使用側・動側・働側	113
作業用模型		作業模型	114
Saxon 法	Saxon テスト		115
サベイヤー		クラスプサベイヤー・サーベイヤ・サーベイヤー・サベーヤ・サベーヤー・サベヤー・デンタルサベイヤー	116
サベイライン		鉤指導線・サーベイライン・サベーライン	117
暫間義歯		仮義歯	118
サンドブラスト処理	アルミナサンドブラスト処理・アルミナブラスト処理		119
歯冠円錐	咬合円錐		120
歯冠型クラスプ	スープラバルジクラスプ	歯冠経由型クラスプ	121

選定用語	同義語として認める用語	使用が望ましくない用語	付録番号
歯冠歯根比		CR比・CRレシオ・C/Rレシオ・歯冠歯根長比	122
歯冠補綴装置	歯冠修復物		123
色調選択	シェードセレクション	シェードテイキング・シェードマッチング	124
歯型可撤式模型	可撤歯型式模型		125
歯型固着式模型	固着式模型・単一式模型		126
歯頸部辺縁形態		歯頸側辺縁形態	127
歯根膜粘膜負担	歯根膜粘膜支持	混合負担（支持）・歯根膜粘膜混合負担（支持）・歯根膜粘膜複合負担（支持）	128
歯根膜粘膜負担義歯	歯根膜粘膜支持義歯		129
歯根膜負担	歯根膜支持	歯牙支持・歯牙負担	130
歯根膜負担義歯	歯根膜支持義歯		131
支持		サポート	132
支台歯	維持歯・鉤歯		133
支台歯間線	鉤間線	槓杆線・鉤間軸・支台線・支点間線・支点線	134
支台歯形成		支台形成	135
支台装置	維持装置	リテイナー	136
自動削合		自働削合	137
歯肉圧排		歯齦圧排	138
歯肉円錐	歯根円錐		139
歯肉型クラスプ	インフラバルジクラスプ	歯肉経由型クラスプ	140
ジャケットクラウン		ジャケット冠	141
習慣性咀嚼側		主咀嚼側	142
終末蝶番運動		ターミナルヒンジムーブメント	143
終末蝶番軸		ターミナルヒンジアキシス	144
床縁		床周縁・床辺縁	145
床翼	フレンジ		146
ジルコニア	酸化ジルコニウム・二酸化ジルコニウム		147

選定用語	同義語として認める用語	使用が望ましくない用語	付録番号
シングルデンチャー		片顎義歯	148
人工歯肉付模型	ガム模型		149
診断用ワックスアップ	診断用ワクシング		150
睡眠時無呼吸症候群	SAS		151
スキャナー	3D スキャナー・三次元スキャナー・3D デジタイザー・三次元デジタイザー		152
スタビリゼーションアプライアンス	スタビリゼーションスプリント		153
精密印象	最終印象	仕上げ印象・二次印象・本印象	154
切歯指導釘	インサイザルピン	切歯きょう導釘	155
切歯指導板	インサイザルテーブル	切歯きょう導板	156
接触点	コンタクトポイント		157
切端咬合		切縁咬合	158
接着ブリッジ		アドヒージョンブリッジ・接着性ブリッジ・メリーランドブリッジ	159
線鉤	ワイヤークラスプ	屈曲鉤・はりがね鉤	160
前後的歯列彎曲	前後的歯牙彎曲		161
全部金属冠	フルメタルクラウン		162
全部床義歯	総義歯	コンプリートデンチャー・フルデンチャー	163
全部床義歯補綴学	総義歯補綴学	全部床義歯学・総義歯学	164
全部被覆冠		全部冠・フルカバリッジクラウン・フルクラウン	165
早期荷重	早期負荷・早期加重・アーリーローディング		166
双子鉤		ダブル Akers クラスプ	167

選定用語	同義語として認める用語	使用が望ましくない用語	付録番号
即時荷重	即時負荷・即時加重・イミディエートローディング		168
即時暫間修復	即時暫間補綴		169
側方顆路角	Bennett 角		170
咀嚼運動路		咀嚼経路	171
咀嚼周期	咀嚼サイクル	咀嚼運動周期・チューイングサイクル	172
咀嚼側		機能側	173
咀嚼能率	咀嚼効率		174
対合関係	対咬関係		175
待時荷重	遅延荷重・待時負荷・遅延負荷・待時加重		176
ダイナミック印象		動的印象	177
単純鉤		一腕鉤・単腕鉤	178
単独歯型式模型	単独歯型		179
中間義歯		間入義歯・中間欠損義歯	180
鋳造鉤		キャストクラスプ	181
蝶番運動		ヒンジムーブメント	182
蝶番咬合器	平線咬合器		183
蝶番軸		ヒンジアキシス	184
直接支台装置	直接維持装置		185
治療用義歯		治療義歯	186
テーパー	軸面傾斜角		187
デジタルデンチャー	CAD/CAM デンチャー		188
テレスコープクラウン		ダブルクラウン・二重金冠	189
Tench のコア	Tench の歯型		190
デンチャーマーキング	義歯刻印		191
テンポラリーアバットメント	テンポラリーシリンダー		192
等高点	トライポッドマーク		193

選定用語	同義語として認める用語	使用が望ましくない用語	付録番号
陶材焼付冠	陶材焼付金属冠・セラモメタルクラウン	金属焼付陶材冠・金属焼付ポーセレン冠・陶材溶着鋳造冠	194
頭部後傾法	頭部後屈法		195
トップダウントリートメント	補綴主導型インプラント治療		196
トランスファーコーピング	トランスファーインデックス・トランスファージグ・トランスファーキャップ		197
トレーサビリティ	追跡管理		198
遁路		溢出孔・溢出路・スピルウェイ	199
二重同時印象	積層一回印象	一回印象・ダブルミックス印象	200
二腕鉤	両翼鉤		201
粘膜負担	粘膜支持		202
粘膜負担義歯	粘膜支持義歯		203
廃用症候群	生活不活発病		204
Pound 三角	犬歯臼後隆起線		205
鋏状咬合		シザーズバイト	206
発音空隙	発音間隙		207
馬蹄形バー	ホースシューバー		208
パトリックス		雄部・メール	209
Hanau の咬合 5 要素	Hanau の咬合 5 辺形		210
ハミュラーノッチ		鉤状切痕・鉤切痕・上顎切痕・翼突上顎切痕	211
パラタルバー		口蓋杆	212
パラファンクション	非機能運動		213
半固定性補綴装置	半固定性ブリッジ		214
半固定性連結		可動性固定性連結・可動性固定連結・緩圧性連結	215
被圧変位量		被圧縮量	216
非解剖学的咬合器	非顆路型咬合器		217

選定用語	同義語として認める用語	使用が望ましくない用語	付録番号
非解剖学的人工歯		非解剖学的人工臼歯・非解剖的人工臼歯・非解剖的人工歯・無咬頭歯	218
非緩圧型支台装置	非緩圧型維持装置		219
非機能咬頭	剪断咬頭		220
非作業側	平衡側	均衡側・非機能側	221
非作業側側方顆路	平衡側側方顆路		222
ピックアップ印象	コーピング印象・取り込み印象		223
描記針		スタイラス・描記釘	224
標示線		標準線	225
ヒンジ型アタッチメント		蝶番型アタッチメント	226
ピン陶歯	有釘陶歯		227
フィニッシュライン		フィニッシィングライン・付線	228
フェイスボウ		顔弓	229
部分床義歯	局部床義歯	可撤性パーシャルデンチャー・局部義歯	230
部分床義歯補綴学	局部床義歯補綴学	局部義歯学・局部床義歯学・部分床義歯学	231
部分被覆冠		一部被覆冠・パーシャルカバリッジクラウン	232
ブラキシズム		歯ぎしり	233
プラットフォーム	インプラントプラットフォーム		234
プラットフォームシフティング	プラットフォームスイッチング		235
フラビーガム		コンニャク状顎堤・浮動性歯肉・フラビー組織・フラビーティッシュ	236
フランクフルト平面		眼耳平面	237
ブリッジ		架橋義歯・架工義歯・橋義歯	238
フレームワーク		メタルフレーム	239
プレッシャー・インディケイティング・ペースト	適合試験材・適合検査材		240

選定用語	同義語として認める用語	使用が望ましくない用語	付録番号
プロビジョナルクラウン	暫間被覆冠・テンポラリークラウン	仮封冠・暫間冠	241
分割復位式模型	分割可撤式模型・分割式模型・分割歯型式模型	分割模型	242
ヘアピンクラスプ		ダブルアームクラスプ・複腕鉤・リバースループクラスプ	243
片側性咬合平衡		片側性均衡・片側性咬合均衡・片側性平衡	244
片側性平衡咬合		片側性均衡咬合	245
片麻痺	半側麻痺		246
ポーセレンジャケットクラウン		陶材ジャケットクラウン	247
ポーセレンブリッジ		全部陶材架橋義歯・全部陶材架工義歯・全部陶材橋義歯・陶材ブリッジ	248
ボーンアンカードブリッジ	オッセオインテグレーテッドブリッジ		249
補助支台装置	補助維持装置		250
ポステリアガイダンス		後方指導・後方誘導・コンダイラーガイダンス	251
ポスト		合釘・ダウエル	252
ポストクラウン	継続歯	歯冠継続歯・ダウエルクラウン	253
ポスト孔		合釘孔・合釘保持孔	254
補綴装置		補綴修復物・補綴物	255
Bonwill 三角		下顎三角	256
ポンティック		架橋歯・架工歯・橋体・ダミー	257
マトリックス		雌部・フィメール	258
Munsell 表色系	Munsell 色票系		259
ミューチュアリープロテクテッドオクルージョン		相互保護咬合	260
無圧印象		最小圧印象・静止印象・静態印象・静的印象・粘膜静態印象・微圧印象	261
モダイオラス		口角結節	262

選定用語	同義語として認める用語	使用が望ましくない用語	付録番号
モノリシックジルコニアクラウン	フルジルコニアクラウン・フルカントゥアジルコニアクラウン		263
Monson 球面説		8インチ球面学説・4インチ球面学説	264
3/4 冠	スリークォータークラウン・3/4 クラウン		265
リベース		改床・換床・床交換・リベーシング	266
リポジショニングアプライアンス	リポジショニングスプリント		267
両側性平衡咬合		全面均衡咬合・全面平衡咬合・両側性均衡咬合	268
リライン		裏装・リライニング	269
リラクセーションアプライアンス	リラクセーションスプリント		270
リリーフ		緩衝	271
リンガライズドオクルージョン		舌側化咬合	272
隣接面鉤	近遠心鉤		273
隣接面板		プロキシマルプレート	274
レジンジャケットクラウン	硬質レジンジャケットクラウン・ハイブリッド型コンポジットレジンクラウン		275
レストシート		レスト座	276
レスト付き二腕鉤		三腕鉤	277
レトロモラーパッド		臼後パッド・臼後隆起・臼歯後豊隆・臼歯後隆起	278
連結子	連結装置	コネクター	279
連続鉤		コンティニュアスクラスプ	280
ろう義歯		仮床義歯	281
ワックスアップ	ろう型採得	ろう型形成・ろう形成・ろう原型採得	282
ワンピースキャスト法	一塊鋳造法		283

2023
The Glossary of
Prosthodontic Terms 6th ed.

日本語索引
外国語索引

【索引の利用の仕方】

1. 選定用語の用語番号はゴシック体（色数字）で表示し，他の選定用語の解説文中にも使用されている場合には，その用語番号をイタリック体（黒数字）で表示した．
2. 解説文中に使用されている選定用語以外の主要な用語は，機器の部分の名称，各種の術式，形態や材料に基づく補綴装置の名称などを含め，すべて掲載し，該当する選定用語の用語番号をイタリック体（黒数字）で表示した．
3. 〔同義語〕として認める用語には，自らの用語番号とともに，選定用語の用語番号もアンダーラインを付けてゴシック体（色数字）で表示した．
4. 付録番号を選定用語（「同義語として認める用語」を含む）ならびに「使用が望ましくない用語」すべてに表示した．

索引

あ

Ah-ライン 付録1
アーライン 1
252, 423 付録1
アーリーローディング
2 689 付録166
RPIクラスプ 3 4
RPAクラスプ 4
I. R. V. 5
Iバー 3, 4
Iバークラスプ 557, 866
Eichner分類 6
アクセスホール 7 765
アクリリックレジン 248, 1155, 1156, 1158, 1159
アクリリックレジン人工歯 403
アクリル系 791, 862
アタッチメント 8
7, 56, 454, 477, 496, 500, 506, 765, 875, 890, 906, 928, 1054, 1079
Adamsクラスプ 9
圧印金冠 10 付録2
圧印床 11 295
アッカーマンバーアンドクリップタイプアタッチメント 864
圧痕 250, 640
圧接法 1179
圧負担域 付録92
圧負担能力 12
255, 503, 669
アドヒージョンブリッジ 付録159
後ろう(鑞)付け法 13
アナライジングロッド 477, 817
アバットメント 14
7, 15, 16, 56, 86, 190, 208, 277, 582, 659, 765, 813, 834, 886, 888, 942, 980, 981, 993
アバットメントアナログ 15
アバットメントスクリュー 16
アバットメントポジショニングジグ 834
アバットメントレベル 15
アブフラクション 17
アペックス［ゴシックアーチの］ 18 435 付録3
アメリカ式埋没法 19
アメリカ・フランス併用式埋没法 20
アルギン酸カリウム 22
アルギン酸ナトリウム 22
アルコン型咬合器 21
364, 579
アルジネート印象 22
アルジネート印象材 231, 235
アルタードキャスト法 付録31
アルミナ 25, 26, 113, 114, 211, 1014
アルミナ・ガラス複合体 211
アルミナ系セラミックス 505
アルミナ・コア材 211
アルミナサンドブラスト処理 23 491 付録119
アルミナスポーセレン
24 26 付録4
アルミナスポーセレンジャケットクラウン 25
アルミナ陶材 26
25, 1047 付録4
アルミナブラスト処理
27 491 付録119
アルミナ粒子 491
アレルギー 292
アローポイント 付録3
鞍状 28, 544, 936
鞍状型 936
鞍状型ポンティック 28
197
安静位 付録38
安静空隙 29 390 付録5
安静空隙量 144
アンダーカット 30
9, 276, 429, 479, 480, 560, 563, 847, 885, 1002, 1007, 1015, 1026, 1027, 1130, 1139, 1147, 1152, 1170, 1175
アンダーカット域 4, 30, 99, 408, 556, 557, 866
アンダーカットゲージ 31
477
アンダーカット量 31, 477
アンダーカントゥア 233

アンチ Monson カーブ *1105*

安定 *186, 246, 254, 317, 545, 559, 598, 620, 999, 1115, 1142*

Ante の法則 32

アンテリアガイダンス 33 *922, 1023* 付録 6

アンテリアクロスバー *951*

アンテリアハイパーファンクションシンドローム 34 452 付録 109

アンテリアリファレンスポインター 35

アンテリアリファレンスポイント *35*

罨法 36

い

移行義歯 37 *483*

維持 38 *3, 8, 77, 186, 246, 249, 254, 276, 287, 303, 408, 447, 516, 545, 547, 548, 551, 559, 560, 598, 765, 865, 954, 999, 1007, 1054, 1115, 1142, 1152* 付録 7

維持孔 *772*

維持溝 *1151*

維持格子 39 *792, 995*

維持歯 40 548 付録 133

維持装置 41 552 付録 136

異常嚥下 *899*

異常音 *171*

囲繞鉤 付録 57

異常習癖 *272, 899*

移植皮膚片 *618*

維持領域 *501*

維持力 42 *127, 224, 263, 327, 328, 430, 431, 620, 837, 841, 852, 861, 867, 971*

維持腕 43 *4, 263, 408, 429* 付録 8

一次印象 *72* 付録 32

一次固定 44

一部被覆冠 付録 232

一腕鉤 付録 178

一回印象 付録 200

一塊鋳造 *995*

一塊鋳造法 45 1182 付録 283

1 歯対 2 歯 *736, 805*

溢出孔 付録 199

溢出路 付録 199

イットリア *591*

イットリア部分安定化ジルコニア *591*

いびき *158*

異物感 *894, 896, 995*

イミディエートローディング 46 699 付録 168

色変わりチューインガム *722*

色の三属性 *468, 511, 1083, 1095*

違和感 *109, 291, 354, 1111*

インサイザルガイダンス 付録 6

インサイザルテーブル 47 643 付録 156

インサイザルピン 48 642 付録 155

印象 49 *51, 126, 128, 138, 231, 232, 254, 255, 265, 397, 480, 590, 638, 743, 750, 872, 966, 970, 999, 1005, 1051, 1070, 1090*

印象圧 50 *72, 1005, 1090*

印象域 51

印象材 *54, 72, 232, 235, 597, 743, 750, 850, 1142, 1169*

印象採得 52 *50, 53, 72, 555, 942*

印象法 *231, 333, 397*

印象用コーピング 53 *834, 942* 付録 9

印象用トレー 54 *436, 437, 1005, 1142*

インターオクルーザルレコード 55 付録 10

インターナルコネクション 56

インターナルデランジメント 付録 46

咽頭 *267*

咽頭期 *92, 645*

咽頭残留 *95*

咽頭相 *645*

インフォームドコンセント *580*

インフラバルジエリア *556*

インフラバルジクラスプ 57 557 付録 140

インプラント 58 *15, 59, 86, 106, 120, 440, 454, 547, 582, 601,*

659, 813, 829, 834, 918, 942, 974, 975, 986
インプラントアナログ　59　付録 11
インプラントオーバーデンチャー　*65, 543*
インプラント義歯　60　*64*　付録 12
インプラント周囲炎　61
インプラント周囲組織　*61*
インプラント周囲粘膜炎　*61*
インプラント上部構造　62　60　付録 12
インプラント体　63　*7, 14, 16, 53, 56, 59, 61, 64, 65, 119, 120, 208, 618, 689, 699, 701, 741, 765, 813, 829, 834, 886, 888, 918, 980, 981, 1035, 1109*　付録 13
インプラント体支持　64　付録 14
インプラント体-粘膜支持　65　付録 15
インプラント体埋入手術　*135, 744, 829*
インプラントプラットフォーム　66　980　付録 234
インプラント補綴　67　60　付録 12
インプラントレプリカ　68　59　付録 11
インプレッションコーピング　69　53　付録 9
インレー　*75, 301, 411, 657, 755, 1179*

う

ウィップ法　*818*
Williams の 3 基本形　70
Willis のバイトゲージ　*871*
Willis 法　*238*
Wilson の彎曲　71　*396*　付録 16
ウォッシュインプレッションテクニック　72
浮き上がり　*20, 516, 589, 840, 1033*
うわぐすり　*309*
運動軌跡　*212*
運動経路　*150, 212, 417, 471, 650, 707, 708, 715, 935*
運動障害　*621, 726, 1044*
運動障害性嚥下障害　73　267　付録 68
運動路　*74*
運動論的顆頭点　74

え

映画法　*147*
永久固定　75
永久磁石　*535, 1084*
HUG パラレロメーター　*1022*
エイペックス　付録 3
栄養サポートチーム　76
ASC52 ビバール　*500*
Akers クラスプ　77　*4, 227, 1163*
エクスターナルコネクション　*56*
エクスターナルバー　付録 33
SAS　78　610　付録 151
S 字状隆起　79
STL　80
STL データ　*631*
エステティックプレーン　81　付録 17
エステティックライン　82　81　付録 17
[s] 発音　*83, 882*
S 発音位　83
SPA 要素　84
エックス線写真　*503*
エックス線透視装置　*93*
XPr 機構　*513*
エナメル質　*17, 426, 655, 1081*
エナメル用陶材　*25*
FGP 記録　*697*
FGP テクニック　85　*786, 923*　付録 18
エマージェンスプロファイル　86　*190*
MMA 系レジンセメント　87
MPD 症候群　88　付録 19
L*a*b* 色空間　*89*
L*a*b* 表色系　89
Elbrecht クラスプ　90　付録 20
嚥下　*92, 95, 96, 133, 181, 207, 272, 645, 652, 718, 720, 877, 913, 972, 978*
嚥下位　91　*96*
嚥下運動　*93, 267, 913*
嚥下器官　*267*

嚥下機能 *93*
嚥下機能低下 *341*
嚥下障害 92 *97, 775*
嚥下造影検査 93 付録 21
嚥下造影剤 *93*
嚥下動作 *91, 730*
嚥下透視検査 94 93 付録 21
嚥下内視鏡検査 95
嚥下反射 *645*
嚥下法 96
嚥下補助装置 97
炎症 *61, 119, 172, 176, 178, 188, 189, 237, 240, 244, 256, 259, 331, 637, 1021*
遠心 *827, 1115, 1116*
遠心レスト *1161*
円錐 *431, 499, 556, 1180*
延髄 *92*
円錐形 *802*
縁端強度 *1033*
延長ブリッジ 98 *801* 付録 22
延長ポンティック *1063*
延長腕鉤 99 *227*
円筒 *477*
円板 *174*
円板整位 100
円板転位 101
円板復位 102
エンブレジャー 付録 105
エンブレジャークラスプ *695*

お

横走アーム *429*
横走部 *563*
凹面形態 *456*
OSAS 治療用口腔内装置 103
オーバーカントゥア *233*
オーバークロージャー 104
オーバージェット 105 *405, 922* 付録 23
オーバーデンチャー 106 *65, 112, 454, 865* 付録 24
オーバーバイト 107 *922* 付録 25
オーバーレイデンチャー 付録 24
オープントレー *834*
オープントレー法 *53*
オープンロック *1021*
オーラルアプライアンス *103*
オーラルディアドコキネシス 108
オーラルディスキネジア 109
オーラルフレイル 110
オーラルリハビリテーション 111 *601, 845* 付録 26
O リング *112*
O リングアタッチメント 112
オールコンポジットレジンクラウン *1121*
オールセラミッククラウン 113 *1121*
オールセラミックブリッジ 114
オクルーザルアプライアンス 115 *100, 616, 627, 843, 1132, 1140* 付録 27
オクルーザルテーブル 116
オクルーザルデバイス 117 115 付録 27
オクルーザルバイトスプリント 付録 27
オクルーザルバイトプレート 付録 27
オクルーザルランプ 118 付録 28
オクルーザルリコンストラクション 付録 26
オステオインテグレーション 付録 29
オステオインテグレーテッドインプラント 付録 30
オッセオインテグレーション 119 *699* 付録 29
オッセオインテグレーテッドインプラント 120 *63, 582, 1049* 付録 30
オッセオインテグレーテッドブリッジ 121 1049 付録 249
オッセオオスインテグレーション 付録 29
オッセオオスインテグレーテッドインプラント 付録 30
オトガイ *81, 122, 709, 926*
オトガイ唇溝 122
オベイト型ポンティック 123
オルタードキャスト法 124

480　付録 31
Orton クラウン　125
オルビタールロケーター　*579*
温罨法　*36*

か

窩　*415, 677, 736*
加圧印象　126　*50, 566, 1101*
加圧注入　*1158*
加圧塡入　*1158*
カーボランダムグリセリン泥　*554*
カーボランダムポイント　*668*
カーボンマーカー　*477*
Carmichael 3/4 冠　*1119*
外冠　127　*5, 431, 802, 841*
外眼角　*1017*
概形印象　128　*1011*　付録 32
開咬　*106*
開口運動　*129*
開口障害　129　*173, 464, 1007*
開口相　*721, 725*
開口量　*749, 778*
外耳孔　*984*
外耳道　*234, 1017*
外斜線　130　*283, 842*
改床　付録 266
外傷　*172, 176, 178, 188*,189, *237, 239, 240, 244, 258, 331, 484, 1021*
外傷性炎症　*36*
外傷性咬合　131
外側バー　132　*863*　付録 33
外側フィニッシュライン　*961*
改訂水飲みテスト　133
ガイディングプレーン　付録 34
回転軸　*549, 661, 1054*
回転中心　*506, 573, 780, 1030*
ガイド　*282, 618, 717*
ガイドグルーブ　134
ガイド板　*361*
ガイドプレート　135
ガイドプレーン　136　*1068, 1153*　付録 34
開鼻声　137
開閉運動　*205, 568, 779*
開閉軸　*963*
解剖学　*845*
解剖学的印象　138　*124*
解剖学的形態　*138, 269, 1101*
解剖学的咬合器　139　*776*　付録 35
解剖学的歯冠　140　*1149*
解剖学的歯根　*1150*
解剖学的指標　*130*
解剖学的所見　*271*
解剖学的人工臼歯　付録 36
解剖学的人工歯　141　*1092*　付録 36
解剖学的方法　*147*
解剖的人工臼歯　付録 36
解剖的人工歯　付録 36
潰瘍　*250, 256*
過蓋咬合　142　付録 37
下顎安静位　143　*29, 144, 298, 390*　付録 38
下顎安静位利用法　144
下顎位　145　*163, 749*
下顎運動　146　*74, 147, 148, 149, 150, 164, 304, 567, 606, 697, 911, 912, 948, 1064, 1106*
下顎運動解析装置　*911*
下顎運動記録　147　*1064*
下顎運動記録装置　148　*330, 422, 1084*
下顎運動計測法　*330*
下顎運動検査　*165*
下顎運動障害　149　*383*
下顎運動要素　150　*473*
下顎窩　*101, 157, 160, 201, 778*
下顎近心咬合　*909*
下顎頸　*159*
下顎限界運動　*911, 1064*
下顎限界運動［路］　151
下顎限界運動路　*151*
下顎後退位　152　*155, 1181*
下顎後退咬合位　153　154　付録 39
下顎後退接触位　154　*410, 513, 706*　付録 39
下顎骨離断　*361, 376*
下顎最後退位　155　*573*
下顎最後退咬合位　156　157　付録 40
下顎最後退接触位　157　*1176*　付録 40
下顎三角　付録 256

下顎枝 *159*
下顎前突 *909*
下顎前方整位タイプ *158*
下顎前方保持装置 158
下顎側方運動 *708*
化学的安定性 *1046*
化学的清掃 *809*
下顎頭 159
74, 101, 157, 160, 201, 205, 206, 212, 461, 462, 471, 537, 571, 572, 622, 661, 697, 707, 708, 767, 778, 780, 935, 1017, 1021, 1030, 1106, 1132 付録 41
下顎頭位 160
513 付録 42
下顎頭間軸 付録 50
下顎反復小開閉口運動 *749*
下顎偏位 *361, 376*
下顎法 *598*
下顎隆起 161 *1142*
下顎両側性遊離端欠損 *452*
下弓［咬合器の］ 162
21, 205, 364, 366, 448, 643, 1076, 1134
架橋義歯 付録 238
架橋歯 付録 257
顎位 163
91, 143, 144, 152, 155, 364, 368, 370, 372, 390, 395, 462, 463, 682, 696, 705, 884, 1037, 1132, 1181
顎運動 164
74, 146, 171, 194, 206, 212, 272, 353, 363, 364, 368, 435, 644, 650, 661, 673, 697, 717, 720, 722, 730, 749, 762, 776, 781, 912, 1016, 1057, 1092
顎運動経路 *721*
顎運動検査 165
顎運動障害 *179*
顎間関係 166
96, 165, 372, 377, 382, 826, 1171
顎間関係記録 167 169
付録 44
顎間距離 168
104, 168, 642, 643
付録 43
顎間記録 169
366, 675, 756, 811
付録 44
顎関節 *33, 88, 129, 139, 151, 159, 170, 171, 172, 173, 174, 175, 179, 362, 367, 570, 748, 749, 823, 934, 962, 1021, 1057*
顎関節異常 *172*
顎関節エックス線撮影 170
顎関節音 付録 45
顎関節窩 *707*
顎関節機能異常 *726*
顎関節強直症 *172*
顎関節腔造影法 *170*
顎関節雑音 171
179, 307, 311, 383
付録 45
顎関節疾患 172 *170, 354*
顎関節症 173
88, 171, 175, 179, 383, 426, 627, 775, 978
顎関節痛 174
顎関節内障 175 付録 46
顎関節内部障害 付録 46
顎顔面補綴 176 *177*
顎顔面補綴装置 177
顎義歯 178
667, 766, 803, 1005
顎機能 *364, 394, 435*
顎機能障害 179
顎欠損 180
顎口腔機能 *147, 165, 297, 383, 465*
顎口腔系 181
111, 129, 131, 291, 302, 319, 357, 378, 379, 384, 391, 393, 730, 732, 845
付録 47
顎口腔系器官 *465*
顎骨 *63, 176, 178, 180, 185, 188, 189, 595, 1069*
顎骨欠損 *326*
顎骨支持 182 64
付録 14
顎骨内 *56*
顎骨-粘膜支持 183 65
付録 15
顎舌骨筋 *184, 413, 842*
顎舌骨筋線 184 *842*
顎堤 185
30, 49, 52, 186, 187, 248, 254, 351, 437, 544, 545, 546, 560, 603, 633, 735, 872, 983, 1007, 1090, 1091, 1092, 1112, 1118, 1139, 1164 付録 48
顎堤間距離 *294*
顎堤弓 *185, 399, 546, 1101*
顎堤吸収 186 *106*
顎堤頂間距離 *464*

顎堤粘膜　187
4, 72, 123, 126, 185, 186, 226, 255, 342, 526, 527, 533, 859, 860, 916, 936, 1039　付録 49
顎内障　付録 46
顎粘膜　付録 49
顎補綴　188　*176, 180*
顎補綴装置　189　*177*
ガグリールメッティイソクリップ　*1054*
架工義歯　付録 238
架工歯　付録 257
荷重　*689, 699*
仮床義歯　付録 281
下唇　*81, 122, 406, 581, 937*
下唇小帯　*342*
下唇線　*949*
カスタムアバットメント　190　*1109*
ガス抜き　*125*
カスピッドプロテクテッドオクルージョン　付録 85
仮想円錐角度　*430*
仮想咬合平面　191
234, 387, 399, 406, 816, 1164
仮想軸　*502*
仮想平面
541, 606, 609, 636
型ごと埋没法　192
片持ち梁　*98*
仮着　193　*659, 1135*
仮着セメント　*659*
各個トレー　付録 108
滑走運動　194
33, 212, 306, 650, 685, 686, 710, 778, 780
カッティングナイフ　*477*
カッパーバンドトレー　*436*
滑膜　*174*
可撤式固定法　*75*
可撤式歯型　*518*
可撤式模型　*518, 1012*
可撤歯型式模型　195　*518*
付録 125
可撤性　*28, 1166*
可撤性義歯　196
8, 106, 127, 841
可撤性床義歯　*942*
可撤性パーシャルデンチャー　付録 230
可撤性部分床義歯　*593*
可撤性部分義歯　*974*
可撤性ブリッジ　197
196, 198, 802, 936, 974, 986, 1111
可撤性補綴装置　198
245, 442, 849, 1088
可撤性有床義歯　*1115*
可撤性連結　199
可撤部　*890, 1079*
顆頭　200　159　付録 41
窩洞　*411, 1001*
顆頭安定位　201　*96*
顆頭位　202　160　付録 42
顆頭間距離　203　*1016*
顆頭間距離調節　*579*
顆頭間軸　204
203　付録 50
顆頭球　205
21, 214, 448, 579, 875
顆頭軸　付録 50
可動性　*454, 500, 864, 905, 906*
可動性固定性連結　付録 215
可動性固定連結　付録 215
可動組織　*265*
顆頭点　206
203, 212, 1017
顆頭点間　*203*
可動粘膜　207
251, 558, 561
可動部　*1*
加熱圧縮　*1158*
加熱重合　*1158*
加熱膨張　*274*
仮封冠　付録 241
下部構造（体）［インプラントの］　208　*120, 440*
付録 51
窩壁　*224*
かみしめ　*312, 465, 823*
ガム模型　209　*597*
付録 149
カラーレスマージン　210
ガラス　*958*
ガラス浸透型セラミックス　211
ガラスセラミック材料　*273*
ガラス粒子　*491*
Gariot 咬合器　*779*
仮義歯　付録 118
仮設計　*128, 479*
加齢　*1149, 1173*
加齢変化　*360, 426, 1127*
顆路　212
139, 215, 537, 538, 671, 757, 776, 910, 923, 960
顆路角　*1016*

顆路型咬合器 213 139 *364* 付録 35
顆路きょう導板 付録 52
顆路傾斜角 *892*
顆路指導 *579*
顆路指導機構 *875*
顆路指導板 214 *205* 付録 52
顆路指導部 *21, 215, 448, 579*
顆路指導要素 *364*
顆路調節 *212, 624, 756, 757*
顆路調節機構 215 *364*
下腕 *429*
冠 216 301 付録 76
緩圧型 *454, 500, 625, 864*
緩圧型アタッチメント 217
緩圧型維持装置 218 219 付録 53
緩圧型支台装置 219 *220* 付録 53
緩圧機構 *217*
緩圧作用 *220*
緩圧性連結 付録 215
緩圧性連結装置 付録 54
緩圧装置 220 付録 54
陥凹 *30, 890, 1173*
眼窩 *358, 622*
眼窩下縁 *221, 984*
眼窩下点 221 *513, 606, 684*
感覚異常 222 223 付録 55
間隔尺度 *468, 1095*
感覚障害 223 付録 55
眼窩骨縁 *221*
眼窩点 *221, 984*
顔弓 付録 229
冠橋義歯学 付録 77
冠橋義歯補綴学 付録 77
顔形 *598*
嵌合 *415*
嵌合効力 224 *411, 655* 付録 56
嵌合力 225 224 付録 56
感作性 *292*
眼耳平面 付録 237
患者可撤式 *60*
換床 付録 266
緩衝 付録 271
緩衝腔 226 *332*
環状鉤 227 *77, 90, 303, 346, 409, 429, 451, 753, 854, 869, 1163* 付録 57
緩衝能 *747*
緩衝部 *226*
嵌植義歯 付録 12
間接維持 *317*
間接維持装置 228 229 付録 58
関節円板 *100, 101, 102, 170, 175, 307, 1021, 1132*
関節円板障害 *173*
関節窩 *767*
間接訓練 *648*
関節結節 *74, 101, 461, 767*
関節雑音 *173, 775*
間接支台装置 229 *620, 745, 971, 1115* 付録 58
関節頭 *159*
関節突起 *159*
関節部 *139, 214, 364, 579, 762, 875*
間接法 *1139, 1179*
関節包 *155, 174*
関節包・靱帯障害 *173*
関節隆起 *697*
完全自浄型 *907*
完全自浄型ポンティック 230
完全焼結型ブロック *592*
眼点 *221, 984*
寒天アルジネート連合印象 231
寒天印象 232 付録 59
寒天印象材 *231, 232*
カントゥア［歯の］ 233 *86, 597*
間入義歯 付録 180
乾熱重合 *1158*
Camper 線 *234, 984*
Camper 平面 234 *387, 606* 付録 60
顔面印象 235
顔面インプラント 236
顔面エピテーゼ 237 *235, 236, 239, 240*
顔面計測法 238
顔面欠損 239
顔面神経 *92*
顔面補綴 240 *176*
顔面補綴装置 *177, 235, 236, 239*
顔面輪郭 *70*

き

キー *241*
キーアンドキーウェイ 241

906
キーウェイ 241
Gysiの軸学説
425, 686, 1020
Gygi法 399
キーパー 242 543
キーパーボンディング法
543
キール 243
器械測色法 704
機械的結合 1048
機械的刺激
250, 256, 258, 983
機械的清掃 809
機械的慢性刺激 259
義顎 244
技工用デスクトップスキャナー 333, 334, 612, 613
義歯 245
8, 12, 30, 37, 106, 118, 124, 128, 136, 178, 186, 187, 196, 217, 219, 229, 246, 248, 249, 250, 251, 252, 254, 255, 256, 258, 259, 260, 263, 265, 296, 303, 317, 351, 385, 391, 394, 405, 413, 447, 459, 473, 477, 479, 483, 527, 529, 545, 559, 560, 599, 603, 620, 652, 669, 679, 700, 765, 784, 806, 808, 812, 860, 862, 883, 898, 928, 930, 938, 939, 942, 952, 969, 974, 975, 999, 1007, 1013, 1019, 1066, 1112, 1125, 1127, 1136, 1137, 1143, 1144, 1153, 1161, 1162, 1165
義歯安定剤 246
義歯刻印 247 810
付録 191
疑似歯肉 596
義歯床 248
11, 39, 249, 250, 251, 254, 259, 260, 287, 295, 332, 338, 342, 399, 403, 414, 533, 560, 576, 582, 583, 584, 596, 620, 679, 745, 770, 917, 955, 971, 1091, 1101, 1112, 1131, 1142, 1156, 1158, 1159, 1161, 1175
義歯床縁 558, 559, 561, 866, 917, 1036
義歯床縁形態 288
義歯床下支持組織 255
義歯床下粘膜 249
226, 250, 265, 350, 566, 743, 791, 1036, 1131, 1139 付録 61
義歯床下粘膜異常 250
256, 258 付録 62
義歯床基底面 付録 64
義歯床筋圧面 付録 63
義歯床形態 883
義歯床研磨面 251
243, 921, 961, 999
付録 63
義歯床研磨面形態 1100
義歯床後縁 252 1
義歯床支持域 253 255
付録 65
義歯床粘膜面 254
19, 20, 226, 255, 295, 791, 961, 1139, 1142
付録 64
義歯床負担域 255
283, 351 付録 65
義歯床用樹脂 862
義歯性潰瘍 256
義歯性口腔粘膜症
257 250 付録 62
義歯性口内炎 258 809
義歯性線維腫 259
義歯設計 479
義歯洗浄剤 260 809
器質的構音障害 326
基準水平面 538
基準線 546
基準点 206, 644, 871
基準平面 150, 757, 953
基準面 386
義歯用ブラシ 542, 809
既製アバットメント 190
既製人工歯 294, 453, 473
既製トレー
54, 872, 1011, 1101
既製ポスト 553, 1058
基礎床 261 243, 377, 382
拮抗作用［義歯の］ 262
付録 66
拮抗的 3
拮抗腕 263 429 付録 67
基底結節 317, 1170
基底結節レスト 1161
基底面 28, 123, 772, 907, 936, 955, 973, 1028, 1072, 1111, 1126, 1128
希土類磁石 264
機能圧 217, 219, 251, 351, 484, 506, 928

機能異常　*88, 170*
機能印象　265　*124, 350, 1062*
機能運動　*85, 417*
機能運動経路　*85*
機能咬頭　266　*736, 932*
機能障害 *88, 175, 239, 245, 384, 542, 646, 647, 694*
機能性嚥下障害　267　付録 68
機能性反対咬合　*909*
機能側　付録 173
機能的運動路法　268　85　付録 18
機能的構音障害　*326*
機能的咬合面形成法　*1180*
機能的咬頭路描記法　付録 18
機能的人工歯 269　付録 69
機能的正常咬合　270
機能的不正咬合　271
機能的模型　*85*
基本的下顎運動　272
脚部　*1013*
キャスタブルセラミックス　273
キャスティングライナー　274　付録 70
キャストオン法　*942*
キャストクラスプ 付録 181
キャストサポート　275　*1075*
キャストレス　*543*
キャップ　*276, 834, 1097*
キャップ型　*535*
キャップクラスプ　276
CAD/CAM アバットメント　277
CAD/CAM 冠　278　279　付録 71
CAD/CAM クラウン　279　付録 71
CAD/CAM デンチャー　280　800　付録 188
吸引　*899*
QOL　*1086*
旧義歯　*37, 743*
臼後三角　281　*130, 842, 1164*
臼後腺　*1164*
臼後パッド　付録 278
臼後隆起　付録 278
臼歯後豊隆　付録 278
臼歯後隆起　付録 278
臼歯離開咬合　282　*111, 922*　付録 72
吸水性　*1157*
急性炎症　*36*
鳩尾形　*1001, 1053*
臼磨　*266, 720*
臼磨運動　付録 75
橋義歯　付録 238
頬骨　*357, 359, 939*
頬骨弓　*358*
頬舌的　*418, 735, 909*
頬側咬頭内斜面　*989*
頬側床翼　*583*
頬側棚　付録 73
頬側バー　*132*
橋体　付録 257
頬棚　283　付録 73
頬粘膜圧痕　284
局部義歯　付録 230
局部義歯学　付録 231
局部床義歯　285　975　付録 230
局部床義歯学　付録 231
局部床義歯補綴学　286　976　付録 231
局部トレー　*1011*
虚弱　*110*
筋　*151, 174, 291, 297, 748*
筋圧　*287*
筋圧維持　287
筋圧形成　288　*577*　付録 74
近遠心鉤　289　1152　付録 273
近遠心的　*418*
筋活動　*722*
金銀パラジウム合金　*678*
筋形成　290　288　付録 74
金合金　*11, 190, 678, 856*
均衡側　付録 221
筋触診法　291
近心　*827, 1094, 1115*
近心傾斜歯　*1001*
近心レスト　*3, 1161*
金属　*655, 946*
金属アレルギー　292
金属加強ポーセレンブリッジ　*1047*
金属冠　293　*13, 127, 666, 681, 802, 841, 1077, 1160*
金属歯　294　*594*
金属床　295　*248, 770, 1182*
金属床義歯　296　*772, 888, 961, 995*
金属線　*484*

金属箔 *226, 819*
金属ピン *954*
金属摩擦 *837*
金属焼付陶材冠 付録 194
金属焼付ポーセレン冠 付録 194
筋電図 *297*
筋電図検査 297
均等色空間 *89*
筋突起 *130, 842*
筋肉位［下顎の］ 298
筋把握法 *291*
筋膜 *174*
筋膜痛機能障害症候群 付録 19

く

隅角 *386, 644, 971*
空口状態 *300*
くさび効果 *127, 431, 802*
くさび作用 *971*
くさび状 *1081*
くさび状咬頭 *587*
屈曲鉤 付録 160
屈曲バー 299 *863*
グラインディング 300 *899, 978* 付録 75
クラウン 301 *7, 10, 56, 75, 279, 302, 411, 442, 516, 518, 597, 657, 666, 755, 765, 818, 822, 870, 942, 965, 968, 1004, 1012, 1027, 1048, 1053, 1103, 1135, 1149, 1179* 付録 76
クラウンブリッジ *601, 942, 955, 966*
クラウンブリッジ補綴学 302 付録 77
クラウン辺縁 *597*
クラスプ 303 *9, 99, 136, 227, 327, 338, 429, 451, 501, 556, 563, 584, 623, 662, 695, 769, 847, 862, 866, 869, 885, 1013, 1081, 1130, 1147, 1161, 1170, 1182* 付録 78
クラスプアーム 付録 104
グラスファイバー *958*
クラスプサベイヤー 付録 116
クラスプショルダー 付録 91
クラスプライン 付録 87
クラッチ *673, 911, 951*
Kratochvil 型 *3*
グラフィック法［下顎運動の］ 304 *330*
クリアランス 305
Christensen 現象 306 *777*
クリッキング 307 *171* 付録 79
グルーブ *1053*
グループファンクション 308 *1023*
グルコース *722*
グレージング 309 *1108* 付録 80
グレーズ 付録 80
クレピタス 310 311 付録 81
クレピテーション 311 *171* 付録 81
クレンチング 312 *284, 640, 899, 978*
クローズドトレー法 *53*
クロスバイト 付録 99
Krol 型 *3*

け

形成外科手術 *618*
継続歯 313 1059 付録 253
形態異常 *170, 175, 331, 1069*
形態見本 *1099*
経鼻的持続陽圧呼吸療法 314 *103* 付録 82
外科処置 *100, 618, 1068*
外科的再建手術 *239*
外科的切除 *332, 578*
結合組織性付着 *637*
結合力 *655*
結紮法 *484*
結晶化 *273*
結晶構造 *591*
欠損 *302, 315, 316, 331, 507, 580, 596, 1069*
欠損歯列 315
欠損部 *58, 229, 244, 812, 1111*
欠損部顎堤 *28, 128, 186, 339*
欠損様式 *763, 1115*
血糖測定器 *722*
Kennedy の分類 316 *1115*
Kennedy バー 317 *1170* 付録 83
Kelly's 症候群 318 452

付録 109
ゲル *22*
腱 *174*
限界運動 *352, 697*
限界運動路 *151, 212*
研究用模型 319
128, 437, 479, 577
付録 84
言語障害 *326, 1044*
検査用グミゼリー *722*
犬歯臼後隆起線 320 876
付録 205
犬歯尖頭 *950*
犬歯保護咬合 付録 85
犬歯誘導咬合 321
111 付録 85
研磨 *491*
研磨材 *491*
研磨面 *576*

こ

コア 322
コア陶材 *25*
コア部 *553*
鉤 323 303 付録 78
後縁封鎖 *414*
構音 324 *325, 884*
構音器官 *324, 325*
構音機能 *79, 325*
構音検査 325 付録 86
構音障害 326
239, 332, 621, 846, 894
構音体 *325*
構音点 *325*
口蓋 *1, 248, 254, 259, 329, 446, 895, 896, 898*
口蓋咽頭弓 *446*
口蓋咽頭筋 *877*
口蓋杆 付録 212
鉤外形線 327 付録 87
口蓋後縁封鎖 328
口蓋床 329
623, 652, 846, 903
口蓋小窩 *423*
口蓋振動線 付録 1
口蓋舌弓 *446*
口蓋側 *118*
口蓋粘膜 *533*
口蓋板 *118*
口蓋帆挙筋 *1*
口蓋帆張筋 *1*
口外描記法 330 *304, 435*
口外法ゴシックアーチ描記装置 *673*
口蓋補綴 331
口蓋麻痺 *326*
口蓋隆起 332 *889, 1142*
口蓋裂 *106, 326, 621, 903*
口角 *336, 939, 1100*
光学印象採得 333
613 付録 88
口角結節 付録 262
光学咬合採得 334
後顎舌骨筋窩 335
口角線 336 *949*
硬化膨張 *274, 851*
鉤間軸 付録 134
槓杆線 付録 134
鉤間線 337 549 付録 134
鉤脚 338
9, 90, 227, 409, 584, 792, 1163
鉤脚部 *563*
考究用模型 付録 84
口峡 *446*
咬頬 *405*
咬筋 *291*
咬筋触診法 *291*
咬筋前縁部 *291*
咬筋把握法 *291*
口腔インプラント 339
58, 993 付録 89
口腔外補綴装置 *177*
口腔顎系 付録 47
口腔乾燥 *341*
口腔乾燥症 340
747 付録 90
口腔関連 QOL *580*
口腔期 *92, 645*
口腔機能 *76, 110*
口腔機能障害 *180*
口腔機能低下症 341
口腔前庭 342
132, 558, 561
口腔相 *645*
口腔底 343 413
付録 103
口腔内記録装置 *673*
口腔内スキャナー 344
333, 334, 612, 613
口腔内装置 345
115, 158
口腔内補綴装置 *177*
口腔粘膜 *256*
口腔不潔 *341*
鉤肩 346
409 付録 91
咬交 347
咬合 348
180, 271, 347, 353, 354, 360, 366, 368, 369, 384,

397, 486, 554, 603, 606, 633, 649, 668, 738, 748, 755, 784, 811, 878, 911, 922, 934, 1004, 1019, 1136
咬合圧 349
255, 265, 506, 679, 801, 952
咬合圧印象 350 *126*
咬合圧負担域 351
12, 220 付録 92
咬合位 352
111, 154, 157, 298, 353, 370, 654, 685, 710, 768, 1038
咬合異常 353
109, 111, 354, 775
咬合違和感症候群 354
咬合印象 355
咬合印象用トレー *355*
咬合円錐 356 499
付録 120
咬合音 357
358, 359, 775, 821
咬合音検査 358
咬合音分析装置 359
咬合窩 *932*
硬口蓋 *423, 808*
咬合学 360
咬合滑面板 361 *361*
咬合関係 362
6, 128, 284, 355, 381, 384, 1139
咬合干渉 363
358, 417, 692, 1162
咬交器 付録 93
咬合器 364
21, 139, 147, 162, 194, 205, 212, 214, 365, 366, 372, 384, 388, 448, 513, 554, 567, 574, 579, 624, 642, 643, 671, 756, 776, 779, 781, 786, 806, 875, 910, 911, 923, 953, 962, 963, 1016, 1075, 1076, 1134 付録 93
咬合器再装着 365
1134 付録 94
咬合器再付着 付録 94
咬合器装着 366 付録 95
咬合機能 *193*
咬合器付着 付録 95
咬合局面 付録 96
咬合挙上 367 *1068*
咬合記録 368
咬合検査 369
咬合検査機器 *369*
咬合高径 370
29, 104, 122, 144, 168, 238, 367, 370, 395, 405, 426, 435, 677, 709, 787, 871, 882, 884, 925, 926, 992, 1156, 1176
咬合再構成 371 111
601 付録 26
咬合採得 372
291, 370, 387, 395, 811, 872, 884, 949
咬合採得法 *96, 144, 826*
咬合紙 373 *369, 668*
咬合支持 374 *96, 1173*
咬合支持域 375 *6*
咬合斜面板 376
咬合床 377
234, 261, 306, 350, 387, 598, 757, 826, 1050, 1181
咬合状態 *142, 358*
咬合小面 378
347, 425, 990, 1020
付録 96
咬合小面学説 *378, 425, 686, 1020*
咬合診断 *372*
咬合性外傷 379 *1150*
咬合接触 380
6, 91, 194, 308, 321, 353, 357, 363, 365, 373, 374, 375, 381, 392, 426, 473, 585, 616, 668, 675, 692, 696, 721, 736, 775, 777, 787, 934, 1041, 1136, 1137, 1161
咬合接触状態 *722*
咬合接触面積 *730, 994*
咬合相 *721, 725*
咬合調整 381 *141, 194*
咬合堤 382
191, 261, 306, 377, 757, 811, 949, 962 付録 97
咬合の支持 *243*
咬合の不調和 *383*
咬合病 383
咬合分析 384
咬合平衡 385
473, 777, 901, 1092
咬合平面 386
71, 191, 234, 283, 284, 405, 452, 606, 633, 644, 717, 787, 812, 816, 892, 902, 943, 1028
咬合平面設定板 387
付録 98

咬合平面測定基準板 付録 98
咬合平面板 388 *1075*
咬合平面分析板 389
咬合面 *7, 9, 10, 90, 115, 116, 118, 140, 141, 251, 276, 294, 348, 362, 378, 387, 394, 396, 425, 445, 473, 499, 567, 649, 665, 695, 719, 732, 736, 765, 787, 802, 811, 840, 852, 994, 1001, 1013, 1026, 1092, 1102, 1149, 1180*
咬合面窩 *266, 532, 932*
咬合面間 *393*
咬合面間距離 390
咬合面間記録 付録 10
咬合面形態 *85, 194, 294, 554*
咬合面再形成［義歯の］ 391
咬合面側 *501*
咬合面レスト *77, 1161, 1163*
咬合ユニット *752*
咬合様式 392 *194, 282, 308, 321, 653, 786, 901, 990, 1041, 1087, 1102, 1137, 1143*
咬合力 393 *98, 187, 220, 248, 250, 350, 351, 379, 381, 457, 530, 534, 675, 722, 956, 1142, 1143, 1161, 1162*
咬合力計 *394*
咬合力検査 394
咬合力測定装置 *395*
咬合力測定法 395
咬合力低下 *341*
咬合力分布 *394*
咬合彎曲 396 *389, 717, 777, 812, 1105*
咬座印象 397
交叉咬合 398 *909* 付録 99
交叉咬合排列 399 *400*
交叉咬合用人工臼歯 付録 100
交叉咬合用人工歯 400 付録 100
鉤歯 401 548 付録 133
硬質レジン 402 453 付録 110
硬質レジン歯 403 *594*
硬質レジンジャケットクラウン 404 1157 付録 275
鉤指導線 付録 117
咬傷 405
鉤状切痕 付録 211
甲状軟骨 *913*
口唇 *81, 109, 325, 342, 561, 808, 1127, 1173*
咬唇 *899*
口唇接合線 406 付録 101
口唇閉鎖線 407 406 付録 101
構成要素 *248, 296, 535, 632, 765, 1167*
更生用装具 *694*
咬舌 *405, 899*
鉤切痕 付録 211
鉤先 付録 102
鉤尖 408 *43, 90, 429, 477, 866, 885, 1015, 1130, 1170, 1175* 付録 102
酵素 *260*
鉤体 409 *90, 227, 346, 429, 695, 885, 1130, 1147, 1161*
後退運動［下顎の］ 410
咬断 *266, 720*
鉤端 付録 102
合着 411 *193, 411, 655, 772*
合着材 *224, 840*
合着操作 *555*
合着用セメント 412
口底 413 *1145* 付録 103
合釘 付録 252
合釘孔 付録 254
後堤法 414
合釘保持孔 付録 254
光電色彩計 *704*
後天的欠損 *498*
咬頭 *105, 107, 389, 400, 415, 417, 532, 892, 1180*
咬頭嵌合 415 *878*
咬頭嵌合位 416 *91, 96, 105, 107, 118, 142, 143, 152, 154, 201, 361, 366, 367, 369, 374, 375, 376, 392, 398, 410, 461, 462, 473, 513, 532, 567, 568, 569, 633, 653, 685, 696, 706, 710, 721, 736, 749, 768, 779, 787, 811, 823, 826, 909, 922, 1021, 1038, 1087, 1176, 1177*

咬頭干渉 417
363, 381, 823, 989
咬頭傾斜 *603, 922, 1176*
咬頭傾斜角 418
141, 269, 473, 1092
咬頭・鼓形空隙関係 419
咬頭歯 付録 36
咬頭・小窩関係 420
咬頭人工歯 付録 36
喉頭侵入 *95*
咬頭頂 *677*
咬頭展開角 421
咬頭・辺縁隆線関係 419
喉頭摩擦音 *326*
口内描記法 422 *435*
口内法ゴシックアーチ描記装置 *947*
硬軟口蓋境界部 423
後パラタルバー *895*
後方運動 *425*
後方滑走運動 *194, 1094*
後方基準 *1164*
後方基準点 424
574, 606, 684, 781, 962, 963, 1017
後方咬合小面 425
後方指導 付録 251
後方側方滑走運動路 *715*
後方誘導 付録 251
咬耗 426
10, 367, 383, 426, 821, 823, 992, 1156
咬耗症 *426*
口輪筋 *939, 1100*
高齢化社会 427
高齢化率 *427, 428, 774*
高齢社会 428
口裂 *342, 926, 1173*
鉤腕 429
4, 43, 77, 90, 227, 262, 263, 303, 317, 346, 408, 409, 429, 501, 557, 695, 753, 854, 866, 869, 885, 1013, 1015, 1130, 1135, 1147, 1163, 1170 付録104
誤嚥 *93, 95, 133, 913*
誤嚥性肺炎 *809*
コーヌス角 430
431, 444
コーヌスクローネ *1022*
コーヌステレスコープ
430, 444
コーヌステレスコープクラウン 431 *802*
コーピング *53, 210, 1150*
コーピング印象 432 942
942 付録 223
語音明瞭度検査 433 *325*
呼気鼻漏出 *940, 1000*
呼吸用チューブ *235*
呼気流 *79*
国際照明委員会 *89*
鼓形空隙 434
5, 9, 587, 597, 695 付録 105
ゴシックアーチ *18, 151, 155, 435, 697, 714, 715, 947, 948*
ゴシックアーチトレーサー
435, 674
ゴシックアーチトレーシング 付録 106
ゴシックアーチ描記板 *749*
ゴシックアーチ描記法 435
330, 422 付録 106
個歯トレー 436
519 付録 107
個人トレー 437
54, 128, 519, 1011, 1050 付録 108
固着式固定法 *75*
固着式模型 438 519
付録 126
骨格性反対咬合 *909*
骨結合型インプラント 439
120 付録 30
骨植 *828, 1144*
骨植不良歯 *454*
骨膜 *440*
骨膜下インプラント 440
582
骨面 *255, 281, 440*
骨隆起 *161, 332, 1142*
固定
75, 317, 338, 484, 1144
固定式 *60*
固定性 *454, 500, 864, 906, 1166*
固定性アタッチメント *506*
固定性部分義歯 *974*
固定性ブリッジ 441
32, 593, 974, 986, 1042, 1054
固定性補綴装置 442
44, 111, 245
固定性連結 443
13, 442, 1077
固定装置 *445, 977*
固定部 *500, 506, 890, 1079*
コネクター 付録 279
コノメータ 444

コバルトクロム　*279*
4/5冠　445　*977, 1151*
ゴムリング　*112*
固有口腔　446
孤立歯　*869*
コルベン状形態［床縁の］
447
根管　*1008*
根管治療　*1068*
混合型　*469*
混合負担（支持）付録128
コンダイラーガイダンス
付録251
コンダイラー型咬合器 448
364, 579, 697
コンダイル　*21, 448, 875*
コンタクトゲージ　449
509, 510
コンタクトポイント
450　649　付録157
コンディショナー　*232*
コンティニュアスクラスプ
付録280
コンデンス　*818*
コンデンス法　*818*
コンニャク状顎堤 付録236
コンビネーションクラスプ
451　*856*
コンビネーションシンドローム　452　付録109
コンピュータ支援　*277*
コンプリートデンチャー
付録163
棍棒　*447*
コンポーネント　*14, 53*
コンポジットレジン　453
279, 505, 655, 1157
付録110
根面　*106, 454, 457, 794, 1059*
根面アタッチメント　454
8, 106, 112, 455, 890
付録111
根面形成　455
根面形態　456
根面板　457
106, 455, 456, 1059, 1097

さ

サーカムファレンシャルクラスプ　付録57
サーベイヤ　付録116
サーベイヤー　付録116
サーベイライン　付録117
最後退位　*435*
最後方位　*155, 572*
最終印象　458　638
付録154
最終義歯　459
191, 483, 743, 784
最終上部構造　*701*
最終補綴装置　460
193, 601
最小圧印象　付録261
最小発音空隙　*83, 882*
最前方咬合位　461
再装着　*806*
最側方咬合位　462
最大開口位　463　*464*
最大開口距離　付録112
最大開口量　464
129　付録112
最大筋力点　*395*
最大咬合力　465　*394, 395*
最大豊隆線［歯の］　466
499, 556
最大豊隆部　467
30, 466, 479, 501, 502
彩度　468　*1083*
サイドシフト　469　*935*
作業側　470
308, 385, 425, 471, 671, 707, 721, 941, 989, 990, 1030, 1040, 1041, 1136, 1137　付録113
作業側下顎頭運動経路 *471*
作業側側方顆路　471
作業側側方顆路角　*471*
作業側側方顆路傾斜（度）
471
作業模型　付録114
作業用模型　472
15, 53, 59, 226, 479, 518, 519, 577, 596, 597, 624, 755, 812, 917, 966, 968, 970, 1012, 1026, 1062, 1088　付録114
削合［人工歯の］　473
20, 381, 397, 554, 821, 1156
Saxon テスト　474　475
付録115
Saxon 法　475　付録115
撮像　*709*
Sadrin の法則　*549*
サドル　*837, 867*
サブストラクチャー
476　208　付録51
サブリンガルバー　*1145*
サベイヤー　477
31, 466, 478, 479, 817,

1022, 1026 付録 116
サベイライン 478
4, 30, 327, 429, 477
付録 117
サベイング 479
サベーヤ 付録 116
サベーヤー 付録 116
サベーライン 付録 117
サベヤー 付録 116
サポート 付録 132
左右口角間距離 *238*
酸化亜鉛ユージノール印象 480
酸化亜鉛ユージノール印象材 *480*
酸化亜鉛ユージノールペースト *757*
酸化アルミニウム *25, 26*
三角形パッチ *80*
酸化剤 *260*
酸化ジルコニウム
481 591 付録 147
酸化物 *591*
酸化物層 *482*
酸化膜 482 *789*
暫間冠 付録 241
暫間義歯 483
459, 486, 623, 860
付録 118
暫間固定 484
暫間固定装置 *1155*
暫間修復 *701*
暫間上部構造 *701*
暫間被覆冠 485 1003
付録 241
暫間補綴装置 486
残根上義歯 487 106
付録 24
三叉神経 *92*
三次元スキャナー
488 612 付録 152
三次元デジタイザー
489 612 付録 152
酸蝕症 490
残存歯 *96, 245, 317, 454, 479, 536, 633, 763, 974, 975, 986, 1115, 1144*
残存歯列 *1115*
サンドイッチ型 *535*
サンドブラスト処理 491
1048 付録 119
3 面 4 隅角 *854*
三腕鉤 付録 277

し

仕上げ印象 付録 154
CR 比 付録 122
CR レシオ 付録 122
C/R レシオ 付録 122
シーカーアタッチメント
500
CPAP 療法 492 314
付録 82
Sjögren 症候群 *340*
シェードガイド 493
512, 704
シェードセレクション
494 512 付録 124
シェードテイキング
付録 124
シェードマッチング
付録 124
シェル *1122*
紫外線レーザー *631*
歯科インプラント
495 339 付録 89
歯牙支持 付録 130
自家製アタッチメント 496
761, 1022
自家製ポスト *1058*
耳下腺乳頭 *342*
歯牙負担 付録 130
歯科訪問診療 497
歯科補綴学 498
302, 680, 920, 976, 1118
歯科用磁性アタッチメント
242
歯冠 *233, 293, 467, 499, 500, 502, 503, 506, 553, 556, 755, 765, 946, 977, 1149, 1160*
歯冠円錐 499 付録 120
歯冠外アタッチメント 500
8, 952
歯冠外形 *127*
歯冠型クラスプ 501
付録 121
歯冠形成法 *1179*
歯冠継続歯 付録 253
歯冠形態 *1124*
歯冠経由型クラスプ
付録 121
歯間鼓形空隙 付録 105
歯冠軸 502
歯冠歯根長比 付録 122
歯冠歯根比 503
106, 1150 付録 122
歯冠修復 *510, 520, 591, 965, 1149, 1150*
歯冠修復物 504 507
付録 123

歯冠色材料 505
歯冠色陶材 *25*
歯冠色レジン *1160*
歯冠長 *1150*
歯冠長延長術 *979*
歯冠内アタッチメント 506
8, 890, 1079
視感比色法 *704*
歯冠補綴架橋義歯学
付録 77
歯冠補綴架工義歯学
付録 77
歯冠補綴橋義歯学 付録 77
歯冠補綴装置 507
30, 42, 86, 193, 293, 301, 564, 614, 637, 659, 681, 795, 888, 946, 965, 977, 1004, 1053, 1058
付録 123
歯間離開 508 *992*
歯間離開度 509
449, 510, 587
歯間離開度検査 510
色相 511 *1083*
色相環 *511*
色調 *512*
色調安定性 *1155*
色調選択 512
704 付録 124
色調見本 *493*
磁気的吸引力 *543*
歯齦圧排 付録 138
軸学説 *378*
軸眼窩平面 513
軸面 514
30, 430, 431, 444, 516, 795, 1053
軸面傾斜角 515 795
付録 187
軸面形成 516 *852*
軸面形態 *233*
歯型 517
518, 519, 597, 746, 755, 834, 942, 968, 1012, 1179
歯型可撤式模型 518
746, 942 付録 125
歯型固着式模型 519
968 付録 126
歯頸線 *581*
歯頸側辺縁形態 付録 127
歯型トレー 付録 107
歯頸部 *19, 559, 597*
歯頸部辺縁形態 520
565, 589, 844, 964, 1032, 1033 付録 127
刺激時唾液分泌量 *475*
刺激値直読方式 *704*
歯根 *106, 503, 1149*
歯根アタッチメント
付録 111
歯根円錐 521 556
付録 139
歯根破折 *457, 965*
歯根表面 *801*
歯根表面積 *32, 1063*
歯根膜 *197, 351, 465, 526, 527, 528, 529, 952*
歯根膜感覚 *106*
歯根膜支持 522 528
付録 130
歯根膜支持義歯 523 529
付録 131
歯根膜粘膜混合負担(支持)
付録 128
歯根膜粘膜支持 524 526
付録 128
歯根膜粘膜支持義歯
525 527 付録 129
歯根膜粘膜複合負担(支持)
付録 128
歯根膜粘膜負担 526
付録 128
歯根膜粘膜負担義歯 527
536 付録 129
歯根膜負担 528
1125, 1165 付録 130
歯根膜負担義歯 529
付録 131
シザーズバイト 付録 206
支持 530
3, 8, 12, 77, 197, 249, 254, 303, 547, 548, 551, 701, 765, 865, 939, 1115
付録 132
支持域 *6*
歯軸 531
71, 418, 466, 499, 556, 609, 1032
支持咬頭 532
歯質 *134, 580, 657, 1069, 1122, 1124*
歯質削除量 *500, 506, 564, 589, 954, 956*
支持粘膜 533
支持能力 534
磁石 *242*
磁石構造体 535
242, 543, 875
歯周疾患 *484, 510, 536, 587, 979*
歯周組織 *131, 379, 452,*

536, 570, 637, 828, 934, 975, 1125
歯周病 *809*
歯周補綴 536
耳珠上縁 *234, 984, 1017*
耳珠上縁点 *984*
矢状顆路 537 *212, 910*
矢状顆路傾斜 *538, 671*
矢状顆路傾斜角 *214, 538*
矢状顆路傾斜角（度） 538
矢状 Christensen 現象 *306*
矢状推進現象 *603*
自浄性 *230, 907, 936, 1072, 1111*
矢状切歯路 539
矢状切歯路傾斜角（度）540
矢状前方顆路 *537*
矢状前方顆路傾斜角 *538*
矢状側方顆路 *537*
矢状側方顆路傾斜角 *538*
矢状面 541
212, 537, 538, 539, 540, 622, 661, 665, 672, 735, 776, 777, 912, 960
自助具 542
磁性アタッチメント 543
106, 535, 875
磁性材料 *535*
磁性ステンレス鋼 *242*
歯性反対咬合 *909*
歯槽間距離 *104*
歯槽骨 *185, 186, 578, 983, 1035, 1111, 1149*
歯槽骨頂 *503, 637*
歯槽頂 544
283, 545, 546, 973, 1126
歯槽頂間線 545
歯槽頂間線角度 *399*
歯槽頂線 546
歯槽堤 付録 48
歯槽堤粘膜 付録 49
歯槽突起 *544, 975*
歯槽粘膜 付録 49
持続時間 *359*
支台 547
14, 582, 595, 701, 974, 1049
支台形成 付録 135
支台歯 548
4, 8, 12, 30, 32, 44, 98, 99, 136, 193, 197, 217, 219, 220, 227, 231, 232, 241, 262, 263, 276, 303, 346, 355, 408, 411, 436, 442, 456, 457, 477, 500, 501, 503, 506, 516, 536, 549, 551, 552, 557, 564, 565, 589, 596, 641, 655, 657, 695, 753, 801, 828, 844, 847, 849, 852, 864, 866, 869, 888, 905, 906, 928, 930, 942, 957, 964, 965, 974, 986, 1004, 1013, 1026, 1027, 1032, 1033, 1042, 1053, 1058, 1059, 1060, 1061, 1063, 1068, 1097, 1118, 1123, 1124, 1125, 1147, 1151, 1152, 1153, 1161, 1162, 1165, 1166, 1175 付録 133
支台歯間線 549
229, 620, 971 付録 134
支台歯形成 550
134, 455, 516, 555, 641, 1018, 1026 付録 135
支台歯形態 551
517, 550, 553, 658
支台歯歯頸部 *520*
支台歯トレー 付録 107
支台歯辺縁 *597*
支台線 付録 134
支台装置 552
3, 4, 8, 9, 19, 20, 56, 98, 112, 219, 220, 229, 276, 303, 327, 431, 441, 443, 445, 457, 543, 783, 792, 802, 819, 862, 930, 942, 956, 977, 985, 986, 995, 1001, 1042, 1047, 1054, 1056, 1072, 1124, 1166
付録 136
支台築造 553
支台部 *60, 440*
支柱 *477, 673*
実角 *150*
失活歯 *543, 965*
実距離 *150*
失語症 *1044*
実質欠損 *237, 240, 302*
失認 *1044*
湿熱重合 *1158*
試適 *1135, 1171*
耳点 *984*
支点間線 付録 134
支点線 付録 134
自動削合 554
668 付録 137
自働削合 付録 137
指導板 *554*
指導要素 *1057*
歯肉 *555, 559, 596, 597,*

602, 1149, 1150
歯肉圧排　555　付録 138
歯肉縁　*597, 1149*
歯肉縁下　*555, 637*
歯肉円錐　556　付録 139
歯肉型クラスプ　557
1175　付録 140
歯肉頬移行部　558
452, 561
歯肉形成　559
79, 884, 1171
歯肉経由型クラスプ
付録 140
歯肉溝　*637*
歯肉鉤　560
歯肉色　*1158*
歯肉唇移行部　561
歯肉切除　*1068*
歯肉粘膜　*561, 918*
雌部　付録 258
篩分法［咀嚼能率の］　562
社会生活行為　*542*
Jackson クリブクラスプ
563　*227*
嚼面充実金冠　*10*
嚼面鋳造冠　*10*
ジャケット冠　付録 141
ジャケットクラウン　564
25, 273, 453, 589, 681,
1033　付録 141
射出　*1158*
射出成形　*248*
射出成形レジン　*1159*
写真法　*147*
シャンファー型　565　*520*
手圧印象　566
自由運動咬合器　567　*923*
習慣性開閉口運動　568
749
習慣性咬合位　569
習慣性咀嚼側　570
付録 142
習慣性閉口路　*585*
重合　*20, 453, 806, 1074,*
1158, 1171
縦走部　*563*
充填用材料　*493*
周波数　*359, 828*
修復　*755*
修復材料　*564*
修復物　*224, 305, 411, 507,*
565, 589, 626, 655, 888,
968
修復物辺縁　*520*
修復物辺縁形態　*565, 589,*
844, 964, 1032, 1033
終末位　*569*
終末蝶番位　571
終末蝶番運動　572
513, 571　付録 143
終末蝶番軸　573
206, 574　付録 144
終末蝶番点　574
縮重合型　*590*
縮図器　*911*
樹脂含浸層　*655*
手掌の幅　*238*
主咀嚼側　付録 142
腫脹　*250*
術後即時顎補綴装置　575
術者可撤　*659*
術者可撤式　*60, 614*
術者可撤式暫間補綴装置
813
腫瘍　*172, 176, 178, 180,*
188, 189, 237, 239, 240,
244, 331
腫瘍類似疾患　*172*
準解剖学的人工臼歯
付録 69
準解剖学的人工歯　付録 69
準解剖的人工臼歯　付録 69
準解剖的人工歯　付録 69
純パラジウム　*1046*
準備印象　付録 32
準備期　*645*
床縁　576
128, 130, 577, 583, 938
付録 145
常温重合　*1158*
常温重合レジン
436, 437, 834
小窩　*1001, 1053, 1162*
床外形線　577
上顎義歯　*619*
上顎結節　578
452, 560, 893
上顎歯肉唇移行部　*259*
上顎切痕　付録 211
上顎法　*598, 805*
上顎補綴装置　*376*
床下粘膜　付録 61
床下粘膜治療　*784*
床義歯床　*578*
上気道　*158, 610*
上気道の閉塞　*103*
上弓［咬合器の］　579
21, 205, 364, 366,
448, 554, 642, 1076
症型分類［補綴治療における］　580

上下口唇 *709*
焼結法 *293*
床後縁 *328*
床交換 付録 266
小口症 *1007*
床周縁 付録 145
上唇 *81, 406, 581, 925, 939*
上唇小帯 *342*
上唇線 *949*
少数残存歯症例 *106, 860*
少数歯欠損 *623, 975, 986*
焼成 *25, 309, 1047, 1048*
笑線 581
小線源 *618*
床装置 *329*
使用側 付録 113
小帯 *4*
小帯切除術 *1068*
上皮性付着 *603*
上皮剝離 *256*
上部構造（体）［インプラントの］ 582 *7, 14, 56, 59, 86, 339, 741, 765, 829, 886, 942, 1109*
床辺縁 付録 145
床用材料 *821*
床用人工歯 *294*
床用レジン *493, 560, 1159*
床翼 583 *122, 938* 付録 146
床翼部 *999*
小連結子 584 *39, 620, 971, 1167*
上腕 *429*
ショートピン陶歯 *955*
初期接触 585
食形態調整 586
触診 *221, 423*
食道 *267*
食道期 *92, 645*
食道相 *645*
食片圧入 587 *509, 510, 1153, 1161*
食物 *718*
食物残渣 *5*
食物摂取 *446, 720*
食物粉砕 *729*
食物粉砕度 588 *728*
植立 *595, 618*
食塊 *93, 570, 645, 718, 730, 913, 1040*
ショルダー *761, 888, 1033, 1119*
ショルダー型 589 *520, 1032, 1033*
ショルダーレス型 *520, 844, 964*
シリカ *113, 114*
シリコーン検査材 *369*
シリコーンゴム *797, 996*
シリコーンゴム印象 590
シリコーンゴム印象材 *355, 373, 590, 850*
シリンジ *232*
シリンダーテレスコープクラウン *802*
ジルコニア 591 *113, 114, 190, 277, 279, 1048, 1103* 付録 147
ジルコニア系セラミックス *505*
ジルコニアフレーム *1048*
ジルコニアブロック 592
歯列 *6, 316, 362, 394, 437, 446, 602, 752, 756, 764, 967, 974, 975, 976, 1069, 1115, 1116*
歯列印象 *834*
歯列弓 *342, 398, 999*
歯列咬合面記録 *1134*
歯列接触癖 *855*
歯列不正 *405*
歯列模型 *518, 519, 968, 1012*
磁路 *535*
シロキサン結合 *655*
シロナソグラフ *148*
真菌 *809*
シングルデンチャー 593 付録 148
神経麻痺 *621, 846*
人工材料 *553*
人工歯 594 *19, 20, 81, 84, 141, 178, 244, 248, 251, 269, 362, 378, 381, 382, 393, 399, 400, 425, 465, 473, 493, 545, 559, 582, 598, 603, 641, 679, 719, 735, 772, 787, 821, 862, 883, 884, 938, 985, 1072, 1099, 1127, 1131, 1139, 1156*
人工歯咬合面 *391, 686*
人工歯根 595 *339*
人工歯歯頸部 *583*
人工歯選択 *949*
人工歯肉 596 *597*
人工歯肉付模型 597 付録 149

人工歯排列 598 *336, 377, 397, 405, 545, 546, 1171*
人工歯排列位置 *122, 243*
人工歯排列法 *399*
人工装置 *245, 498, 1065*
人工陶歯 *955*
人工皮膚 *493*
人工物 *595, 1066*
診査用模型 付録 84
唇側バー *132*
唇側面 *1119, 1122*
靭帯 *151, 155, 174*
診断用義歯 599 *483, 969*
診断用模型 付録 84
診断用ワクシング 600 601 付録 150
診断用ワックスアップ 601 付録 150
伸展修復物 *964*
振動音 *357*
振動法 *818*
審美障害 602 *239, 245, 507, 979*
審美性 *123, 141, 180, 193, 210, 273, 391, 486, 559, 564, 596, 666, 794, 822, 852, 907, 936, 938, 946, 956, 986, 1004, 1046, 1069, 1108, 1111, 1118, 1119, 1121, 1155, 1171*
審美的修復 *1122, 1160*
深部感覚 *223*

す

随意運動 *570, 645*
推進現象［義歯の］ 603
水素ガス *789*
水素結合 *655*
垂直アーム *429*
垂直顎間距離 付録 43
垂直的顎位 604 *151, 395*
垂直的距離 *107, 370*
垂直的咬合関係 *142*
垂直的咬合力 *283*
垂直被蓋 605 107 付録 25
水平アーム *477*
水平基準面 606 *234, 424, 513, 538, 540, 684, 781, 984*
水平台 *477*
水平的顎位 607 *91, 291, 435*
水平的顎間関係 *749*
水平的距離 *105*
水平被蓋 608 105 付録 23
水平面 609 *212, 471, 708, 715, 776, 912*
睡眠時無呼吸症候群 610 *920* 付録 151
スイングロックアタッチメント *1054*
スウェーデンのバナナ *1064*
スープラバルジエリア *499*
スープラバルジクラスプ 611 501 付録 121
スキャナー 612 付録 152
スキャンボディ 613
スクリーニング *913, 940*
スクリュー *7*
スクリュー固定式 614 *659, 1109*
スケルトン型 *39*
スタイラス 付録 224
スタッドアタッチメント *454* 付録 111
スタディキャスト 付録 84
スタディモデル 615 319 付録 84
スタビリゼーションアプライアンス 616 *115* 付録 153
スタビリゼーションスプリント 617 616 付録 153
スチール板 *509*
ステレオ聴診器 *358*
ステント 618 *627*
ステンレス鋼合金 *11*
ストラップ 619 *440, 619*
ストレス *312, 383*
ストレスブレイカー 付録 54
スパー 620 *1056*
スパチュラ *811, 818*
スパチュラ法 *818*
スピーチエイド 621 *9, 877*
Spee の彎曲 622 *396, 665, 1106*
スピルウェイ 付録 199
スピンドル *477*
スプーンデンチャー 623
スプリット *625*
スプリットキャスト 624 *365*
スプリットバー 625 *220*
スプリットポール型 *535*

スプリットマウンティングプレート *624*
スプリング *217*
スプリンティング 626
スプリント 627
スペーサー *669, 867*
スペース *217*
スライス型 *1119*
スライスカット *1119*
スライド型アタッチメント *632*
スライド型連結装置 *241*
スリークォータークラウン 628 1119 付録 265
3D スキャナー 629 612 付録 152
3D デジタイザー 630 612 付録 152
3D プリンタ 631 *1158*
スリーブ 632 *864*
スリーポイントバランス *901*
スリット *625*
すれ違い咬合 633
スロット型 *214, 364*
寸法安定性 *590, 1070*
寸法精度 *638, 1182*

せ

清音 *357*
性格 *84, 598*
生活歯 *1097*
生活不活発病 634 874 付録 204
成形充填材 *553*
静止印象 付録 261
正常有歯顎者 *569*
清掃性 *230, 536, 907, 936, 1111*
静態印象 付録 261
生体材料 *58*
正中口蓋縫合線 *1028*
正中矢状面 *708, 1064*
正中線 635 *636, 672, 949*
正中パラタルバー *895*
正中面 636 *609*
静的印象 付録 261
静的パラトグラム *898*
生物学的幅径 637
性別 *84, 598*
正放線投影法 *503*
精密印象 638 *577, 590, 942, 1070* 付録 154
精密印象採得 *436*
精密鋳造 *964*
生理学 *845*
生理学的運動 *362*
生理的下顎安静位 付録 38
石英 *958, 1014*
石英ファイバー *958*
赤唇 *1173*
積層一回印象 639 850 付録 200
積層印象法 *235*
積層造形法 *631*
セグメント *180*
舌 *267*
舌圧痕 640
舌位矯正タイプ *158*
舌咽神経 *92*
切縁 *81, 83, 105, 107, 140, 348, 362, 378, 389, 473, 502, 649, 653, 654, 665, 686, 843, 852, 937, 1026, 1081, 1105, 1149*
切縁溝 *1119*
切縁咬合 付録 158
切縁レスト *971, 1161*
石灰化 *1081*
舌下腺 *413*
設計 *477*
石膏 *22, 85, 235, 275, 641, 757, 806, 851, 1002, 1005, 1074*
石膏印象 *1011*
石膏系 *192*
石膏コア 641
舌口唇運動機能低下 *341*
石膏模型 *319*
舌骨上・下筋群 *267*
切削加工 *666*
切削加工法 *293*
切削形成 *550, 658*
切削用回転部 *1022*
切歯きょう導釘 付録 155
切歯きょう導板 付録 156
切歯指導 付録 6
切歯指導機構 *579*
切歯指導釘 642 *554, 643, 651* 付録 155
切歯指導板 643 *642, 651* 付録 156
切歯指導部 *364*
切歯点 644 *151, 386, 461, 462, 650, 714, 715, 721, 1071*
切歯乳頭 *943, 1142*
切歯誘導（指導） 付録 6
舌習癖 *640*
舌小帯 *413*

摂食 *181*
摂食嚥下 645 *646*
摂食嚥下障害 646
92, 93, 95, 133, 647, 648
摂食嚥下リハビリテーション 647 *775*
接触滑走 *410, 675, 683, 706, 721, 990*
接触関係 *348*
摂食訓練 648
接触性皮膚炎 *292*
接触点 649
510 付録 157
切歯路 650
212, 539, 540, 651, 776
切歯路角 *892, 1016*
切歯路調節機構 651 *364*
切歯路描記法 付録 106
舌接触補助床 652
舌尖 *640, 1181*
舌側縁 *640*
舌側化咬合 付録 272
舌側咬頭内斜面 *989*
舌側床縁 *184*
舌側床翼 *583*
舌側面 *7, 445, 658*
切端咬合 653 付録 158
切端咬合位 654
接着［修復物の］ 655 *411*
接着機能性モノマー *87*
接着性 *411*
接着性材料 *655*
接着性セメント 656 *655*
接着性ブリッジ 付録 159
接着性レジン *484, 1122*
接着ブリッジ 657
付録 159
接着法 *1166*
舌痛症 *223*
舌背 *405, 839*
舌房 *405, 876*
舌面 *378, 956*
舌面形成 658
舌面レスト *1161*
セメント
224, 411, 655, 765
セメント-エナメル境 *140*
セメント合着 *516, 589, 659, 794, 795, 822, 1033*
セメント固定式 659
セラミック冠 *841*
セラミックス *113, 114, 655*
セラミング *273*
セラモメタルクラウン
660 819 付録 194
線維型 *259*
線維腫 *452*
線維性増生 *983*
線維部 *252*
全運動軸 661 *206*
尖型 *70*
線鉤 662
303, 451, 1163, 1165
付録 160
先行期 *645*
前後調節彎曲 663 *777*
前後的歯牙彎曲 664 665
付録 161
前後的歯列彎曲 665
1105 付録 161
センサーアレイ *1084*
前歯型アプライアンス
1140
前歯欠損 *949*
前歯部人工歯 *70, 83*
前歯誘導（指導） 付録 6
前処置 *459, 479*
全歯列型アプライアンス
616
漸進型 *469*
全身性疾患 *172*
全身性接触皮膚炎 *292*
前装冠 666
453, 589, 681, 819, 995, 1033
前装鋳造冠 *1078*
前装部 *666*
前装用材料 *493, 589, 597, 666, 1078*
栓塞部 667
178, 766, 803
選択削合 668 *554*
選択的加圧印象 669
剪断咬頭 670 932
付録 220
全調節性咬合器 671
364, 776, 912
先天奇形 *176, 178, 180, 188, 189, 237, 240, 244, 331*
先天性欠如 *498*
蠕動運動 *645*
前頭面 672
71, 212, 471, 609, 735, 777
セントラルベアリングスクリュー 673 *676, 947*
セントラルベアリングデバイス *674*
セントラルベアリングトレーシング 674

セントラルベアリングトレーシングデバイス 675
セントラルベアリングプレート 676
セントラルポイント *675*
セントリックストップ 677
前パラタルバー *895*
腺部 *252*
全部冠 付録 165
全部金属冠 678 付録 162
全部欠損 *593*
全部床義歯 679
198, 248, 252, 328, 347, 385, 452, 554, 593, 680, 777, 805, 853, 876, 882, 892, 901, 990, 1023, 1040, 1091, 1102, 1112, 1136, 1137, 1143 付録 163
全部床義歯学 付録 164
全部床義歯補綴学 680 付録 164
全部鋳造冠 *678*
全部陶材架橋義歯 付録 248
全部陶材架工義歯 付録 248
全部陶材橋義歯 付録 248
全部被覆冠 681
113, 125, 301, 564, 678, 946, 1046, 1047, 1155, 1157 付録 165
全部ポーセレンブリッジ *1047*
前方位［下顎の］ 682
756, 1132
前方運動［下顎の］ 683
767, 960
前方滑走運動 *194, 306, 308, 385, 537, 538, 539, 540, 554, 827, 990, 1087*
前方基準点 684
35, 221, 424, 606, 781, 953, 962, 963
前方咬合位 685 *654*
前方咬合小面 686
前方指導要素 *33*
前方整位型アプライアンス *1132*
前方チェックバイト *756*
前方転位 *100, 102*
前方誘導（指導） 687 33 付録 6
全面均衡咬合 付録 268
全面平衡咬合 付録 268

そ

早期加重 688 689
689 付録 166
早期荷重 689 付録 166
早期型 *469*
総義歯 690 679 付録 163
総義歯学 付録 164
総義歯補綴学 691 680 付録 164
早期接触 692
357, 359, 363, 381, 383, 749, 775, 1162
早期負荷 693 689 付録 166
装具 694
象牙細管 *1081*
象牙質 *17, 426, 655, 958*
相互保護咬合 付録 260
増歯 *37*
双子鉤 695
227 付録 167
装着材料 *87*
装着方向 *1151*
相補運動論的顆頭点 *74*
相補下顎位 696 *163*
相補下顎運動 697
74, 164
相補下顎運動検査 *165*
即時加重 698 699 付録 168
即時荷重 699
699 付録 168
即時義歯 700 *483, 812*
即時暫間修復 701 付録 169
即時暫間補綴 702 701 付録 169
即時負荷 703 699 付録 168
測色法［歯冠色の］ 704
即時離開咬合 *282*
測定杆 *477*
側頭筋 *291*
側頭筋触診法 *291*
側頭筋前部 *291*
側頭筋把握法 *291*
側貌 *81, 709, 938*
側方位［下顎の］705 *756*
側方運動［下顎の］ 706
74, 205, 707, 960, 1030
側貌エックス線写真 *234*
側方下顎限界運動路 *18*
側方滑走運動 *194, 306, 308, 321, 385, 425, 469, 470, 471, 537, 538, 554, 714, 715, 933, 935, 989, 990, 1020, 1023, 1087, 1143*

側方顆路 707 *212, 671, 910*
側方顆路角 708 *214, 935* 付録 170
側方顆路傾斜角 *671*
側貌記録 709
側方 Christensen 現象 *306*
側方限界運動 *435*
側方咬合位 710 *462, 1041, 1136, 1137*
側方咬合彎曲 711 71 付録 16
側方歯牙彎曲 712 71 付録 16
側方歯群 *398*
側方歯列彎曲 713 71 付録 16
側方推進現象 *603*
側方切歯路 714 *715*
側方切歯路角 715
側方チェックバイト *756*
側方調節彎曲 716 *777*
側方頭部エックス線規格写真 *920*
側方頭部エックス線規格写真法 *984*
側方パラタルバー *895*
側方分力 *269*
側方力 *99, 263, 454, 1092, 1153*
側方彎曲基準板 717
咀嚼 718 *95, 116, 181, 207, 272, 486, 559, 562, 588, 598, 652, 721, 722, 727, 941, 972, 978, 1043, 1072*
咀嚼圧 719
咀嚼運動 720 *194, 266, 470, 570, 725, 731, 932, 933*
咀嚼運動周期 付録 172
咀嚼運動路 721 付録 171
咀嚼期 *645*
咀嚼機能 *426, 722*
咀嚼機能検査 722 *730*
咀嚼機能低下 *341*
咀嚼筋 *88, 173, 179, 298, 354, 726, 978*
咀嚼筋活動 *730*
咀嚼筋障害 *173*
咀嚼系 付録 47
咀嚼経路 付録 171
咀嚼効率 723 728 付録 174
咀嚼サイクル 724 725 付録 172
咀嚼試験 *729*
咀嚼周期 725 付録 172
咀嚼障害 726
咀嚼試料 *722*
咀嚼側 727 *941* 付録 173
咀嚼能率 728 *141, 269, 588, 729, 730, 994* 付録 174
咀嚼能率測定 729
咀嚼能率判定表 *722*
咀嚼能力 730 *562, 722, 728*
咀嚼能力検査 *730*
咀嚼リズム 731
咀嚼力 732 *394, 549*
ソフトブローイング 733 *940, 1000*
粗面 *491*
ゾル *22*
ゾル状 *232*

た

タービンバー *1018*
タービンヘッド *1018*
ターミナルヒンジアキシス 付録 144
ターミナルヒンジムーブメント 付録 143
耐火材 *1074*
耐火模型 *192, 966, 970*
帯環金属冠 *10, 964*
対向関係［顎堤の］ 735 *353, 362, 545*
対咬関係 734 736 付録 175
対合関係 736 付録 175
対抗作用 737 262 付録 66
対合歯 738 *85, 266, 355, 532, 762, 932, 968, 1156, 1162*
対合歯模型 *85*
退行性関節疾患 *172*
ダイコム 739
待時加重 740 741 *741* 付録 176
待時荷重 741 付録 176
待時負荷 742 741 付録 176
退縮 *1149, 1150*
耐衝撃性 *403, 564*
体性感覚 *223*
代替トレー *235*
ダイナミック印象 743

126　付録 177
ダイナミックナビゲーション　744
ダイナミックパラトグラム　*898*
第二象牙質　*1081*
大脳皮質　*92*
体部　*54, 364, 579, 869*
耐摩耗性　*294, 403, 821, 1046, 1155, 1156*
ダイヤモンドポイント　*668*
大連結子　745　*39, 132, 299, 317, 429, 584, 619, 620, 625, 863, 865, 889, 894, 895, 896, 917, 971, 1144, 1145, 1146, 1167*
ダウエル　付録 252
ダウエルクラウン　付録 253
ダウエルピン　746　*518*
唾液　*718*
唾液嚥下　*913*
唾液検査　747
唾液分泌能検査　*475*
多官能性メタクリレート　*453*
濁音　*357*
タッピング　748　*359, 899, 978*
タッピング運動　749
タッピングポイント　*749*
ダブルアームクラスプ　付録 243
ダブル Akers クラスプ　付録 167
ダブルクラウン　付録 189
ダブルミックス印象　付録 200
ダブルリンガルバー　*317*　付録 83
ダミー　付録 257
単一印象　750
単一式模型　751　519　付録 126
単位面積　*349, 719, 916*
単冠　*445, 977, 1059*
単斜面形態　*456*
短縮歯列　752
単純鉤 753　*227*　付録 178
炭素棒　*477*
単独歯冠補綴　*819*
単独歯型　754　755　付録 179
単独歯型式模型　755　付録 179
弾撥音　*171, 307*　付録 79
弾筆　*304*
単腕鉤　付録 178

ち

チェックバイト　756　*365*
チェックバイト法　757
遅延荷重　758　741　付録 176
遅延型アレルギー　*292*
遅延負荷　759　741　付録 176
遅延離開咬合　*282*
知覚異常　760　223　*223*　付録 55
築盛　*25, 113, 114, 279, 597, 789, 818, 1048, 1078*
築造　*553*
築造体　*1008*
チタン　*190, 277, 279, 678, 918*
チタン合金　*11*
窒息　*93*
着脱方向　*30, 136, 477, 478, 479, 499, 556, 1088*
着力点　*454*
チャネル　*761*
チャネルショルダーピン　761　*496*
チューイングサイクル　付録 172
チューイン法　762　*422, 673*
中間型　*259*
中間義歯　763　付録 180
中間欠損　764　*752, 967*
中間欠損義歯　付録 180
中間構造（体）［インプラントの］　765　*582*
中空型栓塞部　766　*803*
中心位　767　*682, 683, 705, 1019, 1037*
中心窩　*7, 399*
中心咬合位　768　*144, 168, 370, 545, 668, 1019, 1143*
中枢神経　*92*
鋳接　*190*
中切歯切縁間距離　*464*
鋳接法　*543*
鋳造　*125, 273, 294, 482, 496, 553, 666, 678, 819, 867, 1074, 1182*
鋳造冠　*10, 125, 822*
鋳造鉤　769　*77, 303, 451, 856, 1013,*

1152, 1163 付録 181
鋳造コーピング *543*
鋳造収縮 *125, 274, 1182*
鋳造床 770 *295, 970*
鋳造操作 *279*
鋳造体 *192, 553, 1088, 1089, 1097, 1129, 1179*
鋳造バー 771 *863*
鋳造歪み *789*
鋳造ピン *956*
鋳造法 *293, 769, 771, 794, 1109*
鋳造ポスト *553*
鋳造用リング *274*
中パラタルバー *895*
チューブ陶歯 772
調音 *325*
調音検査 773 325 付録 86
調音点 *898*
超音波洗浄 *809*
蝶形骨翼状突起内側板 *893*
超高齢社会 774
彫刻法 *1179*
聴診 *775*
聴診器 *357*
聴診法 775 *358*
長石系陶材 *505*
長石-石英系陶材 *25, 26*
調節機能 *364*
調節性咬合器 776 *215, 651, 671, 910*
調節彎曲 777 *396, 805, 892*
蝶番 *217, 779*
蝶番運動 778 *572, 573, 952* 付録 182
蝶番型アタッチメント 付録 226
蝶番咬合器 779 *923* 付録 183
蝶番軸 780 *111, 513, 573, 781* 付録 184
蝶番点 781 *206, 424, 606, 951, 953*
直後型 *469*
直接維持装置 782 783 付録 185
直接訓練 *648*
直接支台装置 783 *1115* 付録 185
直接法 *1139, 1179*
治療義歯 付録 186
治療計画 *599*
治療用義歯 784 *483, 969* 付録 186
治療用装具 *694*
沈下 *4, 250, 530, 534, 971, 1013, 1144, 1161*
沈殿法 *818*

つ

追跡管理 785 838 付録 198
ツインステージ咬合器 786
継ぎ手接合 *589*
坪根式バイトゲージ *871*
艶焼き 付録 80

て

T アタッチメント *506*
TMJ 咬合器 *762*
T 型クラスプ *1175*
T 型分割腕鉤 *856*
低位咬合 787 *96*
低位歯 *106*
T 字クラスプ 788 90 付録 20
T スキャン *394*
ディープシャンファー型 *565*
ディープバイト 付録 37
ディギャッシング 789
抵抗 *801*
抵抗力 *1063*
停止部 *939*
ディスクルージョン 790 282 付録 72
低舌圧 *341*
ティッシュコンディショナー 791 *1068*
ティッシュコンディショニング *791*
ティッシュストップ 792
ディッピング法 *1179*
ティナージョイント 793
Davis クラウン 794
Davis 陶歯 *794*
Tinker 型 *1119*
テーパー 795 *516, 795, 1027* 付録 187
テーパーツール *477*
適応反応 *570*
適合 *597, 794, 802*
適合検査材 796 996 付録 240
適合試験 797
適合試験材 798 996 付録 240
適合状態 *797, 996*

適合性　*30, 565, 812, 995, 1121*
デジタルインプレッション　799　333　付録 88
デジタルデンチャー　800　付録 188
Duchange の指数　801
テレスコープクラウン　802　*5, 127, 431, 496, 841, 930, 1022, 1165*　付録 189
転位　*909*
天蓋　*803*
天蓋開放型栓塞部　803
展開角　*715*
電気的記録法　*358*
電気的測定法　*147*
電気メス　*555*
電極　*898*
Dentatus 咬合器　*384, 910*
デンタルインプラント　804　339　付録 89
デンタルサベイヤー　付録 116
デンタルフロス　*510*
デンタルミラー　*1027*
Tench の間隙　805
Tench のコア　806　*365, 1134*　付録 190
Tench の歯型　807　806　付録 190
デンチャースペース　808　*921*
デンチャープラーク　809　*260*
デンチャーマーキング　810　付録 191
デンティン用陶材　*25*
天然歯　*86, 116, 140, 141, 381, 594, 719, 736, 808, 809, 821, 924, 1018, 1035*
天然歯列　*71, 396, 593, 1019*
転覆　*549, 1041*
転覆試験　811
テンプレート　812
テンポラリーアバットメント　813　付録 192
テンポラリークラウン　814　1003　付録 241
テンポラリーシリンダー　815　813　付録 192

と

ドイツ水平線　*984*
投影距離　*150*
頭蓋　*145, 364, 366, 672, 781, 962*
瞳孔　*221, 926*
瞳孔・口裂　*238*
瞳孔・口裂間距離　*238*
瞳孔線　816
等高点　817　付録 193
陶材　*13, 210, 279, 309, 564, 666, 789, 794, 818, 819, 821, 946, 1046, 1077, 1097, 1108*
陶材ジャケットクラウン　付録 247
陶材築盛法　818
陶材ブリッジ　付録 248
陶材焼付冠　819　*13, 210, 789, 822, 1077, 1097, 1098*　付録 194
陶材焼付金属冠　820　819　付録 194
陶材溶着鋳造冠　付録 194
陶歯　821　*294, 594, 772, 794, 822*
陶歯前装鋳造冠　822
陶歯前装ポストクラウン　*1059*
動側　付録 113
働側　付録 113
疼痛　*88, 109, 173, 174, 179, 291, 383, 823, 1021, 1139, 1142*
疼痛誘発テスト　823
動的印象　付録 177
動的嚥下障害　824　267　付録 68
糖尿病　*340*
銅板　*436*
頭部後屈法　825　826　付録 195
頭部後傾法　826　付録 195
DUML の法則　827
動揺　*484, 627, 828, 1166*
東洋医学　*1086*
動揺歯　*75, 445, 954, 956, 977*
動揺度　*828*
動揺度検査［歯の］　828
動力部　*1022*
トップダウントリートメント　829　付録 196
凸面形態　*456*
トライポッドマーク　830　817　付録 193
ドライマウス　831　340　付録 90
トライメット　*148*

トランスファー *574, 781, 953*
トランスファーインデックス 832 834 付録 197
トランスファーキャップ 833 834 付録 197
トランスファーコーピング 834 *942* 付録 197
トランスファージグ 835 834 付録 197
取り囲み鉤 付録 57
取り込み印象 836 942 付録 223
Dolder バー 837 *864*
トレー *231, 232, 350, 397, 743, 1011*
トレーサビリティ 838 付録 198
ドロップオンテクニック *1179*
Donders の空隙 839
遁路 840 *669* 付録 199

な

内冠 841 *5, 127, 430, 431, 802*
内斜線 842 *130*
内斜面 *421*
内側フィニッシュライン *961*
ナイトガード 843
ナイフエッジ型 844 *520, 964*
流し込み *1158*
ナソヘキサグラフ *148*
ナソロジー 845
ナソロジー学派 *111, 1087*
倣い加工 *113*
軟口蓋 *1, 325, 423, 446, 621, 808, 839, 846, 903*
軟口蓋挙上型 *621*
軟口蓋挙上装置 846 *621*
軟質リライン材 *1139*
軟性樹脂 *597*
軟性レジン *560*
軟組織 *119, 129, 138, 914, 1026*

に

ニアゾーン 847 *4, 1015, 1147*
肉芽型 *259*
二ケイ酸リチウム *1014*
二ケイ酸リチウムガラス *505*
二酸化ジルコニウム 848 591 付録 147
二次印象 付録 154
二次齲蝕 *457, 1119*
二次固定 849 *276*
二次固定効果 *695*
二重金冠 付録 189
二重同時印象 850 付録 200
二重埋没法 851
日常生活動作 *542*
ニッチ *956*
日本補綴歯科学会 *580*
二面形成 852
乳頭状過形成 *452*
ニュートラルゾーン 853 *243*
二腕鉤 854
認知症 *99, 227, 263* 付録 201
認知期 *645*
認知行動療法 855

ね

Ney 社 *856, 1013*
Ney のクラスプ 856
熱可塑性 *1101*
熱可塑性樹脂 *631, 862*
ネック部 *993*
熱処理 *789*
熱膨張率 *1048*
粘液腺 *1164*
粘着力 *246*
捻髪音 *171, 311* 付録 81
粘膜 *12, 61, 187, 249*
粘膜下組織 *187, 983*
粘膜支持 857 859 付録 202
粘膜支持義歯 858 860 付録 203
粘膜上皮 *413*
粘膜静態印象 付録 261
粘膜調整 *791*
粘膜負担 859 *669, 896, 1165* 付録 202
粘膜負担義歯 860 *679* 付録 203
粘膜面 *576*
年齢 *84, 598*

の

脳梗塞 *846*
能力低下 *647*
ノギス *1026, 1027*
ノンクラスプデンチャー

862
ノンパラレルピンテクニック　861　*954*
ノンメタルクラスプデンチャー　862

は

バー　863
619, 771, 837, 864, 865, 867, 895, 1022, 1054, 1161
バーアタッチメント　864
8, 632, 837, 865, 867
バー義歯　865
バークラスプ　866
303, 429, 451, 1175
パーシャルカバリッジクラウン　付録 232
バージョイントタイプ　*864*
Hader バーアタッチメント　867　*864*
バーティカルピン　*861*
ハードブローイング　868
1000
ハーフアンドハーフクラスプ　869
ハーフクラウン　870
ハーフバンド　*456*
バーユニットタイプ　*864*
バー用線　*299*
肺活量検査　*920*
排出路　*840*
バイトアプライアンス　付録 27
バイトゲージ　871
バイトトレー　872　*355*
バイトフォーク
275, 962, 1075
バイトプレート　付録 27
ハイドロコロイド印象　付録 59
ハイブリッド型コンポジットレジンクラウン　873　1157　付録 275
廃用症候群　874　付録 204
廃用（性）萎縮　*874*
ハウジング　875
Pound 三角　876　付録 205
Pound ライン　*876*
歯ぎしり　付録 233
破砕　*730*
Passavant 隆起　877
鋏状咬合　878
106　付録 206
把持　879
3, 8, 77, 303, 346, 409, 429, 547, 548, 864
把持力　*327*
把持腕　880　263　付録 67
8 インチ球面学説　付録 264
7/8 冠　*977*
発育異常　*172*
発音　*1, 83, 181, 207, 272, 433, 486, 559, 652, 882, 898, 921, 972, 978, 1072*
発音間隙　881　882　付録 207
発音機能　*598, 907, 936, 1171*
発音空隙　882　付録 207
発音検査法　*433*
発音試験　883
発音利用法　884
バッカルシェルフ　付録 73
白金　*1046*
バックアクションクラスプ　885　*856*
発語　*237, 240*
抜歯　*37, 106, 700, 1068*
パッシブフィット　886
発声　887　*877*
バットジョイント　888
961
馬蹄形　*1091*
馬蹄形バー　889　付録 208
パトリックス　890
8, 112, 241, 761, 1079
付録 209
Hanau の咬合 5 辺形　891　892　付録 210
Hanau の咬合 5 要素　892
付録 210
ハミュラーノッチ　893
943　付録 211
パラタルストラップ　894
619, 745
パラタルバー　895
745, 863, 894　付録 212
パラタルプレート　896
745
パラタルランプ　897　118
118　付録 28
パラトグラム　898
325, 883
パラファンクション　899
付録 213
パラフィンワックス　*722*
パラレルテレスコープクラウン　*802*
パラレルピン　*900*
パラレルピンテクニック

900　*954*
パラレロメーター　*496*
バランシングランプ［義歯の］　901　*1092, 1102*
はりがね鉤　付録 160
Balkwill 角　902　*1016*
バルブ　*877, 903*
バルブ型鼻咽腔補綴装置　903
板金加工　*964*
板金加工法　*293*
半径 4 インチの球面　*717, 1105*
半固定性ブリッジ　904　905　*986*　付録 214
半固定性補綴装置　905　*241, 442*　付録 214
半固定性連結　906　付録 215
半自浄型ポンティック　907
反射運動　*645*
反射性嚥下障害　*92*
反射的　*568, 570*
半焼結型ブロック　*592*
絆創膏　*226*
半側麻痺　908　1044　付録 246
反対咬合　909　*398*
反対咬合用人工臼歯　付録 100
反対咬合用人工歯　付録 100
半調節性咬合器　910　*364, 624, 757, 776*
パントグラフ　911　*673, 912*
パントグラフ法　912　*330*
反復唾液嚥下テスト　913

ひ

微圧印象　付録 261
被圧縮性　914
被圧縮度　*255*
被圧縮量　付録 216
被圧変位　915
被圧変位量　916　*186, 265, 917, 1005, 1142*　付録 216
非アンダーカット　*429*
非アンダーカット域　*30, 499*
Peeso クラウン　*10*
ビーディング　917
ヒーリングアバットメント　918
鼻咽腔内視鏡　*95*
鼻咽腔閉鎖　*846*
鼻咽腔閉鎖型　*621*
鼻咽腔閉鎖機能　919　*621, 903, 920, 940*
鼻咽腔閉鎖機能検査　920
鼻咽腔閉鎖機能検査法　*1000*
鼻咽腔閉鎖不全　*877*
ピエゾグラフィー　921
ピエゾグラフィックスペース　*921*
被蓋　922　*105, 107*
非解剖学的咬合器　923　付録 217
非解剖学的人工臼歯　付録 218
非解剖学的人工歯　924　*901, 994, 1092*　付録218
非解剖的人工臼歯　付録 218
非解剖的人工歯　付録 218
鼻下点　925　*606, 684, 926, 938*
鼻下点・オトガイ間距離　926　*238*
光重合　*1158*
光照射　*453*
非顆路型咬合器　927　923　*364*　付録 217
非緩圧型　*454, 500, 864*
非緩圧型アタッチメント　928　*506, 930*
非緩圧型維持装置　929　930　付録 219
非緩圧型支台装置　930　付録 219
引き抜き試験用箔　*369*
非機能運動　931　899　付録 213
非機能咬頭　932　付録 220
非機能側　付録 221
鼻棘点　*234*
鼻腔　*180*
非結晶質　*273*
肥厚　*983*
非作業側　933　*308, 385, 469, 537, 671, 707, 708, 910, 934, 935, 941, 990, 1020, 1023, 1041, 1136, 1137*　付録 221
非作業側顆路　*960*
非作業側咬頭接触　934
非作業側側方顆路　935　付録 222
非自浄型ポンティック　936　*197*

微小機械的結合　*655*
微笑線　937
微小動揺　*699*
鼻唇角　938
鼻唇溝　939
非生体材料　*58*
微生物　*260*
非接触型　*1084*
鼻尖　*81, 709*
鼻息鏡　940
鼻息鏡検査　*940*
非咀嚼側　941
左片麻痺　*1044*
非弾性印象材　*1005*
鼻聴道線　*234, 984*
鼻聴道平面　付録 60
ピックアップ印象　942　*15*　付録 223
ピックアップ印象［インプラントの］　942
ピックアップ印象［クラウンブリッジの］　942
ピックアップ印象［有床義歯の］　942
HIP プレーン　943
ビデオ嚥下造影　944　93　付録 21
ビデオレントゲン検査　945　93　付録 21
鼻背　*709*
被曝　*95*
皮膚移植　*239*
皮膚感覚　*223*
被覆冠　946　*301, 553, 564*
鼻幅線　*949, 950*
被膜厚さ　*797*
描記針　947　*330, 422, 675, 762, 911, 948*　付録 224
描記装置　*435*
描記釘　付録 224
描記板　948　*330, 422, 675, 697, 911, 947*
描記法　*147*
標示線　949　付録 225
標準線　付録 225
表情筋　*1100*
表面精度　*638*
表面着色剤　*273*
病理学　*845*
鼻翼　*939, 950*
鼻翼下縁　*234, 606, 684, 984*
鼻翼幅　950
び爛　*250*
疲労　*801, 1063*
鼻漏出気流計検査　*920*
ピン　*746, 761, 772, 861, 900, 955*
ヒンジアキシス　付録 184
ヒンジアキシスロケーター　951
ヒンジ型アタッチメント　952　付録 226
ヒンジボウ　953
ヒンジムーブメント　付録 182
ピンテクニック　954
ピン陶歯　955　付録 227
ピンホール　*900, 954, 956, 1027, 1053*
ピンレー　*755*
ピンレッジ 956　*977, 1018*

ふ

ファーゾーン　957　*885, 1130*
ファイバースコープ検査　*920*
ファイバーポスト　958
ファイバーリボン　*484*
ファイルフォーマット　*80*
ファインセラミックス　*113, 114*
フィクスチャー　959　63　付録 13
Fischer 角　960
フィニッシィングライン　付録 228
フィニッシュライン　961　*277, 637, 965, 1121*　付録 228
フィメール　付録 258
フェイスボウ　962　*35, 203, 365, 366, 951, 953, 963*　付録 229
フェイスボウトランスファー　963　*35, 221, 275, 1017*
フェザーエッジ型　964　*520, 844*
フェルール　965
フォッサ・ボックス　*875*
不可逆性ハイドロコロイド印象材　*22*
付加重合型　*590*
複印象　966
複合欠損　967
副歯型　*519, 968*
副歯型式模型　968

複製 *192*
複製義歯 969
複製模型 970
複腕鉤 付録 243
不潔域 *500, 1119*
不随意運動 *109*
不正咬合 *398, 726, 787*
不整紡錘型 *721*
付線 付録 228
負担域 付録 92
負担軽減 *1150*
負担能力 *1063*
負担様式 *679*
フック 971 *1056*
浮動性歯肉 付録 236
不動粘膜 972 *561*
船底型 *907*
船底型ポンティック 973
部分義歯 974
部分欠損 *967*
部分床義歯 975
43, 198, 229, 262, 303, 452, 477, 480, 549, 619, 620, 763, 783, 802, 862, 863, 865, 942, 971, 974, 976, 1026, 1040, 1056, 1112, 1124, 1125, 1135, 1153, 1161, 1167
付録 230
部分床義歯学 付録 231
部分床義歯補綴学 976
付録 231
部分焼結型ブロック *592*
部分被覆冠 977
301, 445, 946, 956, 1001, 1119, 1151 付録 232
プラーク *809*
フライス盤 *1088*
ブラキシズム 978
272, 300, 312, 383, 426, 748, 823, 843, 1140
付録 233
フラスク *19, 20, 851, 985*
フラスク埋没法
19, 20, 985
プラスチックサドル *867*
プラスチックパターン *496*
ブラックトライアングル
979
ブラッシュ法 *818*
ブラッシング *1081*
プラットフォーム［インプラントの］ 980
付録 234
プラットフォームシフティング 981 付録 235
プラットフォームスイッチング 982 981
付録 235
フラビーガム 983
452, 1005 付録 236
フラビー組織 付録 236
フラビーティッシュ
付録 236
フランクフルト線 *984*
フランクフルト平面 984
606, 1017 付録 237
フランス式埋没法 985
フリーウェイスペース
付録 5
ブリッジ 986
7, 56, 98, 114, 123, 197, 302, 411, 441, 442, 445, 477, 516, 518, 549, 597, 657, 755, 772, 801, 819, 900, 905, 906, 942, 956, 968, 977, 1001, 1003, 1004, 1007, 1012, 1018, 1026, 1027, 1042, 1047, 1063, 1072, 1108, 1123, 1182
付録 238
不良補綴装置 *602, 726*
Bruno 法 *238*
フルカバリッジクラウン
付録 165
フルカントゥアジルコニアクラウン 987 1103
付録 263
フルクラウン 付録 165
フルジルコニアクラウン
988 1103 付録 263
フルデンチャー 付録 163
BULL の法則 989
フルバランストオクルージョン 990
378, 425, 686, 1020
フルメタルクラウン
991 678 付録 162
フレアーアウト 992
ブレード *994*
プレート *619*
ブレードインプラント 993
ブレード人工歯 994 *924*
ブレード部 *993*
ブレードメタル臼歯 *994*
フレーム
113, 114, 339, 440
フレーム構造 *582*
フレームワーク 995
39, 657, 792, 942, 961, 1097, 1098, 1109

付録 239
フレキシブルデンチャー *862*
プレスケール *394*
プレス成形 *113, 114*
プレッシャー・インディケイティング・ペースト 996 *797* 付録 240
フレミタス 997
フレンジ 998 583 *999* 付録 146
フレンジテクニック 999 *243*
ブローイングテスト 1000 *920*
プロキシマルハーフクラウン 1001 *977*
プロキシマルプレート 付録 274
ブロックアウト 1002 *4*
プロビジョナルクラウン 1003 *193, 486, 519, 1155* 付録 241
プロビジョナルブリッジ *123, 486, 1003*
プロビジョナルレストレーション 1004 *1003*
分割印象 1005 *1011*
分割可撤式模型 1006 1012 付録 242
分割義歯 1007 *1005*
分割コア 1008
分割式模型 1009 1012 付録 242
分割歯型 *1012*
分割歯型式模型 1010 1012 付録 242
分割トレー 1011 *1005*
分割復位式模型 1012 *746* 付録 242
分割模型 付録 242
分割腕鉤 1013
分光測色計 *704*
粉砕 *266, 720, 730*
粉砕能力 *562*
分散型 *469*
分散強化型ガラスセラミックス 1014
分子間引力 *655*

へ

ヘアピンクラスプ 1015 *227* 付録 243
平均値咬合器 1016 *364, 388, 651*
平均的顆頭点 1017 *206, 424, 606*
平行運動 *706, 1018*
平行形成器 1018 *900*
平衡咬合 1019 *347, 1023*
平衡咬合小面 1020
閉口障害 1021
平衡状態 *1041*
平行性 *906, 1027*
平行切削器 1022 *496, 1089*
平衡接触 1023
閉口相 *721, 725*
平衡側 1024 933 付録 221
平衡側側方顆路 1025 935 付録 222
平行測定 1026
平行測定器 1027 *1026*
平行測定装置 *477*
平行模型 1028
閉口路 *568*
平斜面形態 *456*
閉磁路 *242*
平線咬合器 1029 779 付録 183
閉塞型睡眠時無呼吸症候群 *158*
柄部 *54*
平面形態 *456*
併用トレー *436*
ペースト *22, 797*
Vest 型 *1119*
ヘッド部 *993*
Bennett 運動 1030 *471*
Bennett 角 1031 708 付録 170
ヘビーシャンファー型 *565, 1032*
ベベル *1032, 1033*
ベベル型 1032 *520*
ベベルドシャンファー型 *1032*
ベベルドショルダー型 1033 *520, 1032*
偏位防止板 *361, 376*
辺縁形成 1034 288 付録 74
辺縁形態 *589, 964, 1121*
辺縁骨レベル 1035 *980*
辺縁部 *54, 964, 1033, 1051*
辺縁封鎖 1036 *246, 328, 342, 447, 1062*
辺縁隆線 *266, 532, 695, 736, 885*

片顎義歯 付録 148
変形性関節症 *172, 173*
変質性 *1157*
変色 *1156*
変色性 *1157*
偏心位［下顎の］ 1037 *141, 369, 385, 392, 473, 696, 777, 1019*
偏心運動 *282, 347, 567*
偏心咬合位 1038 *668*
偏側型 *907*
偏側型ポンティック 1039
片側性均衡 付録 244
片側性均衡咬合 付録 245
片側性咬合均衡 付録 244
片側性咬合平衡 1040 *545* 付録 244
片側性中間義歯 *763*
片側性中間欠損〔Ⅲ級〕 *316*
片側性平衡 付録 244
片側性平衡咬合 1041 *1019* 付録 245
片側性遊離端義歯 *1115*
片側性遊離端欠損〔Ⅱ級〕 *316*
片側離脱［ブリッジの］ 1042
偏咀嚼 1043
片麻痺 1044 付録 246

ほ

方型 *70*
放射線照射治療 *340, 618*
萌出 *1001, 1149*
包埋 *1074*
豊隆 *233, 939*
膨隆 *578*
ホースシューバー 1045 889 付録 208
ポーセレン *273, 1047, 1048*
ポーセレンジャケットクラウン 1046 *793* 付録 247
ポーセレンブリッジ 1047 付録 248
ポーセレンラミネートベニア *1122*
ポーセレンレイヤリングジルコニアクラウン 1048
ボーンアンカードブリッジ 1049 付録 249
補強鞘 *477*
補強線 1050
ボクシング 1051
保持 1052 38 *374, 375, 516, 547, 548* 付録 7
保持機構 *411*
保持形態 1053
保磁子 *242*
補助アタッチメント 1054
補助維持装置 1055 1056 付録 250
補助形態 *1053*
補助鉤腕 *1147*
補助支台装置 1056 *620, 971* 付録 250
補助装置 *618*
保持力 *42, 795, 1053*
ポステリアガイダンス 1057 *33* 付録 251
ポスト 1058 *794, 958, 1061, 1097* 付録 252
ポストクラウン 1059 *301, 456, 794* 付録 253
ポストコア 1060
ポスト孔 1061 *1027, 1058* 付録 254
ポストダム 1062 *328, 414*
補足疲労 1063 *801*
ボックス型 *214, 364*
ボックス型顆路 *875*
発赤 *250*
Posselt の図形 1064 *151*
補綴 1065 *32*
補綴学 1066
補綴学的平面 付録 60
補綴修復物 付録 255
補綴主導型インプラント治療 1067 829 付録 196
補綴処置 *486, 536, 717*
補綴前処置 1068 *123, 1124*
補綴装置 1069 *38, 42, 65, 85, 97, 106, 116, 178, 198, 240, 244, 279, 297, 339, 364, 365, 366, 372, 373, 442, 460, 472, 486, 512, 516, 519, 526, 528, 530, 534, 543, 547, 548, 551, 552, 582, 595, 614, 621, 626, 638, 641, 652, 659, 797, 812, 828, 839, 840, 843, 859, 861, 905, 911, 920, 942, 946, 954, 966, 986, 996, 1007, 1049, 1068, 1088, 1118, 1123, 1166, 1173, 1182*

付録 255
補綴物 付録 255
ポリアミド系 *862*
ポリエステル系 *862*
ポリカーボネート *1158*
ポリカーボネート系 *862*
ポリサルファイドゴム印象 1070
ポリサルファイドゴム印象材 *1070*
ポリスルホン *1158*
ホリゾンタルスクリュー *765*
ホリゾンタルピン *861*
ポリプロピレン系 *862*
ポリマー *87*
本印象 付録 154
Bonwill 三角 1071
203, 902, 1075 付録 256
本設計 *479*
ポンティック 1072
28, 98, 123, 230, 441, 443, 907, 973, 986, 1039, 1047, 1063, 1108, 1111, 1126, 1128 付録 257
ポンティック形態 *936*
ポンティック部 *241*

ま

マージン 1073
210, 519, 597, 637, 1026, 1119
マイカ *1014*
埋没 1074
埋没材 *192, 274, 491, 851*
埋没法 *851*
マウンティング 付録 95
マウンティングジグ 1075
マウンティングプレート 1076
マウント 付録 95
前ろう（鑞）付け法 1077
曲げ強度 *1145*
摩擦音 *171, 311*
摩擦抵抗要素 *761*
摩擦力 *127, 431, 802*
McCollum T アタッチメント *506*
McGee 法 *238*
末梢神経 *92*
末梢入力 *109*
窓開け 1078
マトリックス 1079
8, 112, 125, 241, 632, 761, 875, 890 付録 258
マトリックス箔 *793*
マトリックス法 *1046*
麻痺性嚥下障害 1080
麻痺性構音障害 *326*
摩耗［歯の］ 1081
426, 821
摩耗性 *1157*
Munsell 色票系 1082 <u>1083</u>
付録 259
Munsell 表色系 1083
付録 259
マンディブラーキネジオグラフ（MKG） 1084

み

右片麻痺 *1044*
眉間・鼻下点 *238*
水飲みテスト 1085 *133*
ミニダルボ *500*
未病 1086
ミューチュアリープロテクテッドオクルージョン 1087 付録 260
Müller 法 *399*
ミリング 1088
496, 592, 1022
ミリングバー 1089
ミリングマシン *1088*

む

無圧印象 1090
50, 138 付録 261
無圧印象法 *72*
無汗型外胚葉異形成症 *1173*
無機質フィラー *453*
無口蓋義歯 1091
無咬頭歯 付録 218
無咬頭人工歯 1092
924, 1102
無歯顎 1093
91, 96, 452, 590, 593, 709, 853, 939, 950, 1070, 1110, 1112, 1164, 1181
無歯症 *1173*
無歯症様顔貌 *1173*
むせ *133*
MUDL の法則 1094

め

迷走神経 *92*
明度 1095 *1083*
メール 付録 209
メジャリングディバイス 1096
メタルインサーテッド

ティース *994*
メタルコア *553*
メタルコーピング 1097 *819, 995*
メタルバッキング 1098
メタルフレーム 付録 239
メチルメタクリレート *87, 1156*
メッシュ型 *39*
メリーランドブリッジ 付録 159
免疫検査 *747*
免荷期間 *741*

も

網様体 *92*
モールドガイド 1099
模型 *517*
模型改造法 付録 31
模型固定台 *1022*
模型修正法 付録 31
模型台 *477*
モダイオラス 1100 付録 262
モデリングコンパウンド *288, 1005, 1101*
モデリングコンパウンド印象 1101
モデルスキャナー *333, 334, 612, 613*
モノプレーンオクルージョン 1102
モノマー *87*
モノリシックジルコニアクラウン 1103 付録 263
Morrison クラウン 1104 10 付録 2
Monson カーブ 1105 *396*
Monson 球面説 1106 *389, 717* 付録 264

ゆ

有孔陶歯 1107
有根型ポンティック 1108
UCLA（型）アバットメント 1109 *190*
有歯顎 1110 *590, 709, 717, 1070, 1176, 1177*
有歯顎者 *308*
U 字形 *837, 889, 1091*
有床型 *936*
有床型ポンティック 1111 *28, 197*
有床義歯 1112 *72, 126, 161, 184, 196, 288, 351, 679, 791, 800, 810, 860, 955, 966, 974, 1098, 1107, 1159*
有髄歯 *956, 977, 1155*
有釘陶歯 1113 955 付録 227
誘導面 1114 136 付録 34
雄部 付録 209
遊離端義歯 1115 *3, 763, 1165*
遊離端欠損 1116 *752, 967, 1115*
遊離端ブリッジ 1117 98 付録 22
湯だまり *1123*

よ

溶接法 *443*
ヨーク *535*
翼突鈎 *893*
翼突上顎切痕 付録 211
予後 1118
予備印象 付録 32
予備サベイング *479*
4 インチ球面学説 付録 264
Ⅳ型アレルギー *292*
3/4 冠 1119 *977, 1151* 付録 265
3/4 クラウン 1120 1119 付録 265

ら

ライトボディタイプ *850*
ラウンデッドショルダー型 1121 *520*
ラミネートベニア 1122
卵円型 *70*
ランナーバー 1123

り

リカントゥアリング 1124
力学的安定性 *399, 549*
リジッドコネクター *1125*
リジッドサポート 1125 *431*
裏装 付録 269
リッジラップ型 *907*
リッジラップ型ポンティック 1126
立体モデル *631*
リップサポート 1127 *81, 938, 1173*
離底型ポンティック 1128 *230*
リテイナー 付録 136

リテンション　付録 7
リテンションアーム 付録 8
リテンションビーズ　1129
リバースバックアクションクラスプ　1130　*856*
リバースループクラスプ　付録 243
リベーシング　付録 266
リベース　1131　付録 266
リポジショニングアプライアンス　1132　*115*　付録 267
リポジショニングスプリント 1133　1132　付録 267
リマウンティング　付録 94
リマウンティングジグ 1134
リマウント　付録 94
リムーバルノブ　1135
リモデリング　*119*
リューサイト　*1014*
流涎　*239*
隆線　*415*
両斜面形態　*456*
両側性均衡咬合　付録 268
両側性咬合平衡　1136
両側性全面平衡咬合　*990*
両側性中間義歯　*763*
両側性平衡咬合　1137　*892, 1019, 1102*　付録 268
両側性遊離端義歯　*1115*
両側性遊離端欠損　*889*
両側性遊離端欠損〔I 級〕　*316*
両側にまたがる前歯中間欠損〔IV級〕　*316*
両翼鉤　1138　854
付録 201
両隣接面　*1119*
リライニング　付録 269
リライニングジグ　*1139*
リライン　1139　付録 269
リラクセーションアプライアンス　1140　*115*　付録 270
リラクセーションスプリント 1141　1140　付録 270
リリーフ　1142　*184, 226, 255, 578*　付録 271
履歴情報　*838*
リンガライズドオクルージョン　1143　*1041*　付録 272
リンガルエプロン　1144　*745*
リンガルバー　1145　*317, 745, 863*
リンガルプレート　1146　*745, 1144*
リングクラスプ　1147　*227, 856*
リングライナー 1148　274　付録 70
リン酸亜鉛セメント　*224, 411*
リン酸塩系　*192*
臨床歯科医学　*498*
臨床システム　*911*
臨床的歯冠　1149
臨床的歯冠長　*1149*
臨床的歯根　1150
隣接歯　*509, 968*
隣接接触部　*508*
隣接面　*9, 90, 241, 445, 519, 885, 1151, 1152*
隣接面溝　1151　*1119*
隣接面鉤　1152　付録 273
隣接面接触点　*434*
隣接面板　1153　*3, 136*　付録 274

る

類型　*6*
涙骨　*622*
流ろう　1154　*985*

れ

冷罨法　*36*
レイヤリングセラミックス　*113, 114*
レーザー光　*612*
レギュラーボディタイプ　*850*
レジストレーションアーム　*951*
レシプロカルアーム　付録 67
レシプロケイション　付録 66
レジン　*453, 484, 564, 666, 762, 946, 961, 1129, 1158*
レジンキャップ　1155
レジンコーピング　*543*
レジン歯　1156　*294, 403, 594*
レジンジャケットクラウン　1157　付録 275
レジン床　1158　*248*
レジン床義歯　1159　*1050*
レジン前装冠　1160　*1098*

レジン前装ポストクラウン 1059
レジンタグ 655
レジン塡入 19, 20, 792, 840, 985
レジントレー 436
レジンラミネートベニア 1122
レスト 1161 90, 549, 584, 620, 860, 869, 1013, 1162, 1165, 1170
レスト座 付録 276
レストシート 1162 1068, 1161 付録 276
レスト付き二腕鉤 1163 77, 695, 856, 1013 付録 277
レッジ 956
レトロモラーパッド 1164 252, 335, 876 付録 278
連結 60, 75, 208, 338, 441, 443, 457, 484, 552, 582, 584, 614, 626, 745, 765, 779, 928, 930, 942, 986, 1123, 1125, 1166
連結機構 905, 1054
連結強度 1165 506
連結固定［歯の］ 1166 44, 627, 849, 864
連結子 1167 19, 20, 220, 745, 866, 985, 995, 1175 付録 279
連結スクリュー 7
連結装置 1168 1167 900 付録 279
連結部 906
連結方法 659
連結様式 56, 199
連合印象 1169 850
連合印象法 72
連続鉤 1170 227, 317 付録 280
練和 850

ろ

ろう義歯 1171 19, 20, 350, 397, 559, 851, 985 付録 281
ろう義歯試適 811
ろう型形成 付録 282
ろう型採得 1172 1179 付録 282
ろう形成 付録 282
ろう原型採得 付録 282
弄指 899
老人様顔貌 1173 122, 1127
弄舌 899
ろう（鑞）付け 10, 13, 125, 563, 1074, 1077
ろう（鑞）付け法 443
ろう堤 1174 382 付録 97
ろう盛り上げ法 1179
Roach-Akers コンビネーションクラスプ 451
Roach クラスプ 1175 557
Roach クラスプ T 型 866
6 自由度運動 697
ロストワックス 1109
ロストワックス法 770
ロック 1053
ロマグノリプレソマティック 1054
ロングセントリックオクルージョン 1176
ロングピン陶歯 955

わ

ワイドセントリックオクルージョン 1177
ワイヤーキャストコンビネーションクラスプ 451
ワイヤークラスプ 1178 662 付録 160
ワイヤー固定法 1166
ワックス 369, 382, 559, 757, 1002, 1051, 1078, 1154, 1179, 1180, 1181
ワックスアップ 1179 85, 125, 190, 192, 518, 519, 696, 968, 1180 付録 282
ワックスアップ用ヘラ 477
ワックス形成器 1179
ワックスコーンテクニック 1180
ワックス操作法 1179
ワックスの保持 243
ワックスパターン 192, 851, 1078, 1088, 1123, 1129, 1179
Walkhoff 小球 1181
彎曲板 389, 717
ワンピースキャスト法 1182 443 付録 283

外国語索引

#1-#2 combination clasp *856*
#1 clasp *856*
#2 clasp *856*
3D printer 631

a

abfraction 17
ability of mastication 730
abnormality of basal seat mucosa 250
abutment 14, 547
abutment analogue (analog) 15
abutment positioning jig *834*
abutment screw 16
abutment teeth 548
abutment tooth form 551
access hole 7
acrylic resin teeth 1156
Adams clasp 9
add-on technique *1179*
adhesion 655
adjustable anterior guidance 651
adjustable articulator 776
adjustable posterior guidance 215
ADL *542*
agar alginate combined impression 231
agar impression 232
age *84*
aged society 428
aging society 427
air abrasion 491
airborne-particle abrasion 491
Akers clasp 77
ala-tragus line *234*
alginate impression 22
all ceramic crown 113
all ceramic fixed partial denture 114
altered cast technique 124
aluminous porcelain 26
aluminous porcelain jacket crown 25
alveolar arch *185*
alveolar ridge line 546
American flasking technique 19
American-French flasking technique 20
amount of tissue displacement 916
analyzing rod *477*
anatomic artificial teeth 141
anatomic crown 140
anatomic impression 138
anatomic teeth 141
anatomical articulator 139
angle between buccal and lingual internal cusp slope 421
angle of lateral condylar path 708
angle of lateral incisal path 715
anodontia appearance *1173*
antagonist 738
anterior cross-bar *951*
anterior guidance 33
anterior guide pin 642
anterior guide table 643
anterior mandibular positioner 158
anterior reference point 684
anterior reference pointer 35
anteroposterior curve 665
Ante's Law 32
anti-Monson curve *1105*
apex [of gothic arch tracing] 18
appliance for defected jaw 189
arbitrary hinge position 1017
arcon articulator 21
arrangemant of cross-bite tooth 399
arrangement of reverse articulation tooth 399
articulating paper 373
articulation 324, 347, 348
articulation test 325
articulator 364
artificial crown 681
artificial gum 596
artificial teeth 594
artificial tooth root 595
ASL *542*
attached mucous

membrane 972
attachment 8
attrition 426
auscultation 775
auxiliary attachment 1054
auxiliary retainer 1056
average value articulator 1016
axial reduction for tooth preparation 516
axial surface 514
axis orbital plane 513

b

back action clasp 885 *856*
balanced articulation (occlusion) 1019
balancing contact 934
balancing occlusal contact 934, 1023
balancing occlusal facet 1020
balancing ramp[of denture] 901
balancing side 933
Balkwill angle 902
bar 863
bar attachment 864
bar clasp 866
bar denture 865
bar joint type *864*
bar unit type *864*
basal seat mucosa 249
beading 917
Bennett movement 1030 *471*
bevel 1032
beveled chamfer type *1032*
beveled shoulder type 1033
bilateral balanced articulation (occlusion) 1137
bilateral bounded saddle denture *763*
bilateral extension base denture *1115*
bilateral occlusal balance 1136
biologic width 637
bite fork *962*
bite gauge 871
bite impression 355
bite pressure impression 350
bite raising 367
bite-seating impression 397
bite tray 872
bite wound 405
biting pressure 349
black triangle 979
blade implant 993
block-out 1002
blowing test 1000
bonding [of restoration] 655
bone anchored bridge 1049
bone anchored fixed partial denture 1049
Bonwill triangle 1071
border molding 288
border seal 1036
bounded saddle denture 763
boxing an impression 1051
bracing 879
bridge 986
bruxism 978
buccal bar *132*
buccal flange obturator 803
Buccal of the Upper *989*
buccal shelf 283
BULL rule 989
butt joint 888 *589*

c

CAD *277, 279*
CAD/CAM *80, 113, 114, 190, 293, 592, 678, 819*
CAD/CAM abutment 277
CAD/CAM crown 279
CAM *277, 279*
cameo surfece 251
Camper's plane 234
Candida albicans *258, 809*
canine protected articulation 321
cantilever fixed dental prosthesis 98
cap *535*
cap clasp 276
carbon marker *477*
carbon sheath *477*
cast bar 771
cast clasp 769
cast plate 770 *295*
cast support 275
castable ceramics 273
casting liner 274
cement retainning system 659
cementation 411

central bearing plate 676
central bearing point 673
central bearing screw 673
central bearing tracing 674
central bearing tracing device 675
centric occlusion 768
centric relation 767
centric stop 677
ceramic crown 113
cervical margin form 520
chamfer 565
channel *761*
channel shoulder pin 761
check bite 756
check bite method 757
check bite technique 757
cheek bite *405*
chewing cycle 724
chew-in technique 762
Christensen's phenomenon 306
chroma 468
CIE *89*
CIELAB 89
cingulum rest *1161*
circumferential clasp 227
C. I. S. 5
clasp 303
clasp arm 429
clasp body 409
clasp shoulder 346
clasp tang 338
clasp tip 408
Class II or Class I of the Kennedy's classification of partially edentulous arches 1116
classification system [for prosthodontic treatment] 580
clearance 305
clenching 312
clicking 307
clinical crown 1149
clinical root 1150
closest speaking space *83, 882*
closure of the interdental space 5
cognitive behavioral therapy 855
collarless metal ceramic restoration 210
combination clasp 451
combination impression 1169
Combination of Class III and Class II or I of the Kennedy's classification of partially edentulous arches 967
combination syndrome 452
Commission Internationale de l'Eclairage *89*
Commission Internationale de l'Eclairage *1976* (L*, a*, b*) color space 89
communication disorders *326*
compensation curve 777
complementary kinematic condylar point *74*
complementary mandibular movement 697
complementary mandibular position 696
complete crown 681
complete denture 679
complete denture prosthodontics 680
complete metal crown 678
composite resin 453
composite resin teeth 403
compress 36
computer-aided design *277, 279*
computer-aided manufacturing *277, 279*
condylar articulator 448
condylar axis 204
condylar ball 205
condylar guidance 214, 1057
condylar path 212
condylar path articulator 213
condylar point 206
condylar position 160
cone angle 430
cone crown telescope 431 *430, 444*
connecting rigidity 1165
connector 1167
contact area 649
contact gauge 449
contact point 649
continuous clasp 1170
continuous positive airway pressure 314
contour [of tooth] 233

coping 457, 841
coping impression 432 *942*
coping pick-up impression 432
coping preparation 455
core 322
cosmetic disturbance 602
coverage crown 946
crepitation 311
crepitus 310
cross-bite 398
cross-bite teeth 400
crown 301, 507
crown and bridge prosthodontics 302
crown-root ratio 503
C. S. P. 761
curve of Monson 1105
curve of Spee 622
curve of Wilson 71
cusp angle 418
cuspal interference 417
cusp-fossa articulation scheme 420
cusp-marginal ridge articulation scheme 419
cuspid line 336
cuspid protected articulation (occulusion) 321
cuspless teeth 1092
custom attachment 496
custom made abutment 190
cut-back 1078
cutting knife *477*

d

Davis crown 794
deep bite 142
deep chamfer type *565*
definitive cast 472
definitive cast with artificial gum 597
definitive cast with divided die 1012
definitive cast with individual die 968
definitive denture 459
definitive prosthesis 460
deflective occlusal contact 363, 417, 692
degassing 789
degree of food pulverization 588
delayed disocclusion *282*
delayed loading 741
Denar SE articulator *671*
dental abrasion 1081
dental antagonist 738
dental implant 339 *58*
dental prosthesis 1069
dentulous jaw 1110
denture 245
denture basal surface 254
denture base 248
denture base outline 577
denture bearing area 255
denture border 576
denture cleanser 260
denture flange 583
denture for defected jaw 178
denture foundation 255
denture marking 810
denture plaque 809
denture propulsion 603
denture space 808
denture stabilizer 246
denture stomatitis 258
denture ulcer 256
determination of masticatory efficiency 729
diagnostic cast 319
diagnostic denture 599
diagnostic waxing 601
diastema 508
diatoric teeth 1107
DICOM 739
die 517
die investing method 192
diet modification 586
difficulty in closing mouth 1021
digital denture 800
digital imaging and communications in medicine 739
digital impression 333
digital scan 333, 334
digitally fabricated denture 800
dipping wax technique *1179*
direct retainer 783
disc derangement 101
disc displacement 101
disc recapturing 100
disc reduction 102
disc repositioning 100
disclusion 282
disocclusion 282
disorders of articulation 326

dispersion-stregthened glass ceramics 1014
distal extension removable partial denture 1115
Distal of the Lower *1094*
Distal of the Upper *827*
distal rest *1161*
distance between subnasal and gnathion 926
distributed type *469*
disuse syndrome 874
divided arm clasp 1013
divided die *1012*
Dolder U-Bar 837
double Akers clasp 695
double investing method 851
double mix impression 850
dowel 1058
dowel crown 1059
dowel pin 746
drop-on technique *1179*
dry mouth 340
Duchange's index 801
DUML rule 827
duplicate cast 970
duplicate denture 969
duplicate impression 966
dynamic bavigation 744
dynamic impression 743
dysarthria 326
dysesthesia 223
dysmasesis 726
dysphagia 92, 646
dysphagia rehabilitation 647
dysphagia training 648

e

early loading 689
early type *469*
eating and swallowing 645
eating problem 646
eccentric occlusal position 1038
eccentric position [of mandible] 1037
edentulous jaw 1093
edge-to-edge occlusal position 654
edge-to-edge occlusion 653
Eichner classification 6
Elbrecht clasp 90
electromyographic examination 297
elements of mandibular movement 150
embrasure 434
embrasure clasp *695*
emergence profile 86
Epithese *237*
epulis fissuratum 259
erosion 490
esthetic dissatisfaction 602
esthetic line 82
esthetic plane 81
examination of interdental separation 510
examination of jaw movement 165
examination of mandibular movement 165
examination of velopharyngeal function 920
excessive vertical overlap 142
extended arm clasp 99
extension base removable partial denture 1115
external bar 132
external finish line *961*
external oblique ridge 130
extracoronal attachment 500
extraoral prosthesis *177*
extraoral tracing method 330

f

facebow 962
facebow transfer 963
facial defect 239
facial implant 236
facial impression 235
facial measurement method 238
facial prosthesis 237
facial prosthetics 240
facing crown 666
far zone 957
fatigue *801*
fatigue supplement *801* 1063
feather-edge type 964
ferrule 965
festoon 559
FGP technique 85
fiber-reinforced composite resin post 958
final impression 458

finger pressure impression 566
finish line 961
Fischer's angle 960
fitness test 797
fixed connection 443
fixed dental prosthesis 442
fixed partial denture 441, 986 *974*
fixed partial denture with rigid and nonrigid connectors 905
fixed prosthesis with rigid and nonrigid connectors 905
flabby gum 983
flabby tissue 983
flange technique 999
flare out 992
floor of the mouth 413
fomentation 36
food impaction 587
form of root surface 456
forward propulsion *603*
foundation restoration 553
framework 995
Frankfort horizontal plane 984
free joint articulator 567
fremitus 997
French flasking technique 985
frontal plane 672
fulcrum line 549
full coverage crown 681
full denture 679
full veneer crown 681
fully adjustable articulator 671
fully balanced occlusion (articulation) 990
fully bilateral balanced occlusion 990
functional artificial teeth 269
functional cusp 266
functional dysphagia 267
functional impression 265
functional malocclusion 271
functionally generated path technique 85
fundamental mandibular movement 272

g

gingival clasp 560
gingival cone 556
gingival displacement 555
gingival retraction 555
glass-infiltrated ceramics 211
glazing 309
Gnathodynamometer *395*
gnathology 845
gothic arch tracing method 435
graphic record 304
grinding 300
group function 308
guidance ramp 376
guide flange 361
guide plate 135
guiding groove 134
guiding plane 136

h

habitual masticatory side 570
habitual occlusal position 569
habitual opening and closing movement 568
Hader bar attachment 867
hairpin clasp 1015
half and half clasp 869
half crown 870
hamular notch 893
hamular notch incisive papilla plane 943
Hanau H2 *910*
Hanau Twin-Stage Occluder *786*
Hanau's Quint 892
head tilting method for taking maxillomandibular registration 826
healing abutment 918
heavy chamfer type *565*
height of contour 466
hemiplegia 1044
hinge articulator 779
hinge attachment 952
hinge axis 780
hinge axis locator 951
hinge axis point 781
hinge bow 953
hinge movement 778
HIP plane 943
hollow obturator 766
home-visit dental care 497
hook 971

horizontal mandibular position 607
horizontal overlap 105
horizontal plane 609
horizontal plane of reference 606
horseshoe plate 889
housing 875
hue 511
hybrid composite resin crown 873
hygienic pontic 230, 1128
hypernasality 137

i

immediate denture 700
immediate disocclusion *282*
immediate loading 699
immediate provisional restoration 701
immediate side shift *469*
immediate surgical obturator 575
immediate type *469*
impaction of food debris 587
implant 58
implant analogue（analog） 59
implant and tissue-supported 65
implant-assisted and tissue-supported 65
implant body 63
implant platform 980
implant platform shifting 981
implant prosthesis 60
implant-supported 64
impression 49
impression area 51
impression coping 53
impression pressure 50
impression surface of denture 254
impression taking 52
impression tray 54
incisal guide pin 642
incisal guide table 643
incisal path 650
incisal point 644
incisal rest *1161*
indentation of tongue 640
indirect retainer 229
individual die *968*
individual tray 437
individual tray for abutment impression 436
infrabulge area *30, 556*
infrabulge clasp 557
infraocclusion 787
infraorbital point 221
initial occlusal contact 585
inner cap 841
inner crown 841
intaglio surface 254
interalveolar crest line 545
interalveolar ridge line 545
intercondylar axis 204
intercondylar distance 203
intercuspation 415
interdental gingival space 979
interdental separation 509
Interdentalraumverschluβ（独語） 5
interim denture 483
interim prosthesis 486
interlocking core 1008
interlocking force 224
intermediary defect 764
internal connection 56
internal derangement 101
internal derangement of temporomandibular joint 175
internal finish line *961*
internal oblique line 842
interocclusal clearance *305*
interocclusal distance 390
interocclusal free way space 29
interocclusal record 55, 368, 756
interocclusal relationship 362, 736
interocclusal rest space 29
intracoronal attachment 506
intraoral prosthesis *177*
intraoral scanner 344
intraoral tracing 422
investing 1074
irreversible hydrocolloid impression 22
I. R. V. 5 *496*
isometric point 817

j

jacket crown 564

Jackson crib clasp 563
jaw defect 180
jaw movement 164
jaw position 163
junction of hard and soft palate 423

k

keel 243
keeper 242
Kennedy bar 317
Kennedy classification of removable partial dentures 316
key and keyway 241
kinematic axis 661
kinematic condylar point 74
knife edge type 844
Kolben *447*
Kolbenähnlich Form（独語） 447
Konometer（商品名） 444
Konuskronen Teleskop（独語） 431 *430, 444*
Konuswinkel（独語） 430

l

labial bar *132*
laminate veneer 1122
lateral check bite *756*
lateral condylar path 707
lateral condylar path on balancing sidenn 935
lateral condylar path on working side 471
lateral incisal path 714
lateral mandibular movement 706
lateral occlusal curve 710
lateral occlusal position 710
lateral position［of mandible］ 705
latero propulsion *603*
laterotrusion 1030
ledge *956*
limitation of mouth opening 129
limited mouth opening 129
line of reference 949
lingual apron 1144
lingual bar 1145
Lingual of the Lower *989*
lingual plate 1146
lingualized occlusion 1143
lip support 1127
long centric articulation（occlusion） 1176
low lip line 406
lower bow［of articulator］ 162
luting agent 412
luting cement 412

m

magnetic assembly 535
magnetic attachment 543
major connector 745
malocclusion 353
mandibular advancement splint 103
mandibular border movement［path］ 151
mandibular condyle 159
Mandibular Kinesiograph（商品名） 1084
mandibular lateral translation 706
mandibular movement 146, 164
mandibular movement disorders 149
mandibular movement record 147
mandibular movement recording device 148
mandibular position 145, 163
mandibular prosthesis 178
mandibular retruded position 152
mandibular torus 161
mandibular tracing 147
mandibular translation 194
mandibular trismus 129
margin 1073
marginal bone level 1035
master cast 472
masticating cycle 725
mastication 718
masticatory disturbance 726
masticatory efficiency 728
masticatory force 732
masticatory movements 720
masticatory performance 729
masticatory pressure 719
masticatory rhythm 731
masticatory side 727

masticatory system 181
matrix 1079
maxillary prosthesis 178, 189
maxillary tuberosity 578
maxillofacial prosthesis 177
maxillofacial prosthetics 176
maxillomandibular registration 372
maxillomandibular registration by measuring maximal occlusal force 395
maxillomandibular registration using physiologic rest position 144
maxillomandibular relationship 166
maxillomandibular relationship record 169, 372
maximal intercuspal position 416
maximal mouth opening 464
maximal occlusal force 465
maximal opening position 463
maximum convexity 467
Measuring Device（商品名）1096
median line 635
median plane 636
mentolabial sulcus 122
Mesial of the Lower *827*
Mesial of the Upper *1094*
mesial rest *1161*
mesiodistal clasp 1152
mesostructure［of implant prosthesis］765
metal allergy 292
metal backing 1098
metal base 295 *248*
metal base denture 296
metal-ceramic restoration 819
metal coping 1097
metal core *553*
metal crown 293
metal crown with swaged cusp 10
metal insert teeth 994
metal occlusal surface 294
metal plate denture 296
metal teeth 294
method of color measurement［of tooth color］704
micromovement *699*
milling 1088
milling bar 1089
milling in 554
minor connector 584
MKG *148*
MMA *87*
MMA-based luting agent 87
MM-J2 *148*
modeling plastic impression compound 1101
modified water swallowing test 133
modiolus 1100
mold guide 1099
monolithic zirconia crown 1103
monoplane occlusion 1102
Monson curve 1105
Monson's spherical theory 1106
most anterior（occlusal）position 461
most lateral occlusal position 462
most protrusive occlusal position 461
most retruded contact position 157
mounting frame 1076
mounting jig 1075
mounting on articulator 366
mounting plate 1076
mounting ring 1076
MPD syndrome 88
mucobuccal fold 558
mucolabial fold 561
mucostatic impression 1090
MUDL rule 1094
Munsell color system 1083
muscle palpating method 291
muscle trimming 288
muscular contact position［of mandible］298
muscular retention 287
mutually protected occlusion 1087
MWST 133
myalsia 88

mylohyoid ridge 184
myofascial pain dysfunction syndrome 88

n

nasal width 950
nasolabial angle 938
nasolabial groove 939
nasolabial sulcus 939
near zone 847
neuromuscular dysfunction 88
neutral zone 853
Ney Chayes *506*
Ney clasp 856
Ney Surveyor System *856*
Ney's clasp 856
niche *956*
nonanatomic teeth 924, 1092
nonanatomical articulator 923
nonfunctional cusp 932
nonhygienic pontic 936
nonmasticatory side 941
non-metal clasp denture 862
non parallel pin technique 861
non-pressure impression 1090
nonrigid connection 906
nonundercut area *30*
non-vertical stop occlusion 633
nonworking side 933
nonworking side occlusal contact 1023
normal contour *233*
normal functioning occlusion 270
NST 76
nutrition support team 76

o

O-ring attachment 112
obturator 178
obturator prosthesis 667
occlusal adjustment 381
occlusal analysis 384
occlusal appliance 115
occlusal balance 385
occlusal cone 499
occlusal contact 380
occlusal curvature 396
occlusal device 115, 616, 843, 1132, 1140
occlusal discomfort syndrome 354
occlusal disease 383
occlusal dysesthesia *354*
occlusal equilibration 381
occlusal examination 369
occlusal facet 378
occlusal facet of protrusion 686
occlusal force 393
occlusal force test 394
occlusal interference 363
occlusal plane 386
occlusal plane analyzer 389
occlusal plane guide 387
occlusal plane table 388
occlusal position 352
occlusal prematurity 692
occlusal pressure 349
occlusal ramp 118
occlusal reconstruction of denture 391
occlusal relationship 362
occlusal reshaping 381
occlusal reshaping [of artificial teeth] 473
occlusal rest *1161*
occlusal scheme 392
occlusal sound 357
occlusal sound analyzer 359
occlusal sound test 358
occlusal support 374
occlusal-supporting area 375
occlusal table 116
occlusal trauma 379
occlusal unit *752*
occlusal vertical dimension 370
occlusion 348
occlusion rim 382
one-piece cast method 1182
open lock *1021*
optical maxillomandibular registration 334
oral cavity proper 446
oral device 345
oral diadochokinesis 108
oral dyskinesia 109
oral frailty 110
oral hypofunction 341
oral rehabilitation 111

oral vestibule 342
orbitale *221, 984*
orientation groove 134
orientation plate for
compensating curve 717
orthotic device 694
Orton crown 125
OSAS *103, 314, 610*
osseointegrated implant 120
osseointegration 119
OU *752*
outer cap 127
outer crown 127
outline of clasp 327
ovate pontic 123
overbite 107
overclosure 104
over contour *233*
overdenture 106
overjet 105
overlap 922
overlay prosthesis 106
ovoid *70*
oxide film 482

p

palatal augmentation
prosthesis 652
palatal bar 895
palatal lift prosthesis 846
palatal lift type *621*
palatal plate 329, 896
palatal prosthetics 331
palatal ramp *118*
palatal strap 894
palatal torus 332
palatine torus 332
palatogram 898
palatopharyngeal closure
919
pantograph 911
pantographic recordings
912
PAP 652
parafunction 899
parallel cast 1028
parallel check 1026
parallel pin technique 900
parallelometer 1018, 1022,
1027
paresthesia 223
partial coverage crown
445, 977, 1119
partial coverage retainer
1119
partial denture 974
partial loss of retention
[of fixed partial denture
(bridge)] 1042
partial veneer crown 977
partially edentulous arch
315
Passavant's pad 877
Passavant's ridge 877
passive fit 886
path of masticatory
movement 721
patrix 890
peri-implant mucositis *61*
peri-implantitis 61
periodontal prosthesis 536
permanent splinting 75
personality *84*
pharyngeal bulb type *621*
phonetic method of measuring occlusal vertical
dimension 884
phonetic test 883
physiologic rest position
143
pickup impression 942
piezography 921
pin *761*
pin porcelain teeth 955
pin technique 954
pinledge 956
PIP 996
plane line articulator 1029
plane of occlusion 386
plaster core 641
plaster index 641
plate denture 1112
PLP 846 *621*
polished denture surface
251
polysulfide rubber
impression 1070
pontic 1072
porcelain bridge 1047
porcelain build up 818
porcelain-faced cast crown
822
porcelain fixed partial
denture 1047
porcelain-fused-to-metal
restoration 819
porcelain jacket crown 1046
porcelain layering zirconia
crown 1048
porcelain teeth 821
porion *984*

Posselt's envelope of motion 1064
Posselt's three dimensional representation 1064
post 1058
post-and-core 1060
post-and-core crown 1059
post ceramic soldering method 13
post dam 1062
post damming 414
posterior border position of mandible 155
posterior denture border 252
posterior guidance 1057
posterior palatal seal 328, 1062
posterior reference points 424
postpalatal seal 1062
poultice 36
Pound *1041*
Pound's triangle 876
pre-ceramic soldering 1077
precise impression 638
preliminary impression 128
premature contact 692
preparation of lingual wall 658
prepared root canal for dowel 1061
preprosthetic treatment 1068
pressure impression 126
pressure indicating paste 996
pressure mark on cheek mucosa 284
presymptomatic disease 1086
primary splinting 44
profile 709
profile record 709
prognosis 1118
progressive and distributed type ***469***
progressive side shift ***469***
progressive type ***469***
prosthesis 1065, 1069
prosthesis for defected jaw 189
prosthetic appliance for swallowing disorder 97
prosthetic dentistry 498
prosthetics 1066
prosthetics for defected jaw 188
prosthodontics 498
protrusive check bite *756*
protrusive movement [of mandible] 683
protrusive occlusal position 685
protrusive position [of mandible] 682
provisional bridge *486*
provisional cementation 193
provisional crown 1003
provisional restoration 1004
proximal groove 1151
proximal half crown 1001
proximal plate 1153
pupillary line 816

q

QOL *1086*

r

radicular attachment 454
ransitional denture 37
rare-earth magnet 264
rebase 1131
reciprocal arm 263
reciprocal clasp 263
reciprocation 262
recontouring 1124
record base 261
record base with occlusion rim 377
record rim 382
registration arm *951*
reinforcing wire 1050
relaxation appliance 1140 115
relief 1142
relief area 226
reline 1139
relining jig *1139*
remount cast jig 1134
remounting jig 1134
remounting on articulator 365
removable connection 199
removable dental prosthesis 197, 198
removable denture 196, 1112
removable die *518*
removable die system 518

removable partial denture 975 *974*
removable partial prosthodontics 976
removal knob 1135
repetitive saliva swallowing test 913
repositioning appliance 1132 *115*
residual mucous membrane 187
residual ridge 185
residual ridge arch *185*
residual ridge crest 544
residual ridge resorption 186
resilient attachment 217
resin base *248*
resin base denture 1159
resin-bonded prosthesis 657
resin cap 1155
resin denture base 1158
resin facing metal crown 1160
resin jacket crown 1157
resin veneer crown 1160
resistance *801*
rest 1161
rest seat 1162
restoration 507
retainer 552
retention 38
retention beads 1129
retention form 1053
retentive arm 43
retentive force 42
retentive latticework 39
retromolar pad 1164
retromolar trigone 281
retromylohyoid curtain 335
retromylohyoid space 335
retruded contact position 154
retrusion 410
retrusion facet 425
reverse articulation 398, 909
reverse articulation teeth 400
reverse back action clasp 1130 *856*
reversible hydrocolloid impression 232
ridge lap pontic 1126
ridge relation 735
ridge relationship 735
rigid attachment 928
rigid connection 443
rigid retainer 930
rigid support 1125
ring clasp 1147 *856*
ring liner 274
Roach clasp 1175
roofless denture 1091
root extension pontic 1108
rounded shoulder 1121
RPA clasp 4
RPI clasp 3
RSST 913
runner bar 1123

S

S-curve 79
“s” position 83
saddle pontic 28, 1111
sagittal condylar inclination 538
sagittal condylar path 537
sagittal incisal inclination 540
sagittal incisal path 539
sagittal plane 541
saliva test 747
sand-blasting 491
sandwich *535*
SAS 78 610 付録 151
Saxon test 475
scan body 613
scanner 612
science of occlusion 360
scissors bite 878
screw retainning system 614
secondary splinting 849
sectional denture 1007
sectional impression 1005
sectional impression tray 1011
selective grinding 668
selective pressure impression 669
self-help device 542
semiadjustable articulator 910
semifixed connection 906
semihygienic pontic 907, 1039
senile appearance 1173
sensory disturbance 223
sex *84*

shade guide 493
shade selection 512
shortened dental arch 752
shoulder 589 *761*
side shift 469
sieving test [of masticatory efficiency] 562
silicone rubber impression 590
single-arm clasp 753
single complete denture 593
single die 755
single impression 750
sleep apnea syndrome 610
sleeve 632
smile line 581
smiling line 937
snort mirror 940
so-called denture fibroma 259
soft relining material *1139*
solid working cast 519
SPA factor 84
space of Donders 839
speaking space 882
speech aid 621
speech articulation 324
speech articulation test 433
speech bulb 903
speech discrimination test 433
spheroid pontic 973
spillway 840
splint 627
splinting 626
splinting [of teeth] 1166
split bar 625
split cast 624
splitpole *535*
spoon denture 623
spur 620
square *70*
stabilization appliance 616 *115*
stabilized condylar position 201
standard tessellation language 80
standard triangulated language 80
stent 618
stereolithography 80
Stern G/L *506*
stethoscopy 775
STL 80
stomatognathic system 181
strap 619
stress-bearing ability 12
stress-bearing region 255, 351
stress breaker 220
stress-breaking attachment 217
stress-breaking retainer 219
stress director 220
stress supporting region 351
Stuart articulator *671*
stud attachment 454
study cast 319
stylus 947
sublingual bar *1145*
subnasal point 925
subnasion 925
subperiosteal implant 440
substructure [of implant prosthesis] 208
super-aged society 774
superstructure [of implant prosthesis] 582
support 530
supporting ability 534
supporting cusps 532
supporting tissue 533
suprabulge area *30, 499*
suprabulge clasp 501
supracrestal tissue attachment 637
survey line 478
surveying 479
surveyor 477
swaged plate 11 *295*
swallowing disorder 92
swallowing method [of vertical relation] 96
swallowing position 91
Swedish banana *1064*
symptom provoking test 823

t

taper 795
taper tool *477*
tapering *70*
tapping 748
tapping movement 749
telescopic crown 802
template 812
template for defected jaw

244
temporary abutment 813
temporary cementation 193
temporary splinting 484
temporomandibular arthralgia 174
temporomandibular disorders 173, 179
temporomandibular joint diseases 172
temporomandibular joint noise 171
temporomandibular joint radiography 170
Tench's core 806
Tench's space 805
tentative occlusal plane 191
terminal hinge axis 573
terminal hinge axis point 574
terminal hinge movement 572
terminal hinge position 571
test for chewing ability 722
three fundamental anterior tooth contours classified by Williams 70
three quarter crown 1119
tilting test 811
tinner's joint 793
tissue borne 859
tissue borne denture 860
tissue conditioner 791
tissue displacebility 914
tissue displacement 915
tissue stop 792
TMJ articulator *671*
tongue bite *405*
tooth and tissue-support 526
tooth and tissue-supported denture 527
tooth arrangement 598
tooth axis 531
tooth borne denture 763
tooth-colored material 505
tooth crown axis 502
tooth mobility test 828
tooth preparation 550
tooth preparation in two planes 852
tooth-support 528
tooth-supported denture 529
top down treatment 829
torus palatinus 332
traceability 838
tracing plate 948
transfer cap 833
transfer coping 834
transfer index 832
transfer jig 835
transverse horizontal axis 780
traumatic occlusion 131
treatment denture 784
tube teeth 772
Twin Hoby articulator *786*
twin-stage articulator 786
two-arm clasp 854
two-arm clasp with occlusal rest 1163

U

UCLA abutment 1109
unattached mucous membrane 207
under contour *233*
undercut 30
undercut area *30*
undercut gauge 31 *477*
unilateral balanced articulation [occlusion] 1041
unilateral bounded saddle denture *763*
unilateral chewing 1043
unilateral extension base denture *1115*
unilateral occlusal balance 1040
unloaded period *741*
upper bow [of articulator] 579
utterance 887

V

value 1095
VE 95
velopharyngeal closure 919
veneer crown 946
vertical dimension 168
vertical dimension increase 367
vertical mandibular position 604
vertical overlap 107
Verticulater *786*
VF 93
vibrating line 1

videoendoscopic evaluation of swallowing 95
videoendoscopic examination of swallowing 95
videofluorography 93

W

Walkhoff palatal ball 1181
wash impression technique 72
water swallowing test 1085
wax adaptation technique *1179*
wax cone technique 1180
wax denture 1171
wax elimination 1154
wax pattern *1179*
wax pattern fabrication 1179
wax trimmer *477*
waxing 1179
Whip-Mix *910*
wide centric articulation (occlusion) 1177
wire clasp 662
working side 470
wrought bar 299
wrought wire clasp 662
WST 1085

X

xerostomia 340

Z

zerodegree teeth 1092
zinc oxide eugenol impression 480
zirconia 591
zirconia block 592
zirconium oxide 591

人名索引

【日本人名】

石原寿郎 562
大石忠雄 201
尾花甚一 633
草刈　玄 509
河野正司 661
坪根政治 871
藤田恒太郎 531
保母須弥也 786
矢崎正方 397

【外国人名】

Adams 9
Akers 77
Amsterdam 536
Ante 32
Bennett 1030
Blatterfein 847, 957
Bonwill 203, 1071
Boos 395
Brill 298
Carmichael 1119
Christensen 306, 757
Clark 354
Cooperman 943
Davis 794
Denar 911
Donders 839
Duchange 801
Eichner 6
Elbrecht 90
Fisher 84
Frush 84
Gaerny 5
Gottlieb 1149
Green 291
Guichet 383, 469, 1177
Gysi 291, 378, 435, 675, 1017
Hanau 1017
Hardy 1092
Heartwell 593
Jackson 563
Jankelson 1084
Jelenko 786
Käyser 752
Kelly 452
Kennedy 316, 317
Klein 921
Körber 430, 431, 1165
Krogh-Poulsen 291
Lauritzen 384, 951, 1094
Levin 994, 999
Lott 999
Luce 762
Lundeen 1017
Manly 562
McCollum 845
Monson 389, 1106
Munsell 1083
Payne 1180
Posselt 155, 1064
Pound 1143
Roach 1015, 1152, 1175
Schuyler 989, 1176, 1177
Sears 901, 1092
Simmons 354
Snow 962
Solberg 464
Sosin 994
Spee 622
Stallard 845
Steiger 761
Stuart 911, 953
Tench 805
Thomas 1180
Watt 358
Williams 70

歯科補綴学専門用語集 第6版　ISBN978-4-263-45671-2

2001年 2 月20日　第1版第1刷発行
2004年10月25日　第2版第1刷発行
2009年 3 月10日　第3版第1刷発行
2015年 2 月10日　第4版第1刷発行
2019年 3 月25日　第5版第1刷発行
2023年 5 月25日　第6版第1刷発行

公益社団法人
編　者　日本補綴歯科学会

発行者　白　石　泰　夫

発行所　医歯薬出版株式会社

〒113-8612　東京都文京区本駒込1-7-10
TEL.（03）5395-7638（編集）・7630（販売）
FAX.（03）5395-7639（編集）・7633（販売）
https://www.ishiyaku.co.jp/
郵便振替番号 00190-5-13816

乱丁，落丁の際はお取り替えいたします　　印刷・三報社印刷／製本・榎本製本